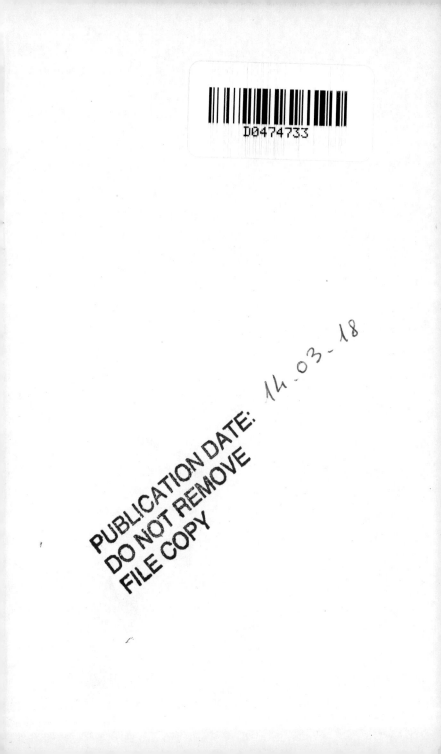

D0474733

Skeleton Road

DU MÊME AUTEUR

Le Dernier Soupir, Lib. des Champs-Elysées, 1994.
Retour de manivelle, Lib. des Champs-Elysées, 1995.
Crack en stock, Lib. des Champs-Elysées, 1996.
Arrêts de jeu, Lib. des Champs-Elysées, 1996.
Gènes toniques, Lib. des Champs-Elysées, 1996.
Le Chant des sirènes, Éd. du Masque, 1997.
Mauvais Signes, Lib. des Champs-Elysées, 1998.
La Fureur dans le sang, Éd. du Masque, 1998.
Une mort pacifique, Lib. des Champs-Elysées, 1998.
Au lieu d'exécution, Éd. du Masque, 2000.
Le Tueur des ombres, Éd. du Masque, 2001.
La Dernière Tentation, Éd. du Masque, 2003.
Mystère et bûches glacées, Éd. du Masque, 2003.
4 Garçons dans la nuit, Éd. du Masque, 2005.
La Souffrance des autres, Éd. du Masque, 2007.
Noirs Tatouages, Éd. du Masque, 2008.
Sous les mains sanglantes, Éd. du Masque, 2009.
Sans laisser de traces, Flammarion, 2011.
Fièvre, Flammarion, 2012.
Comme son ombre, Flammarion, 2013.
Châtiments, Flammarion, 2014.
Lignes de fuite, Flammarion, 2015.
Une victime idéale, Flammarion, 2016.
Les Suicidées, Flammarion, 2017.

Val McDermid

Skeleton Road

Traduit de l'anglais (Écosse)
par Arnaud Baignot et Perrine Chambon

Flammarion

Titre original : *The Skeleton Road*
Éditeur original : Little, Brown
© Val McDermid, 2014.
Pour la traduction française :
© Flammarion, 2018.
978-2-0814-2124-0

Pour ma Jo

« Mais cette dédicace est destinée à être lue
par d'autres : ce sont des mots privés
qui te sont publiquement adressés. »

T. S. Eliot

« La géographie est une question de pouvoir.
Bien qu'on la juge souvent innocente, la géographie
du monde n'est pas un produit de la nature,
mais le fruit de luttes entre des puissances concurrentes
pour obtenir le pouvoir d'organiser, d'occuper
et d'administrer l'espace. »

Gearóid Ó Tuathail, *Critical Geopolitics*

PROLOGUE

Le coucher de soleil est souvent majestueux dans le port touristique crétois de La Canée. Des reflets dorés, rouges et roses font scintiller les coques des canots de location, des yachts de seconde catégorie et des bateaux de plaisance. Les remparts historiques délimitant le port s'élèvent, solides, vers le ciel fragile, telles des ombres projetées sur un écran, et le long des quais des touristes admirent avec nonchalance un artiste de rue ou un stand de bijoux, flânant de restaurants en magasins de souvenirs.

Autour du port, les bâtiments qui composent la ville s'entassent pêle-mêle, certains partant à l'assaut de la colline, d'autres serrés les uns contre les autres comme des bâtisses romaines. Des locations de vacances et des résidences pour retraités surplombent la foule de bateaux et de promeneurs, leurs façades striées par les derniers rayons du soleil.

Assis à l'une des tables en terrasse, un homme observe les touristes, impassible, un fond de Metaxa sept étoiles posé devant lui. Une petite soixantaine d'années, large d'épaules, quelques kilos en trop. Il est vêtu d'un short bleu marine et d'un polo vert bouteille qui laisse voir ses avant-bras musclés au bronzage cuivré comme sa boisson. Il porte des lunettes teintées sensiblement plus élégantes que le reste de sa tenue.

Ses cheveux blancs sont coupés court et il a une grosse moustache qu'il essuie de temps en temps d'un revers de main. C'est un geste qu'il exécute plus souvent que nécessaire, comme si cette moustache l'embarrassait. C'est le seul détail chez lui qui dénote un manque d'assurance.

Il ne se doute pas qu'on l'observe, ce qui est surprenant parce qu'il a l'air d'être vigilant.

Il termine sa boisson, s'essuie la bouche une dernière fois avant de se lever. Il longe le quai d'un pas déterminé. Les gens s'écartent sur son passage, non par peur, mais plutôt par respect, semble-t-il. Une silhouette se tient quelques mètres derrière lui. Une ombre qui profite de la foule pour lui emboîter le pas.

À quelques rues du port, il bifurque dans une ruelle. Il jette un bref coup d'œil autour de lui avant de s'engouffrer dans une résidence moderne. Ni trop chic ni trop modeste. Le genre de logement qu'achèterait un professeur d'histoire à la retraite pour jouir de la vie crétoise. Et c'est exactement ce que croient ses voisins.

La silhouette se glisse dans l'immeuble derrière lui et gravit à son tour l'escalier en silence. La discrétion est un impératif dans ce métier et ce soir, il ne peut pas y déroger. Sans bruit, il sort un couteau de son fourreau. Il le tient bien en main, il attend. Le couteau est si aiguisé qu'il pourrait fendre une feuille de papier.

L'homme s'arrête devant la porte de son appartement, prêt à entrer. Il introduit la clé dans la serrure, la tourne et ouvre la porte. Il s'apprête à franchir le seuil quand une voix lui souffle à l'oreille un nom qu'il n'a pas entendu depuis des années. Stupéfait, il fait lentement volte-face tout en reculant dans l'appartement.

Mais il est trop tard. Sans hésitation, d'un seul mouvement, la lame brillante lui tranche la gorge de part et d'autre. Le sang jaillit et éclabousse la porte, les murs et le sol d'une autre teinte rougeâtre.

Quand il rend son dernier souffle, son assassin s'est déjà fondu dans la foule des touristes et se dirige vers un bar pour boire un verre bien mérité. Un Metaxa sept étoiles, peut-être. Il va trinquer à cette mort qui ne pourra jamais racheter toutes les autres.

1

Fraser Jardine se sentait très mal. Son estomac était noué par la panique. Une gouttelette de sueur roula sur sa tempe gauche. Une petite voix dans sa tête se moquait de sa faiblesse, comme elle l'avait toujours fait depuis son enfance. Se mordant la lèvre de honte, Fraser força l'ouverture du Velux d'un coup brusque. Il gravit une à une les trois dernières marches de l'échelle et sortit avec prudence sur le toit à deux versants.

Des touristes auraient payé cher pour cette vue imprenable sur une ville classée au Patrimoine de l'humanité, mais ça lui était égal. Tout ce qui comptait pour lui, c'était la distance qui le séparait du sol.

Il n'avait jamais aimé les hauteurs. Enfant, il avait toujours pris soin d'éviter le grand toboggan au parc. L'escalier vertigineux dont chaque marche résonnait comme le glas. Sa main moite posée sur la rampe froide et glissante. L'odeur de la sueur et du métal qui lui donnait envie de vomir. (Ça aurait été terrible de projeter un jet de vomi multicolore sur les enfants et les parents en bas.) Mais il n'avait pas toujours pu y échapper. Il avait dû parfois grimper tout en haut de cette minuscule plateforme en métal, en proie à une désagréable envie d'uriner, à deux doigts de mouiller son pantalon. Alors il fermait les yeux, s'allongeait sur le dos et se laissait glisser, refusant de rouvrir les paupières tant qu'il n'avait pas atterri sur le sable dur en bas du toboggan. S'écorcher les genoux, à ce moment-là, était une bénédiction ; cela signifiait qu'il avait retrouvé la terre ferme.

Sa peur bleue des hauteurs avait été sa seule réserve lorsqu'il avait envisagé un choix de carrière. Un ingénieur en bâtiment devait sans doute monter sur les toits de temps en temps, non ? On ne pouvait prétendre ignorer que certaines structures présentent des risques pour les employés et alourdissent la facture finale. Il n'était pas idiot : il avait posé la question lors de la foire des métiers. Le type qui représentait la filière du BTP avait pris ça à la légère en disant que ça n'arrivait pas souvent. Après trois mois de formation, Fraser avait compris que ce gars ne savait pas de quoi il parlait. Mais le marché de l'emploi était difficile, surtout quand on était un jeune diplômé issu d'une université sans prestige particulier. Il avait donc pris sur lui.

Ces six dernières années, il avait systématiquement anticipé les missions les plus risquées et avait réussi à y échapper. Il prétextait une autre tâche à terminer, un rendez-vous chez le dentiste pour soigner une molaire douloureuse ou une formation à laquelle il devait assister. Il était devenu expert dans l'art de l'évitement et, apparemment, personne ne s'en était rendu compte.

Mais ce matin-là – un samedi qui plus est – son patron lui avait demandé de s'en charger. Une mission urgente pour un nouveau client qu'ils voulaient impressionner. Personne d'autre n'était disponible. C'était donc à Fraser qu'il incombait d'aller inspecter les remparts, tourelles et pinacles gothiques victoriens de la John Drummond School.

La bouche sèche, les mains moites de sueur dans ses gants de travail, il descendit lentement en crabe le long des ardoises pentues.

— Ça pourrait être pire, commenta-t-il à voix haute tout en inspectant machinalement l'état du toit, où il remarqua que certaines ardoises avaient glissé ou disparu. Ça pourrait être bien pire. Il pourrait pleuvoir. Ça pourrait glisser comme sur une saloperie de patinoire.

Son enthousiasme forcé n'aurait pas réussi à tromper sa fille de deux ans. Lui-même n'était pas dupe.

L'astuce, c'était de continuer à respirer, lentement, régulièrement. Et de ne pas regarder en bas. Ne jamais regarder en bas.

Parvenu en relative sécurité au niveau de la gouttière en zinc peu profonde située derrière le mur crénelé, il se concentra sur la tâche à accomplir.

— C'est juste un mur. Juste un mur. Un putain de mur à la con, marmonna-t-il en prenant note du mortier qui s'effondrait.

La pression sur sa vessie s'accentua quand il mesura à quel point le bâtiment avait été endommagé par les intempéries. Il était impossible d'apercevoir les dégâts depuis le sol. Qu'est-ce qui l'attendait encore sur ce fichu toit délabré ?

Fraser était passé en voiture devant la John Drummond un nombre incalculable de fois, s'émerveillant qu'elle soit toujours aussi impressionnante vue de loin, alors même qu'elle était vide depuis presque vingt ans. C'était un point de repère à Édimbourg, avec sa majestueuse façade sophistiquée surplombant un petit parc bordant l'une des artères sud. Pendant des années, l'ampleur des travaux nécessaires pour réhabiliter cette école privée abandonnée avait rebuté les promoteurs immobiliers. Mais la croissance exponentielle de la population estudiantine de la ville avait créé une demande de logements et des possibilités de bénéfices pour les développeurs enclins à s'attaquer à des projets de grande envergure.

Voilà pourquoi Fraser était coincé sur ce toit délabré par un samedi matin glacial. Il entama prudemment le tour du périmètre, surveillant alternativement le parapet et le toit, énonçant de temps à autre ses observations dans le dictaphone à commande vocale accroché à sa veste réfléchissante. Quand il arriva au premier des quatre pinacles d'imitation gothique se dressant à chaque coin du toit, il s'arrêta et l'inspecta consciencieusement. Il mesurait environ quatre mètres de haut, à peine plus d'un mètre de diamètre à sa base et se terminait en pointe. La pierre était recouverte de sculptures extravagantes. Pourquoi faire tout ça ? se demanda Fraser. Même les Victoriens devaient bien avoir d'autres manières de dépenser leur argent. Pourquoi le gaspiller comme ça ? Tous ces détails exagérés que personne ne pourrait jamais voir de près, ces boules et ces enjolivures qui se découpaient contre le ciel. Certaines étaient tombées au fil des années. Heureusement, il n'y avait jamais eu personne en dessous quand cela s'était produit. Au niveau du toit, la pierre formait une petite arche, permettant sans doute un accès à l'intérieur du pinacle. Seul le plus jeune et le plus petit apprenti maçon pouvait s'y loger, se dit Fraser. Il doutait de pouvoir se glisser à travers l'ouverture. Néanmoins, il fallait qu'il y jette un coup d'œil.

Il s'allongea dans la gouttière, alluma la lampe frontale sur son casque rigide et avança. Une fois qu'il eut passé la tête à l'intérieur, il fut en mesure de l'examiner plus précisément qu'il ne l'aurait cru. Le sol était couvert de briques à chevrons. Les murs étaient aussi en briques, qui branlaient là où le mortier s'était éboulé, mais tenant malgré tout en place grâce au poids qu'elles soutenaient. Un tas de plumes dans un coin révélait qu'un pigeon y avait été piégé par sa propre stupidité. Fraser attribua l'odeur âcre qui régnait à une vermine quelconque. Rats, chauves-souris, souris. Peu importait.

Comme il n'y avait rien d'autre à voir, Fraser s'extirpa et se remit debout. Il réajusta sa veste avant de poursuivre son inspection. Deuxième côté. Deuxième tourelle. Ne pas regarder en bas. Troisième côté. Une section du parapet était tellement abîmée qu'elle semblait tenir par l'opération du Saint-Esprit. Se félicitant qu'il n'y eût personne à ses côtés pour voir les gouttelettes de sueur poindre à la base de ses cheveux, Fraser entreprit de franchir à quatre pattes la zone dangereuse. Il allait falloir abattre ce mur avant qu'il ne s'écroule tout seul jusqu'en bas. En bas. Bon sang, rien que ce mot lui donnait le tournis.

Arrivé au troisième pinacle, il se sentit à nouveau en sécurité. Toujours à quatre pattes, Fraser alluma de nouveau sa torche frontale pour passer la tête à travers l'arche. Cette fois, ce qu'il vit le fit sursauter si violemment qu'il se cogna contre la pierre, envoyant valdinguer son casque au sol, la lampe s'agitant en tous sens avant de s'immobiliser.

Fraser poussa un gémissement. Il avait enfin trouvé sur un toit quelque chose qui lui faisait plus peur que le vide. Appuyé contre la brique, un crâne lui souriait, posé sur un tas d'os qui avait sans le moindre doute appartenu un jour à un être humain.

2

— Vous plaisantez, j'espère ? dit le commandant Karen Pirie en levant la tête pour regarder le pinacle trônant en hauteur au coin du toit. Ils ne croient quand même pas que je vais grimper sur le toit d'un bâtiment qui, techniquement, est condamné ? Pour un squelette par-dessus le marché ?

L'inspecteur Jason Murray, alias « La Menthe », contempla le toit d'un air dubitatif avant de poser de nouveau les yeux sur sa chef. Elle pouvait suivre le cours de ses pensées : « Trop grosse, trop baraquée, trop risqué. » Toutefois, malgré sa bêtise, La Menthe avait appris quelque chose auprès de Karen. Même s'il aurait eu du mal à le formuler ainsi, au fil des années, il avait acquis les rudiments de la bienséance.

— Je ne comprends pas pourquoi ils nous confient l'enquête de toute façon, commenta-t-il. Comment est-ce qu'ils peuvent refiler ça aux affaires non classées alors qu'ils viennent juste de retrouver le type ce matin ?

— Premièrement, on ne sait pas si c'est un homme. Il faut attendre qu'un spécialiste analyse les ossements. Deuxièmement... Jason, pour qui est-ce que tu travailles déjà ?

La Menthe parut perplexe. C'était son expression de prédilection.

— La police écossaise, répondit-il sur le ton de celui qui enfonce une porte ouverte tout en sachant qu'il va se faire passer un savon.

— Et plus particulièrement, Jason...

Karen prenait lentement la voie de l'engueulade.

— Je travaille pour vous, chef.

Il parut momentanément assez satisfait de lui.

— Et qu'est-ce que je fais ?

Il y avait plusieurs réponses possibles, mais aucune ne lui paraissait appropriée.

— Vous êtes le chef, chef.

— Le chef de quoi ?

— Des affaires non classées.

Il était assez confiant à présent.

Karen poussa un soupir.

— Mais quelle est l'appellation officielle de notre unité ?

Il finit par comprendre.

— L'Unité des Affaires Historiques.

— C'est pour ça qu'ils nous confient cette affaire. Quand un corps a atteint le stade du squelette, il est pour nous.

Cette démonstration terminée, Karen se tourna de nouveau vers l'homme vêtu d'un casque rigide et d'une veste réfléchissante qui se tenait près d'elle.

— J'imagine qu'il s'agit d'un espace réduit ? lui dit-elle.

Fraser Jardine fit oui de la tête en accéléré.

— Absolument. Vous auriez du mal à y loger à deux.

— Et l'accès ? Est-ce qu'il est limité aussi ?

— Comment ça ? demanda Jardine en fronçant les sourcils. Vous voulez dire étroit ?

— Oui, c'est ce que je veux dire. Mais je voudrais aussi savoir combien il y a de voies d'accès. Une seule pour monter et descendre ?

— C'est au coin du bâtiment, donc je pense que, théoriquement, on peut y accéder par les deux côtés. Quand vous sortez par le Velux, c'est la deuxième petite tour sur votre gauche. Ou la troisième si vous prenez à droite, comme je l'ai fait.

— Et tout ça est exposé aux intempéries, j'imagine. Le vent, la pluie… ?

— C'est un toit. C'est inévitable…, répondit-il avec un bref soupir. Désolé, je ne cherche pas à être désagréable. Je suis juste un peu secoué. En plus, mon patron m'a demandé si tout ça allait compromettre mes estimations. Je suis un peu sous pression, vous comprenez ?

Karen lui tapota l'avant-bras. Même à travers sa tenue de travail, elle sentait ses muscles. Un homme aussi costaud que lui pouvait sans aucun effort transporter un corps jusqu'au sommet d'un toit. Avec une scène de crime pareille, l'éventail de suspects était plus réduit que d'habitude, à supposer que la victime ne soit pas morte sur place.

— Je comprends. Dans quel état est le bâtiment, à l'intérieur ? Est-ce que vous avez vu des traces indiquant que quelqu'un était passé par là avant vous ?

— Non, je n'ai rien vu de tel, répondit Fraser en secouant la tête. Mais je ne sais pas si ce serait facile à déterminer ou non. L'endroit est assez délabré. Le bâtiment a été condamné il y a longtemps et il n'est pas étanche. Il y a de l'humidité, de la moisissure et des mauvaises herbes qui grimpent le long des murs. Je ne sais pas combien de temps il faut pour qu'un corps se désagrège, mais je suppose que ça doit prendre plusieurs années, non ?

— Oui, répondit-elle avec une confiance à moitié feinte.

— Si des gens s'étaient introduits à l'intérieur il y a plusieurs années, on ne pourrait pas le savoir. La nature finit par reprendre ses droits et efface les traces de notre passage.

Il suffit parfois de quelques mois à peine pour nous faire oublier que des gens ont vécu et travaillé dans un endroit donné, dit-il en haussant les épaules. Alors ce n'est pas étonnant que je n'aie remarqué ni empreinte ni traces de sang ni quoi que ce soit.

— Mais vous avez bien remarqué un trou dans le crâne du squelette ?

Il fallait relancer son interlocuteur, ne pas le laisser prendre trop d'assurance. Karen était douée pour déstabiliser un témoin.

Fraser déglutit et dodelina de nouveau de la tête, sa confiance passagère à présent évanouie.

— Juste là, dit-il en posant un doigt au-dessus de son sourcil droit. Pas très large, de la taille d'un bouton de chemise, à peu près.

Karen hocha la tête pour l'encourager.

— Ça ne paraît pas grand-chose, je sais. Mais ça suffit. Et les vêtements ? Vous avez remarqué des vêtements sur le corps ou par terre ?

— Honnêtement, je n'ai regardé que le crâne, répondit-il en frissonnant. Putain, je vais en faire des cauchemars.

Il la regarda d'un air contrit avant de se reprendre :

— Excusez-moi.

Karen sourit.

— J'ai entendu bien pire.

Elle conclut que Fraser Jardine n'avait rien de plus à ajouter au récit de sa découverte morbide. Elle avait mieux à faire que de continuer cette conversation, maintenant. Elle se tourna vers La Menthe. Il ne pouvait pas faire trop de dégâts avec un témoin si peu essentiel à l'enquête.

— Jason, installe M. Jardine dans un véhicule pour prendre sa déposition.

Dès que La Menthe se fut éloigné avec Fraser, Karen appela le responsable de l'équipe de permanence au sein de la police scientifique. Karen avait déjà travaillé avec Gerry McKinlay et elle savait qu'elle n'aurait pas besoin de lui dire comment faire son travail. Ces temps-ci, l'arrestation des criminels semblait être conditionnée par les budgets. Certains experts exigeaient qu'on leur transmette chaque demande en triple exemplaire. Karen comprenait la logique, mais les retards que cela engendrait pour l'enquête l'agaçaient prodigieusement.

— Où est le problème ? lui avait lancé l'un d'entre eux un jour. Les corps sur lesquels vous enquêtez sont là depuis longtemps. On n'est pas à quelques jours près.

— Allez dire ça aux familles, avait-elle rétorqué. Chaque jour compte pour eux. Maintenant bougez-vous le cul et faites votre boulot correctement.

Cette grossièreté aurait fait honte à sa mère. Mais Karen avait appris à ses dépens qu'au bout du compte, la politesse ne menait jamais à rien dans la police.

— C'est au sujet de ton squelette, Karen ? demanda Gerry avec son accent d'Irlande du Nord caractéristique qui réduisait son prénom à une seule syllabe.

— Lui-même, Gerry. Selon un témoin, il se trouve dans un espace confiné et difficile d'accès. Il faut passer par le toit pour l'atteindre. Il a été exposé aux intempéries pendant des années. Donc je crois qu'il nous faut un gars de la scientifique formé en homicides pour faire les photos et relever les empreintes sur la scène du crime. Maintenant, à toi de décider si tu veux que ce soit la même personne qui examine également le toit ou si tu préfères envoyer quelqu'un d'autre. À ta place, j'utiliserais le même gars, quitte à l'envoyer là-haut... J'ai chargé un agent en uniforme de bloquer l'accès au Velux qui donne sur le toit, donc personne ne peut passer.

— Et pour accéder à ce Velux ?

Karen poussa un long soupir.

— Je doute que les preuves trouvées sur place puissent nous être utiles. Le bâtiment est abandonné depuis une vingtaine d'années. Il n'a pas été vandalisé ni squatté, mais il tombe en ruines à l'intérieur, d'après notre témoin. Ça me rappelle les photos des bâtiments désaffectés de Detroit. Je vais aller y jeter un coup d'œil dans une minute. Est-ce que tu peux envoyer quelqu'un ? S'il juge qu'il faut faire intervenir toute une équipe, on se rappellera.

— OK. Est-ce que tu pourras mettre le squelette sous scellés tant qu'on y est ? Pour qu'on puisse voir s'il ne cache pas autre chose ?

— Je vais essayer, Gerry. Mais tu sais comment ça se passe un samedi en pleine saison de football. C'est incroyable le nombre de personnes subitement injoignables…

Gerry gloussa.

— Bonne chance, alors. À plus tard, Karen.

Il lui restait un dernier coup de fil à passer. Elle sélectionna un numéro dans la liste de ses contacts et attendit la réponse de son interlocuteur. Elle aurait pu contacter le médecin légiste de permanence. Mais ces vieux ossements méritaient l'intervention du Dr River Wilde, anthropologue judiciaire, que Karen considérait aussi comme sa meilleure amie. Affublée par ses parents hippies d'un prénom que personne ne prenait au sérieux, River avait dû redoubler d'efforts et de travail pour gagner le respect de ses collègues. Les deux femmes avaient collaboré sur plusieurs grosses affaires, mais pour Karen, leur amitié comptait presque autant que leur relation professionnelle. Être flic créait une barrière entre vous et les autres femmes. Il était difficile de tisser des liens solides avec quelqu'un qui n'était pas du métier. Accorder sa confiance trop facilement pouvait se révéler dangereux. Par ailleurs, les gens étrangers au domaine ne mesuraient pas l'ampleur des enjeux. Vous vous retrouviez donc à fréquenter d'autres femmes flics qui avaient le même grade que vous. Elles n'étaient pas nombreuses au même poste que Karen et celle-ci n'avait jamais vraiment sympathisé avec elles. Elle s'était souvent demandé si cela tenait au fait qu'elles sortaient de l'université alors qu'elle-même avait gravi les échelons un à un. Quoi qu'il en soit, avant de rencontrer River, elle n'avait jamais trouvé dans le monde de la police quelqu'un avec qui elle aimait vraiment passer du temps.

River décrocha à la troisième sonnerie. Elle avait l'air à moitié endormie.

— Karen ? Dis-moi que tu es en ville et qu'on se retrouve pour prendre un brunch.

— Je ne suis pas en ville et il est trop tard pour un brunch.

River poussa un grognement. Karen crut entendre le lit grincer.

— Merde, j'ai dit à Ewan de me réveiller avant de sortir. Je suis rentrée de Montréal hier et mon corps ne sait plus quel jour on est.

Elles auraient l'occasion de bavarder plus tard. Karen savait qu'elle pouvait aller droit au but sans risquer d'offenser son amie.

— On est samedi midi ici à Édimbourg. J'ai un squelette avec un trou dans le crâne. Est-ce que ça t'intéresse ?

River bâilla.

— Bien sûr que ça m'intéresse. Tu as trois heures ? Je peux sans doute être là d'ici trois heures, je pense une heure jusqu'à Carlisle, et deux jusqu'à Édimbourg.

— Tu oublies la douche et le café.

River lâcha un petit rire.

— C'est vrai. Disons trois heures et quart. Envoie-moi le code postal par texto. Je te retrouve là-bas.

Elle raccrocha.

Karen sourit. Avoir des amis qui prenaient tout autant qu'elle leur travail au sérieux était un véritable atout. Elle remonta son sac sur son épaule et se dirigea vers la porte latérale de l'école John Drummond, où un officier en uniforme se tenait posté dans l'allée gravillonnée, fixant d'un regard absent un massif de rhododendrons. Elle avait à peine fait trois pas qu'elle entendit La Menthe l'appeler. Réprimant un soupir, elle se retourna et le vit s'avancer vers elle d'un pas lourd. Elle ne cessait de s'étonner qu'un homme aussi maigre puisse se déplacer avec l'élégance d'un grizzli.

— Qu'est-ce qu'il y a, Jason ?

Devait-elle s'attendre à une grande première ? Jason avait-il découvert un élément digne d'intérêt ?

— Est-ce qu'il t'a dit quoi que ce soit de nouveau ? demanda-t-elle.

— D'après M. Jardine, on racontait des choses sur ce bâtiment, il y a longtemps.

Il s'interrompit, plein d'espoir, les yeux brillants, fidèle à son surnom qui provenait d'une publicité proclamant : « Les menthes Murray, les menthes Murray, on prend son temps pour les déguster. »

— Est-ce que tu as l'intention de m'en dire plus ? Ou est-ce qu'on va jouer aux devinettes ?

La Menthe continua sans se démonter :

— Il a repensé à ça parce que… en venant ici, il a appelé un de ses copains pour l'avertir qu'il ne serait pas au pub à temps pour le début du match, expliqua-t-il soudain songeur. C'est Liverpool contre Manchester City, vous comprenez.

— Vous devriez tous soutenir les équipes locales, bon sang. Est-ce que Liverpool a jamais fait quoi que ce soit pour toi, Jason ? le réprimanda Karen. Alors arrête de perdre du temps et viens-en au fait.

— Quand M. Jardine lui a dit qu'il devait inspecter le toit de la John Drummond, son copain lui a demandé s'il montait par l'intérieur ou l'extérieur. Ça lui a rappelé qu'un gars lui avait raconté une histoire au sujet de ce bâtiment, un jour. Apparemment, y'a des types qui aiment bien escalader ce genre de bâtisses. Ils grimpent sur la façade sans cordes ni rien du tout.

— De la grimpe urbaine ?

— Ça s'appelle comme ça ? En tout cas, la John Drummond a l'air assez connue dans ce milieu-là, on raconte que c'est amusant de l'escalader, d'autant qu'il n'y a aucun système de sécurité. Alors si ça se trouve, notre type n'est pas passé par le Velux. Il a peut-être grimpé jusque là-haut par ses propres moyens.

3

Le professeur Maggie Blake balaya des yeux la salle de séminaire en essayant de croiser le regard de chaque participant. Elle fut satisfaite de constater qu'ils étaient tous attentifs. Tous, sauf la jeune fille du fond de la classe, qui ne levait jamais la tête de sa tablette, même lorsqu'elle exprimait une opinion. Il y avait toujours un étudiant qui, malgré ses efforts, rechignait à s'intégrer au groupe. Même au cours d'une séance comme celle-ci, qui faisait partie d'un cycle de conférences organisé pendant le week-end auquel ils avaient tous choisi d'assister.

— Donc, pour résumer, nous avons montré aujourd'hui l'importance capitale du vocabulaire employé pour décrire les relations géopolitiques, déclara-t-elle d'une voix chaleureuse pour insuffler une dynamique à ce propos qui, sans cela, aurait paru tomber à plat après la discussion vigoureuse qui avait précédé.

Elle avait toujours pensé que l'enseignement était une sorte de mise en scène. Et sa performance en tant qu'actrice principale était soigneusement réfléchie. Elle était persuadée que c'était l'une des raisons pour lesquelles elle avait obtenu un poste à Oxford à l'âge de quarante-cinq ans.

— Nous avons vu que quand les médias polarisent un conflit et le transforment en une bataille entre les bons et les méchants, cela influence notre jugement des deux parties. C'est la langue qui crée la géopolitique. Ce phénomène se produit en ce moment même avec le conflit en Ukraine. Comme l'Ouest a besoin de diaboliser Poutine, un régime qui à bien des égards n'est pas meilleur que la Russie se trouve transformé en victime, et donc en « gentil ». En fait, il y a toujours un fossé entre la vision binaire gentils/méchants et la réalité.

Une main se leva et, sans attendre d'être invité à parler, quelqu'un prit la parole :

— Je ne comprends pas qu'on puisse être aussi catégorique, protesta-t-il avec véhémence.

C'était Jonah Peterson. Un garçon à la coupe de cheveux soignée, des jeans taille basse révélant la marque de ses sous-vêtements, des lunettes à montures design et qui affichait une moue narquoise à la Elvis. Elle adorait les étudiants qui débattaient, réfléchissaient à ce qu'ils lisaient et écoutaient, et étaient désireux d'approfondir les contradictions qu'ils débusquaient. Jonah, lui, aimait simplement contredire pour contredire. Il n'avait cessé de le faire depuis le début du cours ; cela devenait pénible. Mais les étudiants de nos jours étaient aussi des consommateurs, et elle était censée discuter avec ce genre de personnages agaçants au lieu de leur rabattre le caquet comme ses professeurs à elle l'avaient fait lorsqu'ils étaient confrontés à la bêtise la plus flagrante.

— L'histoire nous fournit des preuves qui vont dans le sens de cette interprétation, répondit-elle, bien décidée à ne pas laisser transparaître son impatience.

Jonah ne paraissait pas prêt à lâcher le morceau. Il insista :

— Mais parfois il est évident qu'il y a un méchant. Prenez la guerre des Balkans. Comment est-ce qu'on pourrait nier que les Serbes étaient les méchants alors qu'ils ont perpétré la plupart des massacres et des atrocités ?

Les cours et les conférences de Maggie étaient toujours méticuleusement préparés ; une construction réfléchie qui s'élevait, brique après brique, sur des fondations solides jusqu'à une conclusion claire et étayée. Mais l'intervention de Jonah la fit changer de trajectoire, comme un train qui déraillerait. Elle n'avait pas envie de penser aux Balkans. Surtout pas aujourd'hui. Habituée à maîtriser ses émotions, Maggie demeura impassible. Elle répondit néanmoins d'une voix glaciale :

— Qu'est-ce que vous en savez, Jonah ? Tout ce que vous connaissez de la guerre des Balkans vous a été transmis par les médias ou par des historiens défendant un point de vue géopolitique particulier. Vous n'avez aucune connaissance directe permettant de contredire la théorie dont nous avons discuté cet après-midi. Vous ne pouvez pas discerner les nuances de la réalité. Vous n'étiez pas sur place.

Jonah esquissa une moue obstinée.

— Je portais encore des couches-culottes à l'époque, professeur, donc non, je n'étais pas sur place. Mais comment savez-vous qu'il y avait des nuances ? Peut-être que les médias et les historiens ont raison. Peut-être que, de temps en temps, les journalistes sont dans le vrai. Vous non plus, vous ne pouvez pas le savoir. Mon opinion vaut autant que votre théorie.

Maggie évitait généralement de recourir à son expérience personnelle. Mais aujourd'hui c'était différent. Aujourd'hui, ses réactions étaient biaisées. Elle n'était pas d'humeur à jouer à ce petit jeu.

— Non, Jonah, elles ne se valent pas. Je peux le savoir et je le *sais*. Parce que j'y étais.

Maggie avait bien conscience du silence écrasant qui régnait dans la salle quand elle rassembla d'un seul mouvement ses notes, son registre de présence et son iPad avant de sortir. Elle avait atteint le milieu du couloir quand les conversations reprirent dans son dos, l'accompagnant jusqu'à la sortie de Chapter House, une construction victorienne octogonale d'imitation médiévale désormais utilisée pour des séminaires de recherche et des cours magistraux. Elle laissa la lourde porte en chêne se refermer derrière elle et gagna la berge du fleuve qui délimitait à l'est l'enceinte de St Scholastica's College. Même en ce début de printemps, les massifs de fleurs longeant le chemin débordaient de couleurs, mais Maggie n'eut pas un regard pour eux ce jour-là. Elle avançait en respirant profondément pour tenter de se calmer. Comment avait-elle pu se laisser déstabiliser par les remarques stupides de Jonah ?

La réponse était simple. C'était le jour de ses cinquante ans. Un demi-siècle, l'occasion de faire le bilan. À cet instant, elle ne pouvait pas oublier les événements qui avaient constitué son identité. Elle avait beau considérer son passé comme de l'histoire ancienne, aujourd'hui il paraissait sortir de l'ombre pour refaire surface. Elle devait bien admettre qu'elle avait beaucoup de choses à célébrer. Mais à cause de Jonah, elle ne parvenait pas à se concentrer sur le bon côté des choses. Alors qu'elle avançait vers Magnusson Hall, tout ce qu'elle ressentait, c'était la douleur de ce qu'elle avait perdu.

Elle avait redouté cela. C'est pourquoi elle avait refusé les propositions d'amis qui voulaient célébrer cet événement avec elle. Pas de fête. Pas de dîner. Pas de cadeaux. Pour le reste du monde, c'était un jour comme les autres. Rien à commémorer et, dès le lendemain, elle pourrait ranger le passé dans un tiroir et le laisser retomber dans l'oubli.

Maggie se dirigea vers la salle des professeurs. À cette heure de la journée, elle serait quasiment vide. Personne ne s'attendrait à ce qu'elle fasse la conversation. Comme d'habitude après un cours, elle prendrait un cappuccino à la machine avant de se retirer dans son bureau pour travailler. Se concentrer sur une tâche plus exigeante qu'un séminaire afin d'oublier ses souvenirs. Elle poussa la porte et recula d'un pas. Au lieu d'une salle paisible et vide, elle fut accueillie par une foule de visages familiers. Elle eut à peine le temps de remarquer la musique et les ballons que quelqu'un s'écria « Joyeux anniversaire ! » et une clameur s'éleva dans la pièce.

Sa première envie fut de tourner les talons et s'enfuir. Elle avait été on ne peut plus claire sur le genre d'anniversaire qu'elle voulait. Or c'était précisément l'inverse qui s'était produit. Mais elle regarda les personnes réunies là et se rappela qu'il s'agissait de ses amis. Ses collègues. Des gens qu'elle aimait, qu'elle respectait, qu'elle admirait même pour certains. Malgré son chagrin, ils ne méritaient pas d'être critiqués pour avoir agi par amitié et gentillesse. Maggie se força à sourire et entra dans la pièce.

L'après-midi s'écoula et Maggie souriait tellement qu'elle avait mal aux zygomatiques. Pour un observateur extérieur, cette fête aurait semblé idéale, dédiée à une femme qui avait beaucoup d'amis chers et était tout à la fois une universitaire distinguée, un auteur prolifique, une enseignante appréciée et une chercheuse douée pour décrocher des bourses. Elle seule savait que sa joie était feinte. Elle aurait aimé pouvoir s'amuser et se détendre comme les autres. Mais elle ne pouvait pas se débarrasser de cette tristesse qui contrastait avec l'ambiance de la fête.

La musique passa de Dexys Midnight Runners à Madness. Quelqu'un avait préparé une playlist datant uniquement de ses années fac, ce qui tombait bien. Rien qui puisse raviver de douloureux souvenirs. Tout cela invitait au contraire à s'amuser. À ce moment-là, le dernier convive fit son entrée par la porte-fenêtre qui donnait sur la pelouse à l'arrière du bâtiment et le fleuve. Cheveux noirs de geai parsemés de mèches blanches qui captaient la lumière comme si elles avaient été placées là exprès, teint pâle, pommettes saillantes et des yeux trop enfoncés pour qu'on puisse en distinguer la couleur de loin. Tessa Minogue avançait de son pas assuré, hochant la tête et souriant tandis qu'elle se frayait un chemin parmi les petits groupes qui se tenaient en retrait pour profiter de la fraîcheur du soir. Tessa, qui connaissait mieux que personne les noirceurs de l'âme humaine. Tessa, qui avait été sa meilleure amie, puis un peu plus que ça, avant de redevenir sa meilleure amie.

Maggie recula dans un coin de la pièce sans la quitter des yeux. On aurait pu croire que Tessa parcourait la pièce pour distribuer ses sourires et ses salutations. Maggie, elle, savait qu'il n'en était rien. Dans quelques instants, son amie serait à ses côtés, effleurant des lèvres la peau douce de Maggie juste sous l'oreille, son haleine chaude, sa joue appuyée contre la sienne un tout petit plus longtemps que nécessaire.

Elle avait raison. Moins d'une minute plus tard, Tessa la rejoignit et lui murmura à l'oreille :

— Tu es magnifique.

Ses paroles étaient d'autant plus charmantes qu'elles étaient prononcées avec une trace d'accent dublinois adouci par le temps et la distance.

— Tu étais de mèche, dit Maggie sans la moindre pitié dans la voix.

— Ce n'était pas mon idée. Si je t'en avais parlé, tu ne serais pas venue et tout le monde se serait senti bête. Et tu t'en serais voulu, expliqua Tessa qui passa son bras sous celui de Maggie tout en saisissant un verre de prosecco de l'autre main.

Maggie sentit les os de Tessa se presser contre sa chair. Si elle avait été plus maigre, on aurait pu la casser rien qu'en la serrant contre soi.

— Pas si sûr… Tu n'as même pas eu le courage d'arriver à l'heure.

— Ah, j'étais retenue par une réunion au ministère des Affaires étrangères. Un truc en rapport avec le Tribunal pénal international. Il y a toujours des avocats qui retardent tout le monde avec leurs plaidoyers interminables.

— Je te rappelle que tu es avocate.

— Mais je ne fais jamais de plaidoyer interminable.

Tessa n'avait pas tort. Si Maggie appréciait tant sa compagnie, c'était notamment parce qu'elle n'était pas compliquée, ce qui était surprenant chez une avocate qui passait son temps à régler les épineux dilemmes soulevés par les droits de l'homme. Tessa leva son verre pour désigner la pièce remplie de gens.

— Enfin bref, je suis là maintenant et c'est ce qui compte. Je sais que si chacun ici racontait un souvenir te concernant, on pourrait confectionner un patchwork de ton histoire, mais moi seule serais capable d'assembler tous ces morceaux.

— Il y a un absent, Tessa.

Et cet absent était celui qui comptait le plus. Son image n'avait pas quitté ses pensées depuis l'intervention de Jonah. Personne n'avait eu l'indélicatesse de prononcer son nom, mais Maggie en avait senti l'évocation implicite plus d'une fois. À l'évidence, il n'avait pas été invité. Parce qu'il n'avait pas laissé d'adresse. Ni quand il avait disparu huit ans plus tôt, ni depuis. Dimitar Petrović était parti sans se retourner. Maggie s'était répété un million de fois qu'il avait cherché à la protéger. Mais elle s'était toujours demandé s'il n'avait pas voulu s'épargner les complications de la vie sentimentale.

La bouche de Tessa hésita entre le sourire et la moue.

— Il aurait pu envoyer des fleurs.

— Mitja ne m'a jamais offert de fleurs, dit Maggie en relevant le menton pour regarder les convives, affichant fermement un sourire de façade. Il n'était pas doué pour le cliché, Tessa. Tu le sais bien.

— Mais il a tendance à se répéter, répliqua-t-elle un peu sèchement.

Maggie tourna la tête vers son amie pour lui adresser un regard sévère.

— Qu'est-ce que tu veux dire ?

— Il est retombé dans ses vieilles obsessions, expliqua Tessa en lui lâchant le bras. Un des avocats de l'accusation m'a appris ça hier soir. C'est Miroslav Šimunović, cette fois. Tu te souviens de lui ?

— Un des partisans de Radovan Karadžić. Impliqué jusqu'au cou dans le massacre de Srebrenica. Ce Šimunović-là ?

— Lui-même. Il avait échappé au tribunal, tu sais. Ils avaient classé le dossier. Šimunović devait se croire tiré d'affaire. Il s'était réinventé une identité de prof d'histoire à la retraite. Il vivait en Crête, dans un appartement avec une jolie vue sur le port de La Canée. Son voisin de palier l'a trouvé il y a trois jours. Mort devant chez lui, la gorge tranchée.

Maggie ferma les yeux. Quand elle les rouvrit, ses pupilles bleu foncé brillaient comme des silex.

— Tu ne peux pas accuser Mitja, lâcha-t-elle, lèvres serrées.

Tessa haussa légèrement les épaules.

— Même méthode que pour les autres. Regarde l'enchaînement des événements, Maggie. Milošević meurt avant que le Tribunal pénal international pour l'ex-Yougoslavie puisse le déclarer coupable. Mitja ne dessaoule pas pendant trois jours et accuse les avocats comme moi d'avoir laissé tomber son peuple. Le premier meurtre se produit six semaines après son départ, bien décidé à accomplir ce qu'on n'a pas pu faire à La Haye. Si ce n'est pas Mitja, c'est quelqu'un qui a dressé la même liste de coupables que lui.

— Ça pourrait être n'importe qui. Ces noms ne sont pas secrets, Tessa.

— Il y en a trois ou quatre qui ne sont connus que des spécialistes de ce dossier. S'il n'est pas occupé à prendre sa revanche, qu'est-ce qui l'a retenu loin de toi ces huit dernières années, Maggie ?

Ses mots étaient durs, mais les yeux de Tessa étaient remplis de compassion.

Un nouveau morceau se fit entendre : *Let's Dance*, de David Bowie. Un homme d'une cinquantaine d'années qui aurait dû savoir qu'il avait passé l'âge de porter des pantalons cigarette embrassa Maggie sur la joue sans remarquer la tension entre les deux femmes.

— Allez, Maggie, lui lança-t-il. Viens danser !

— Plus tard, Lucas, répondit-elle en lui adressant un vague sourire.

Il repartit d'un air boudeur vers la piste de danse en agitant les doigts vers elles. Maggie prit une profonde inspiration et passa la main dans son épaisse chevelure châtain dont elle refusait de dévoiler les quelques mèches blanches qui s'y cachaient.

— À t'entendre, on croirait que je suis irrésistible, et on sait toutes les deux que c'est faux.

Tessa posa une main sur l'épaule de son amie et s'appuya contre elle.

— Je ne serais pas opposée à ce qu'on remette ça…

Maggie lâcha un petit rire amer.

— Ton enthousiasme est communicatif, dit-elle en lui caressant la main. Mais l'amitié nous convient mieux. On a uniquement couché ensemble parce que Mitja nous manquait terriblement, à toutes les deux. J'ai perdu l'homme que j'aimais et toi, ton meilleur ami.

— Je t'ai déjà dit que tu ne devrais pas te déprécier comme ça. Tu n'es jamais passée après lui. Toi et moi, on était déjà amies quand il est entré dans ta vie, et tu restes mon amie la plus chère, répliqua Tessa avant de laisser échapper un petit rire sardonique. Parfois, je me demande même si tu n'es pas ma seule amie. Ce que je veux dire, au fond, c'est que Mitja t'aimait. Rien sinon une vengeance personnelle contre des criminels de guerre n'aurait pu l'éloigner de toi.

Maggie secoua la tête, souriant toujours poliment aux invités.

— Tu sais ce que j'en pense.

— Tu as tort.

— Et toi tu es têtue. Écoute, Tess, Mitja n'était pas un petit garçon quand on s'est connus. Il était adulte, il avait trente-deux ans le jour où on s'est rencontrés pour la première fois à Dubrovnik en 91. Je ne suis pas bête. Je savais qu'il avait un passé. Une histoire. Une vie. Mais on refusait l'un comme l'autre de se laisser définir par ça.

Tessa fit une moue sceptique.

— Pratique pour lui.

— Pratique pour nous deux. J'avais vécu des choses moi aussi. Mais ce n'est pas de moi qu'on parle, ici. C'est de lui. J'ai toujours pensé qu'il avait une femme quelque part dans une campagne croate. Peut-être même des enfants. Je n'avais tout simplement pas envie de savoir à quoi il avait renoncé pour moi.

Tessa termina son verre.

— Alors pourquoi est-ce qu'il serait retourné là-bas ? Puisqu'il t'avait ? Il l'avait quittée pour toi. Il ne t'aurait pas abandonnée pour aller la retrouver. S'il est parti, c'est parce qu'il avait une mission à laquelle il ne pouvait pas se soustraire. Quelque chose d'irrésistible.

Maggie se décala d'un pas, laissant la main de son amie se détacher de son épaule.

— Je suis flattée que tu aies une opinion de moi suffisamment haute pour inventer une aussi noble théorie pour expliquer son départ.

Elle regarda la pièce remplie de gens qui dansaient, buvaient, parlaient. Voir toutes ces personnes qu'elle aimait et respectait ne l'aidait pas à chasser son chagrin.

— Je ne sais pas ce que j'étais pour lui, Tessa, mais avec moi il n'était pas chez lui. C'est pour ça qu'il est parti. Il est rentré à la maison.

4

Alan Macanespie avait un jour confié à un ami qu'il n'était pas porté sur l'introspection. Son copain avait manqué s'étrangler de rire avec sa bière. Quand il avait eu fini de tousser, il avait dit :

— Bon sang, si j'avais ta tête, je préférerais l'introspection plutôt qu'un miroir.

C'était un point de vue qui avait été renforcé deux ans plus tard lorsque la petite amie de Macanespie l'avait quitté.

— La prochaine fois que j'aurai envie de vivre avec un porc roux, j'achèterai un tamworth[1], lui avait-elle lancé en claquant la porte.

Il avait de plus en plus de mal à contredire ce jugement. Ses cheveux roux étaient devenus pâles et clairsemés, sa barbe drue. Ses yeux paraissaient plus petits qu'avant parce que son visage s'était empâté. Il n'avait pas envie de penser à son corps ; il s'était débarrassé des miroirs en pied chez lui. Avant de partir, sa copine lui avait dit qu'il s'était laissé aller. Il avait bien l'impression qu'elle avait raison sur ce point également.

---

1. Race porcine de couleur rouge doré. *(N.d.T.)*

Macanespie n'aimait pas cette sensation. Il avait conscience que sa carrière piétinait, mais ça ne signifiait pas qu'il bâclait son travail au Tribunal pénal international pour l'ex-Yougoslavie. Certes, il n'avait jamais imaginé que son diplôme de droit le conduirait à traquer des criminels de guerre, mais c'était mieux que de rédiger des testaments et d'établir des cessions de propriété dans une petite bourgade du centre de son Écosse natale. Il s'était créé une petite niche dans une des zones grises entre le ministère des Affaires étrangères et le département de la Justice, et ça lui convenait très bien. L'inconvénient, c'était de devoir partager un bureau avec cet abruti de Gallois, Proctor.

Mais tout ça pourrait bientôt ne plus avoir d'importance si la journée à venir se déroulait comme prévu. Son ancien chef, Selina Bryson, avait vis-à-vis de ses agents une attitude qu'une âme plus charitable que Macanespie aurait pu qualifier de libérale. Ce dernier la décrivait de façon plus lapidaire : « Elle n'en a rien à foutre de ce qu'on fait tant qu'on obtient des résultats dont elle peut se vanter et qu'on ne pète pas pendant les réceptions de l'ambassadeur. » Mais Selina était partie et, aujourd'hui, leur nouveau supérieur devait venir leur montrer qui était le chef. Il les avait convoqués au bureau un samedi, juste parce qu'il en avait le pouvoir.

Macanespie était peut-être fainéant, mais pas stupide ; il savait qu'un homme averti en vaut deux. Il avait donc appelé l'un de ses compagnons de beuverie de Londres pour en connaître un peu plus sur ce nouveau patron. Jerry avait accepté de lui rendre ce service avec plaisir, à condition que Macanespie lui ramène une bouteille de genièvre néerlandaise la prochaine fois qu'il quitterait La Haye pour Londres.

— Wilson Cagney, dit Macanespie. Parle-moi de lui.

— Qu'est-ce que tu as entendu dire jusqu'à présent ?

Macanespie fit une grimace.

— Trop jeune, trop bien habillé, trop noir.

Jerry lâcha un petit rire.

— Il est plus vieux qu'il n'en a l'air. Pas loin de quarante ans. Il a suffisamment de bouteille pour ne pas se laisser marcher sur les pieds. Il s'habille avec classe, mais il paraît qu'il vit dans un studio miteux à Acton et qu'il n'a pas le permis. Il dépense tout en costumes et passe son temps libre au club de sport du bureau. Un triste carriériste, en somme.

— Comment est-ce qu'il a gravi les échelons ? Au mérite ? En multipliant les coups de couteau dans le dos ? Ou en jouant sur le fait qu'il est noir ?

Jerry prit une brève inspiration.

— J'espère que la ligne n'est pas sur écoute, mon pote, vu ce que tu me demandes. Les ressources humaines ont des oreilles partout de nos jours. Il a fait des études, il a obtenu son droit à Manchester puis un Master en sécurité et droit international d'après notre informaticien qui l'admire. Mais c'est le seul Noir à ce grade, alors libre à toi de tirer tes propres conclusions. Je vais juste te dire une chose, Alan : il n'est pas comme nous. Tu ne le trouveras pas au Bay Horse un vendredi soir.

— Alors il n'est pas du genre à donner des tapes sur l'épaule en disant : « Bon travail, les gars. »

— Il paraît qu'il cherche à appliquer ces fameuses mesures d'austérité. C'est-à-dire à couper dans le gras. Fais attention à toi, Alan.

Fort de cette discussion, Macanespie avait donc décidé qu'il ne serait pas l'agneau sacrificiel. Il préférait laisser ce rôle à son collègue gallois. Il s'imposerait plutôt à la manière d'un sanglier rouquin, les défenses pointées vers tous ceux qui tenteraient de le mettre dehors. Il était arrivé au bureau en avance et, à la grande surprise de Theo Proctor, avait entrepris de mettre en ordre son espace de travail et de ranger son coin de la pièce.

— Tu cherches à te faire bien voir par le chef, c'est ça ? lui demanda Proctor.

— Je me suis simplement mis à la place d'un étranger qui regarderait ce bureau et je me suis dit que c'était une vraie porcherie, répondit-il en saisissant trois mugs sales pour les ranger dans un tiroir du bas.

Proctor, visiblement mal à l'aise, commença à empiler des dossiers et des papiers sur son propre bureau.

Avant qu'il ait terminé, une des employées du réfectoire entra avec un thermos et une tasse. Elle déchiffra un morceau de papier.

— Lequel d'entre vous est Wilson Cagney ?

— Il n'est pas encore arrivé. Et il va nous falloir deux autres tasses.

Proctor réussissait toujours à passer pour un con, songea Macanespie.

— C'est pas ce qu'on m'a demandé, répondit-elle en lui tendant le papier. Regardez : « Commande pour Wilson Cagney. Un café noir. » Est-ce que l'un de vous peut signer à sa place ?

— Je ne vois pas pourquoi je signerais alors que ce n'est pas moi qui vais le boire, se renfrogna Proctor.

— Donnez-moi ça, intervint Macanespie en griffonnant sa signature au bas de la page. On ne le boira pas, c'est promis.

Quand elle fut partie, il dévissa le couvercle et huma le contenu.

— Ah, c'est du bon, commenta-t-il.

— Bon sang, Alan, referme ça ! Il va le sentir.

Proctor semblait paniqué, mais Macanespie se contenta d'esquisser un sourire narquois avant de refermer le thermos.

Cinq minutes plus tard, un homme noir de grande taille vêtu d'un costume rayé anthracite impeccable entra sans frapper. Ses cheveux courts soulignaient sa petite tête et ses traits remarquablement fins.

— Bonjour messieurs, dit-il avant de se servir son café.

Il les regarda l'un après l'autre puis tendit sa tasse vers Proctor.

— Vous devez être Proctor.

Theo acquiesça. Cagney parut content de lui.

— Et donc vous, c'est Macanespie.

Une légère note de dégoût se fit entendre dans sa voix.

Cagney s'assit et tira son pantalon à hauteur des genoux avant de croiser ses jambes.

— J'imagine que vous savez pourquoi je suis là ?

— Vous êtes le remplaçant de Selina Bryson, répondit Macanespie. Vous faites le tour du personnel de terrain.

Il sourit, se demandant immédiatement avec inquiétude si, par nervosité, il ne souriait pas un peu trop largement.

Cagney inclina la tête.

— C'est vrai. Et faux. Je remplace Selina, en effet. Mais je ne suis pas ici pour serrer des mains et vous dire que vous avez accompli un travail remarquable. Parce que ce n'est pas le cas.

Proctor rougit, sa peau s'empourprant depuis le cou jusqu'au visage.

— Nous ne sommes qu'un rouage dans le mécanisme. On ne peut pas nous tenir pour responsables de tous les problèmes.

Cagney but une gorgée de café, le savourant.

— Le gouvernement britannique est favorable au concept de droit international. C'est l'une des principales raisons pour lesquelles nous avons soutenu l'UE quand elle a décidé de créer le Tribunal pénal international pour l'ex-Yougoslavie. C'est pourquoi nous avons missionné des gens comme vous pour travailler au sein de cette institution. Tout le monde sait que d'ici la fin de l'année ce sera terminé, alors chacun essaie d'en profiter tant que ça dure. Et il y a des gens que ça dérange. Est-ce que vous trouvez que c'est une évaluation exacte de la situation ?

Macanespie réserva sa réponse, curieux de voir la réaction de son collègue. Proctor tendit le menton, l'air vindicatif.

— Un tribunal comme celui-ci ne pourra jamais répondre à la soif de justice des gens. C'est évident. Après tout ce temps, on ne peut pas s'attendre à produire des preuves qui s'avéreront irréfutables lors d'un procès.

Cagney posa sa tasse.

— Je comprends cela. Ce qui me préoccupe, ce sont les affaires qui n'ont jamais atteint le stade du procès. Celles pour lesquelles on avait monté tout un dossier et planifié une arrestation du criminel de guerre. Sauf que les arrestations n'ont jamais eu lieu parce que, comme par hasard, la cible de l'opération a été assassinée avant qu'on puisse passer à l'action.

Alors c'était de ça qu'il s'agissait. Quelqu'un regrettait certaines opérations secrètes menées par d'autres. Macanespie haussa les épaules.

— Ça peut sembler injuste. Mais personne ne va pleurer ce genre de types. Parfois les choses se passent comme ça, et puis c'est tout.

Cagney donna un coup sur la table du plat de la main, faisant trembler la vaisselle et tinter les cuillers.

— N'essayez pas de me faire avaler ça. Ces décès n'avaient rien d'un heureux hasard. Il y en a eu une dizaine. Le dernier, Miroslav Šimunović, a été retrouvé mort pas plus tard que la semaine dernière.

— Les Balkans sont encore truffés de salopards et de meurtriers, commenta Proctor.

Cagney le fusilla du regard.

— Rappelez-moi de ne jamais vous recommander pour un poste diplomatique. Ce que je veux dire, c'est que contrairement à ma prédécesseure, je n'ai pas l'intention de fermer les yeux sur les petits arrangements avec la justice qui se pratiquent ici.

— Vous l'avez dit, tout ça sera terminé à la fin de l'année, lâcha Macanespie d'un ton revêche.

— Et alors ? Vous croyez que je devrais simplement laisser les choses se faire d'elles-mêmes ?

Cagney marqua une pause un peu théâtrale. Les deux autres échangèrent un regard. Cela leur suffit à se convaincre mutuellement qu'il s'agissait là d'une question rhétorique. Ils fixèrent Cagney d'un air entêté. Ce dernier secoua la tête avec impatience.

— Vous ne comprenez pas, à ce que je vois. C'en est fini du tribunal. Le moment est venu de plier bagage. De dire à la Bosnie, la Croatie, le Monténégro, le Kosovo et les autres : « C'est terminé. Essayez de vous conduire comme si vous viviez au vingt et unième siècle, pas au douzième. » C'est le moment de leur dire qu'on a fait notre maximum pour juger les méchants. Que maintenant il faut tourner la page. Laisser le passé enterrer ses morts.

Proctor émit un son à mi-chemin entre la toux et le rire sec.

— Sans vouloir vous manquer de respect, on voit bien que vous connaissez mal la région. Ils continuent de mener des batailles ancestrales. Ils en parlent comme si c'était hier. Nous, on croit peut-être que c'est terminé, mais sur place, personne ne partage cet avis.

— Eh bien ils vont devoir apprendre. S'ils veulent faire partie de l'Europe moderne, ils vont devoir vivre comme des Européens modernes et non comme les milices personnelles de seigneurs de guerre médiévaux.

Macanespie s'agita sur son siège et tendit le bras vers la cafetière.

— Ce n'est pas aussi simple. Tout cela est lié aux différences ethniques ou religieuses et aux factions tribales. C'est l'Irlande du Nord multiplié par dix. Les Rangers contre les Celtic version folie sanguinaire.

Il sortit un mug de son tiroir et se servit du café. Cagney eut l'air furieux l'espace d'un instant, puis légèrement amusé. Mais cela ne suffit pas à le faire dévier de sa course.

— Et comment est-ce que ça changera si on n'exige pas davantage d'eux ? Vous ne croyez pas qu'il y a une nouvelle génération dans les Balkans qui souhaite changer les choses ? Qui regarde le monde à travers le prisme de Facebook et Twitter et voit un autre mode de vie ? Qui en a assez de ces méthodes dépassées de faire de la géopolitique ?

Nouvel échange de regards. Macanespie voûta les épaules, confronté une fois de plus à l'ignorance d'un type en costard venu de Londres sans la moindre idée de la façon dont le monde fonctionne.

— Peut-être. Mais je ne vois pas le rapport avec nous. Cagney pinça les lèvres d'un air exaspéré.

— Ces meurtres doivent cesser. Ces assassinats – car ce sont des assassinats, n'allons pas prétendre qu'il s'agit là de « faire justice soi-même » – appartiennent au passé.

— Je comprends votre point de vue, dit Macanespie, mais en quoi est-ce que ça nous regarde ? Nous n'avons pas tué ces gens ni commandité leurs meurtres. Même pas en secret.

— Leur point commun, c'est que chacun de ces assassinats correspond à un dossier dans lequel nous étions impliqués. Et par « nous », je veux dire nous tous, ce bureau.

Nous représentons le dénominateur commun. Soit quelqu'un dans l'équipe se prend pour la réincarnation de Charles Bronson, soit nous avons une taupe qui transmet le fruit de nos enquêtes à un inconnu ayant mis en place à sa façon un programme d'épuration des Balkans.

Proctor semblait visiblement secoué et Macanespie se doutait qu'il devait faire la même tête que son collègue. Il ne s'était jamais vraiment formulé les choses de cette façon. Ils se regardèrent une fois de plus, cette fois-ci atterrés.

— Putain, marmonna Macanespie.

— Il a raison. On n'est pas des tueurs ! s'insurgea Proctor.

Cagney esquissa un très léger sourire.

— Maintenant que je vous ai rencontrés, je ne peux qu'abonder dans votre sens. Mais il y a quelqu'un qui tue. Et je vous charge de découvrir qui.

Il repoussa la table et se leva.

— Nous sommes avocats, pas inspecteurs, lui rappela Macanespie.

— Vous avez peut-être été avocats par le passé. Mais ces dernières années, vous avez traqué des salauds et déterminé les faits et gestes d'un groupe de bouchers. Il s'agit de votre dernière mission. Trouvez le responsable. Vous pouvez commencer dès demain.

— Demain c'est dimanche, protesta Macanespie.

— On croirait entendre un épicier, rétorqua Cagney avec un mépris évident. Plus tôt vous commencerez, plus vite vous obtiendrez des résultats. Et à ce moment-là, peut-être qu'une carrière vous tendra les bras.

5

Maggie Blake alla tirer les épais rideaux de la fenêtre du salon. En apercevant la pleine lune, elle s'interrompit pour admirer les toits argentés et les flèches rêveuses d'Oxford. St Scholastica's College était suffisamment éloigné pour donner l'impression d'être en retrait du tohu-bohu des rues touristiques du centre, mais depuis son logement au troisième étage de Magnusson Hall, elle pouvait voir les ardoises luisantes ponctuées de cheminées s'étendre au-delà du parc de l'université jusqu'à Keble, puis le Pitt Rivers Museum et plus loin encore des fragments de créneaux, de tourelles et de façades en pierre appartenant à diverses facultés. Étant l'un des rares professeurs à vivre encore dans l'enceinte de l'université, elle était reconnaissante de pouvoir jouir de ce rare privilège. Elle économisait ainsi sur son loyer et pouvait voyager pour son plaisir sans être dépendante de ses bourses de recherche. Elle adorait la vue depuis cette pièce dans laquelle elle lisait, écrivait et recevait les quelques étudiants en thèse qu'elle suivait.

Comme la journée avait été riche en souvenirs, elle se remémora la première fois qu'elle avait amené Mitja chez elle. Ils étaient tous les deux fatigués par la guerre, en manque de sommeil et fourbus après deux jours passés à

53

l'arrière d'un camion qui les avait déposés au bout de Banbury Road au petit matin. La faculté était silencieuse, seules quelques lumières brillaient dans les chambres d'étudiants. Le silence avait été rompu par le coin-coin pathétique d'un canard au moment où Maggie introduisait sa clé dans la serrure de la porte d'entrée de Magnusson Hall, et Mitja avait gloussé.

— Voilà le dîner, avait-il dit à voix basse.

Ils avaient lentement gravi l'escalier. Maggie se rappelait encore le tiraillement des bretelles de son sac à dos qui s'enfonçaient dans la peau tendre de ses épaules et le tremblement dans ses cuisses quand elle avait grimpé la dernière volée de marches.

Ils étaient arrivés dans son salon, avec sa vue panoramique baignée par le clair de lune. Mitja avait laissé tomber son sac comme s'il s'agissait d'un chargement de pierres et s'était approché de la fenêtre, fasciné. Il avait posé le front contre le carreau et gémi.

— Tu te rappelles quand Dubrovnik était aussi belle que ça ?

Elle se débarrassa de son sac à dos, traversa la pièce, enroula ses bras autour de lui et s'appuya contre son épaule pour admirer ce panorama qui lui avait manqué.

— Je m'en souviens. La première fois que j'ai vu la ville la nuit, j'ai cru à un conte de fées. Les murs d'enceinte. Le labyrinthe des rues. La cathédrale comme un coffre aux trésors. Le port scintillant dans la nuit. Les éclairages de Fort Saint-Ivan qui se reflétaient telles des colonnes dans l'eau.

— Et maintenant il n'y a plus que des éboulis. Des ruines.

Il se redressa et l'attira à ses côtés, passant un bras autour de ses épaules pour la serrer contre lui.

— Je ne comprends pas pourquoi mon peuple refuse de grandir. Vous les Anglais…

Elle lui donna un coup de coude dans les côtes.

— Les Écossais, tu te rappelles ?

Il secoua la tête, impatient.

— Tu vois, vous êtes peut-être aussi incorrigibles que nous, lui dit-il avec douceur mais aussi avec lassitude. OK, d'accord. Eux, les Anglais, ils ont connu une guerre civile. Mais ils ont tourné la page. Vous n'avez pas de cavaliers ni de disciples de Cromwell qui continuent à se haïr et à s'entre-tuer. Ils ont connu leur guerre des Roses aussi, les Anglais, mais les gens du Yorkshire et du Lancashire ne se battent pas dans la rue.

— Sauf pour des histoires de football, apparemment.

Maggie ne pouvait s'empêcher de plaisanter ; être de retour à Oxford la comblait de joie, comme un réservoir qui se remplirait après une longue sécheresse.

— Je suis sérieux.

— Je sais. Mais il est tard et je suis épuisée. J'ai du whisky. On prend un verre au lit ?

Cette fois-ci, il éclata de rire.

— Tu sais toujours comment arranger les choses.

Ils avaient emporté la bouteille au lit, mais n'avaient pas terminé leur premier verre. Ils avaient perdu l'habitude de la chaleur et du confort mêlés à l'absence de peur, si bien qu'ils avaient rapidement sombré dans un sommeil que même le puissant désir qui les animait constamment ne pouvait éloigner.

Cette nuit avait marqué le début d'une nouvelle phase dans leur relation. Comme toutes les autres phases, elle avait été compliquée, tumultueuse et magnifique. Jamais Maggie n'aurait imaginé avoir quelqu'un comme Mitja dans sa vie. En même temps, elle n'aurait jamais imaginé non plus se retrouver dans une université clandestine en pleine guerre civile.

Laissant les rideaux ouverts, Maggie s'assit à son bureau, délibérément placé à un angle de quarante-cinq degrés par rapport à la fenêtre, si bien qu'elle devait tourner la tête si elle voulait profiter pleinement de la vue. Elle aurait dû aller se coucher. La journée avait été longue et stressante, la fête d'anniversaire inopportune avait ensuite donné lieu à un repas plus accablant encore pour vingt personnes et elle se sentait physiquement épuisée. Pourtant, son esprit ne trouvait pas le repos, passant sans cesse d'un convive à l'autre pour revenir invariablement au seul absent.

Sans réfléchir, elle fit glisser ses doigts sur son pavé tactile pour activer son Mac. C'était peut-être l'effet du vin, mais elle se disait qu'il était temps d'écouter la petite voix au fond d'elle lui répétant qu'elle avait besoin d'écrire sur son expérience dans les Balkans. Elle l'avait déjà fait profession-nellement, bien sûr. *La Géopolitique des Balkans : une approche archéologique* était devenu une référence dans le domaine. Quant au manuel analysant les réactions média-tiques pendant le conflit qu'elle avait édité, il avait attiré l'attention des chaînes de télévision et radio grand public ainsi que de la presse. Maggie avait écrit sur les consé-quences du siège de Dubrovnik. Mais elle n'avait jamais raconté ce qu'elle avait ressenti sur place. Elle n'avait jamais dit ce qui l'avait amenée là-bas, n'avait jamais raconté son voyage compliqué au Kosovo au milieu des massacres et des viols.

Au départ, elle avait évité d'en parler parce que c'était trop récent. Elle avait préféré prendre un peu de distance avec ces événements traumatisants afin de pouvoir les situer dans leur contexte. Plus tard, elle s'était abstenue parce qu'elle ne pouvait pas en faire le récit sans placer Mitja au centre et qu'elle vivait alors à Oxford avec lui. Elle savait qu'il n'approuverait pas tout ce qu'elle avait à dire sur ces années passées entre sa vie à Oxford et sa vie en zone de guerre. Et elle ne voulait pas semer la discorde entre eux.

Finalement, elle n'avait rien écrit parce qu'il était parti et qu'elle n'avait pas perdu espoir de le voir revenir un jour. Publier des choses qu'il n'aurait pas eu envie de lire lui paraissait trop risqué.

Mais les années avaient passé et elle n'avait eu aucune nouvelle de Mitja. Pas même une carte d'anniversaire ou de vœux à Noël. Rien qui rappelle ce qu'ils avaient vécu ensemble. Un silence, c'était tout. Un silence plus profond que celui qu'elle avait pu connaître dans les Balkans.

— Rien n'est jamais silencieux ici, lui avait-il dit un jour. Tout parle, quand on sait écouter.

Une chose était sûre : ce silence ne parlait pas. Et Maggie n'avait plus aucune raison de se taire. Même si elle décidait finalement de ne pas publier, elle serait néanmoins satisfaite de coucher tout ça sur le papier. C'était l'occasion de revisiter sa propre vie et peut-être d'y trouver un angle inédit, une vérité nouvelle.

Même si elle ne connaissait pas la fin de l'histoire.

6

Au volant de sa voiture, Karen parcourut lentement la petite rue pour ne pas déranger les voisins à cette heure tardive. Les familles qui habitaient là n'étaient pas du genre à faire la fête tout le week-end. Des gens sans histoires de la classe moyenne vivant derrière des façades solides et respectables. La plupart du temps, elle n'apercevait pas la moindre lumière quand elle rentrait chez elle après vingt-trois heures. Son métier lui avait appris à ne pas se fier à ces portes joliment peintes, mais d'après ce qu'elle savait, aucun de ses voisins n'avait reçu ne serait-ce qu'une contravention. C'était bien différent de la rue bruyante où elle avait grandi, avec ses soirées animées et ses matches sur le trottoir, ses bagarres alcoolisées en pleine nuit et ses habitants qui chantaient à tue-tête. Tomber amoureuse de Phil Parhatka avait transformé sa vie de façon surprenante.

Pendant des années, ils avaient travaillé ensemble dans l'ancienne unité des affaires non classées, dans la région de Fife, s'adaptant aux nouvelles technologies, apprenant à lire entre les lignes d'anciens rapports d'enquête, extrayant la vérité de ses recoins les plus secrets. Elle avait toujours été un cran au-dessus de lui dans la hiérarchie, mais ils n'avaient jamais laissé cela interférer avec leur amitié. Ils se soutenaient mutuellement, et, à certains moments, elle avait eu l'impression qu'il était le seul ami sur qui elle puisse compter. Ils formaient une équipe efficace, ce que reflétait leur taux de réussite.

En ce qui la concernait, elle avait très vite compris que ses sentiments pour lui dépassaient l'amitié. Il lui plaisait, elle fantasmait sur lui et elle s'en était voulu de compromettre leur relation professionnelle avec ses désirs d'adolescente. Quand il était gentil avec elle, elle se disait qu'elle aurait traité La Menthe – voire un animal de compagnie – avec la même considération.

Et puis tout avait changé. En plein milieu d'une enquête compliquée, elle avait découvert qu'il partageait ses sentiments. En quelques semaines, elle avait quitté son petit studio dans une résidence moderne sans âme pour emménager chez Phil, qui vivait dans une maison victorienne rénovée de fond en comble par sa belle-sœur, une historienne de l'architecture passionnée qui avait regardé trop d'émissions de déco télévisées. Karen n'en revenait toujours pas de son ascension sociale.

Parfois, elle était tentée de ne pas bifurquer dans l'allée gravillonnée qui séparait les bas-côtés herbeux, de continuer jusqu'au bout de la rue, voire au-delà, afin qu'on ne puisse pas découvrir qu'elle était un imposteur.

Mais pas ce soir. Ce soir, elle s'engagea avec le plus grand naturel vers la maison en pierre semi-mitoyenne. La maison était plongée dans le silence et l'obscurité, à l'exception d'une faible lueur tout au fond.

— Phil est là ? demanda River, faisant claquer les talons de ses bottes sur les dalles victoriennes encaustiquées. Ou bien est-ce que c'est une technique de flic de toujours laisser une lumière allumée ?

— Il est en formation ce week-end. Diversification des crimes, ou quelque chose comme ça.

Karen alluma les lumières au fur et à mesure qu'elles progressaient vers la cuisine, à l'arrière de la maison. C'était la seule pièce où Phil avait réussi à contenir l'enthousiasme de sa belle-sœur. Quand Karen avait emménagé, la pièce semblait tout droit sortie des années soixante-dix. À présent, elle était en acier et en bois, et les surfaces étaient encombrées d'appareils et d'un bazar familier ; c'était une vraie cuisine où l'on préparait des repas et où les gens se retrouvaient pour bavarder.

— Qu'est-ce que ça veut dire ? demanda River en s'affalant sur une chaise, apparemment heureuse de pouvoir se reposer.

Contrairement à son habitude, ses cheveux noirs étaient détachés et ébouriffés, formant une sorte de halo hirsute autour de sa tête, et ses grands yeux gris étaient cernés. Elle avait toujours été mince ; à présent, elle était presque maigre, sa veste huilée de vétéran pendant lâchement à des endroits où il n'y avait plus rien pour la remplir. Son jean semblait moins moulant, le tissu bâillant au niveau des genoux et des cuisses.

— J'avoue que j'avais des doutes quand il a quitté l'unité des affaires non classées juste parce qu'on était ensemble, mais il a vraiment bien accroché avec la brigade anticriminalité. Apparemment, des recherches ont montré que les maris violents tendent à multiplier les petits délits dans d'autres aspects de leur vie. Par exemple, ils ne paient pas leur redevance audiovisuelle, ils conduisent sans assurance, grillent les feux rouges, volent dans les magasins. Le genre de conneries que font les gens pour se prouver à eux-mêmes qu'ils ne sont pas une simple pièce du puzzle, expliqua Karen en sortant une bouteille de vin rouge australien avant de l'ouvrir. Donc l'équipe de Phil essaie de développer une stratégie consistant à éloigner les conjoints violents de leurs victimes en analysant leurs moindres faits et gestes et en relevant toutes leurs infractions. Il leur arrive même de mettre le salaud en prison. Parfois, ils se contentent de le harceler à tel point que le type finit par s'en aller vivre ailleurs.

— Est-ce que ça ne revient pas simplement à déplacer le problème ?

River saisit le verre que Karen lui avait servi. Elle le huma, but une gorgée et hocha la tête une fois.

— Il est bon.

— Oui. Mais avec un peu de chance, ça les déplace quelque part où les mêmes pratiques sont en vigueur. L'idée, c'est qu'ils finissent par comprendre que s'ils frappent leur compagne, ils recevront eux aussi des coups, de façon un peu différente mais tout aussi violente. Par ailleurs, l'équipe a parfois suffisamment d'éléments pour les mettre derrière les barreaux, ce qui signifie qu'ils disparaissent de la circulation et que la victime n'a pas à témoigner contre son agresseur.

— Est-ce que ça fonctionne ?

Karen haussa les épaules.

— Phil pense que ça sauve des vies, répondit-elle en sortant un gros sac de pop-corn sucré salé qu'elle vida dans un bol. Mais revenons à ce qui nous intéresse : parle-moi de mon squelette.

Une fois les ossements emballés et étiquetés, River les avait apportés à la morgue. Karen l'avait laissée travailler. Elle savait d'expérience que les gens étaient plus efficaces quand on leur faisait confiance. Les surveiller n'améliorait jamais leurs performances. Pendant que la légiste examinait le squelette, Karen s'était penchée sur l'histoire récente de la John Drummond School pour essayer de savoir qui y avait eu accès et quand. Cette tâche déjà ingrate était rendue presque impossible par le fait qu'on était le week-end. Tout ce qu'elle avait réussi à obtenir, c'était des démentis. Personne n'avait utilisé le bâtiment de façon régulière depuis une douzaine d'années, pas depuis qu'une association organisant des sorties en plein air pour des adolescents défavorisés avait quitté les lieux. Personne n'avait squatté le bâtiment. Aucun membre de l'entreprise de sécurité chargée de le surveiller n'avait ne serait-ce qu'emprunté l'escalier menant jusqu'au toit. Parmi les gens qui avaient eu un lien avec l'école toutes ces années auparavant, personne n'avait été porté disparu. Mais surtout, elle n'avait trouvé personne pour la renseigner sur la pratique de la grimpe urbaine à la John Drummond. L'ami de Fraser Jardine avait éteint son téléphone et cette piste prometteuse était donc suspendue jusqu'à ce qu'il se manifeste. Rien que du négatif. Elle désespérait d'obtenir une information positive.

River mâchonna une poignée de pop-corn.

— C'est un homme. Il est mort d'une balle dans la tête, petit calibre. En dehors de ça, je ne peux qu'émettre des suppositions. Sa blessure me fait dire qu'il a été tué, expliqua-t-elle en indiquant un point au-dessus de son sourcil droit. Je n'ai jamais vu personne se suicider en se tirant une balle ici. La tempe, le palais, entre les deux yeux, d'accord. Mais jamais à cet endroit-là.

Karen hocha la tête en enfournant une poignée de pop-corn dans sa bouche.

— Hmm, c'est ce que je me suis dit aussi.

— En plus, on n'a retrouvé aucune balle. Mais ça ne signifie pas forcément que quelqu'un l'a fait disparaître. Il y a des traces indiquant la présence de rongeurs et d'oiseaux sur les os et autour du corps.

— Tu veux dire qu'un écureuil ou une pie aurait pu récupérer la balle et la déposer ailleurs ?

— Tout à fait. En ce qui concerne l'identité du corps, je dirais qu'il avait entre quarante et cinquante ans quand il est mort. L'analyse de sa dentition est intéressante. Il a deux couronnes en or et céramique, assez chères, sans doute posées deux ou trois ans avant sa mort. Et probablement ici, dans le pays. Mais il en a également d'autres, plus anciennes. J'ai déjà vu ça chez des cadavres dans certaines zones de l'ancien bloc de l'Est. L'Ukraine, l'Albanie, la Bulgarie, la Bosnie, ces coins-là.

— Donc tu penses qu'il était de là-bas mais qu'il vivait ici ?

— C'est possible. Ou alors c'était un agent infiltré. Ce n'est pas le genre de pays où tu choisis de te faire soigner les dents si tu as le choix, tu sais. Pas à cette époque en tout cas.

— À quelle époque ?

River réfléchit en faisant tourner le vin dans son verre.

— Je dirais qu'il est mort il y a cinq à dix ans. C'est dur d'être précis, il y a trop de facteurs d'incertitude. Ses vêtements se sont décomposés, ce qui signifie qu'ils étaient en tissu naturel. On a trouvé quelques fibres sous son corps. Il portait probablement des sous-vêtements en coton, un pantalon en coton plutôt qu'un jean (pas de rivets), et une chemise en lin et coton mélangés. Des chaussettes en laine et ce qui ressemble à des chaussures d'escalade. Une grande partie de ce matériel a pourri ou a été utilisée par des rongeurs ou des oiseaux pour faire leur nid, mais les bordures et semelles en caoutchouc sont plus ou moins intactes. Il reste quelques fibres de laine entre la semelle et les os du pied.

— Les chaussures peuvent s'expliquer. D'après un témoin, il y a des dingues qui escaladent sans matériel des façades comme celle de la John Drummond. Ça expliquerait comment il est arrivé là-haut sans avoir à traverser le bâtiment et a pu atteindre le Velux sans échelle. Parce qu'il n'y a aucune échelle nulle part.

River piocha une nouvelle poignée de pop-corn.

— Les gens ne cessent de me surprendre. Pourquoi est-ce qu'on voudrait escalader une façade alors qu'il y a un escalier en parfait état à l'intérieur ? Je comprends qu'on escalade une montagne. Le défi, la relation à la nature. La vue, évidemment. Mais des immeubles ? C'est bizarre.

— C'est vrai, mais tant que ça peut m'aider pour l'enquête, je m'en fiche. Parce que je n'ai pas beaucoup d'informations, finalement. Pas de couleur de vêtements, pas de style, rien qu'on puisse comparer à la tenue d'une éventuelle personne disparue… soupira Karen.

— Désolée. Je ne peux même pas te dire de quelle couleur étaient ses chaussettes. Mais je suis sûre qu'il y aura d'autres éléments qui colleront avec une de tes personnes disparues, répondit River en sortant son téléphone portable pour lui montrer une série de photos. Regarde.

Karen dégagea les mèches qui balayaient son visage pour pouvoir voir l'écran.

— Ça devait se trouver dans sa poche arrière.

Sur le téléphone, on voyait une carte rouge foncé dotée d'une bande magnétique, grande comme une carte de crédit.

— Tu la reconnais ?

— Est-ce que je devrais ?

— Je ne sais pas. On dirait une carte magnétique de chambre d'hôtel, mais il n'y a aucune inscription qui suggère son origine.

Karen secoua la tête.

— Il y a des centaines d'hôtels et de chambres d'hôtes dans cette ville. Peut-être que la police scientifique peut analyser la bande magnétique ? Mais avant de leur donner, je vais voir si on peut retrouver des empreintes dessus. C'était tout ce qu'il avait sur lui ?

— Oui. Vu où elle se trouvait, j'en déduis qu'il l'avait dans sa poche arrière. Celui qui l'a tué a sûrement pris son portefeuille avec tout ce qui aurait pu permettre de l'identifier. J'imagine qu'après ça, il n'a pas cherché plus loin.

— Il faut avoir le cœur bien accroché pour fouiller un cadavre. J'espère au moins que la carte magnétique nous apportera des renseignements, dit Karen en bâillant avant de remplir leurs verres. N'empêche que ça nous change des affaires traditionnelles. On n'a pas à se plonger dans les comptes rendus pourris d'un collègue et à déprimer face à son incompétence.

— Qui sait, tu vas peut-être y gagner un voyage, si notre victime s'avère étrangère.

Karen lâcha un petit rire sarcastique.

— Ouais, tu parles. Avec la chance que j'ai, ce sera un trafiquant d'êtres humains albanais. Alors, quand est-ce que tu pourras m'en dire plus ?

— J'aurai l'ADN lundi matin. Je vais lancer l'analyse du squelette demain à la première heure. Si la clé de l'hôtel et les analyses ne donnent rien, tu pourras toujours envisager la reconstruction faciale, ajouta River, pensive.

Karen fit une moue.

— C'est une possibilité. Et ils se sont beaucoup améliorés récemment grâce à l'imagerie informatique. Mais ça coûte cher et si notre type est étranger, on a peu de chances de réussir à établir son identité. Je ne suis pas sûre de pouvoir le justifier, en termes de budget. Mais j'y penserai.

— Ce sont les joies de la médecine légale moderne, Karen. Avant, établir l'identité d'un cadavre était la partie la plus difficile du travail. Alors qu'aujourd'hui on ne peut plus rien nous cacher. Nous portons tous notre histoire en nous. Le verre de vin que tu es en train de boire ? C'est un élément de plus qui vient s'ajouter à la somme totale que représente Karen Pirie.

Karen rit en trinquant avec River.

— Cent vingt calories supplémentaires à ajouter à la somme totale de Karen Pirie. À ce propos, tu as perdu du poids et tu n'en avais pas besoin.

River détourna le regard.

— Tout va bien, dit-elle. J'ai été occupée, c'est tout. Tu sais ce que c'est.

— Ce que je sais, c'est que quand je suis occupée, je grossis. À force de manger n'importe quoi à la va-vite.

— Moi c'est l'inverse. J'oublie de manger.

Karen secoua la tête en esquissant un petit sourire.

— Tu vois, pour moi, cette phrase n'a aucun sens. Comment est-ce que tu peux « oublier » de manger ?

River se força à répondre avec bonne humeur :

— De la même façon que tu « oublies » de dormir quand tu cherches la réponse à un mystère que personne d'autre n'a réussi à percer.

— Tu me connais trop bien. Mais ce soir, je ne cherche la réponse à aucun mystère, dit-elle en bâillant de nouveau. Et demain est un autre jour. On va se coucher ?

River jeta un coup d'œil à sa montre.

— Dans un moment. Il faut que j'appelle Ewan avant qu'il se mette au lit. Je dors dans la même chambre que d'habitude ?

Karen se leva et vida son verre.

— Oui. Et demain on pourra se pencher sur l'identité de cet homme mystère. Plus vite on la connaîtra, plus vite on pourra trouver celui qui lui a mis une balle dans la tête. Il y a un tueur dans la nature qui dort sur ses deux oreilles. Il est temps de lui donner quelques cauchemars.

Dans les Balkans, la distance la plus courte entre deux points n'est jamais la ligne droite. L'histoire et la géographie de ces territoires disputés se heurtent en permanence à la cruauté des hommes. C'est là-bas que j'ai découvert mes propres faiblesses, avec une récurrence déprimante. Mais c'est là aussi que j'ai découvert l'amour, l'espoir et une possibilité de rédemption.

Rien ne m'a jamais donné davantage l'impression d'être mortelle que le fracas d'un tir de barrage. L'explosion de lumière envahissant le ciel, les bâtiments vacillant autour de moi et l'écho terrible des déflagrations me terrorisaient. Je ne m'attendais pas à ce que ma vie professionnelle prenne ce chemin lorsque je me suis inscrite à l'université en géographie il y a trente-deux ans. J'ignorais qu'être géographe signifiait se faire tirer dessus par des snipers, traverser la moitié de l'Europe au volant d'une ambulance bourrée de matériel médical ou se cacher dans des sous-sols infestés de rats pour échapper à la police secrète.

Je n'ai pas été préparée à ce genre d'aventures. J'ai grandi dans ce coin de la région de Fife baptisée «Howe», petite zone conservatrice et agricole au cœur d'une région de mines, de construction navale et de pêche. Mon père était ce que l'on appelle poliment un «travailleur agricole» mais qu'on pourrait plutôt qualifier de serf. Ma mère travaillait à mi-temps dans une ferme laitière et c'est elle qui m'a poussée à prendre la poudre d'escampette au plus vite.

J'ai eu la chance d'arriver au University College de Londres au moment où la géographie humaine se développait. Les départements de géographie avaient été par le passé essentiellement masculins, mais une nouvelle vague d'universitaires féministes s'infiltrait un peu partout. La discipline s'intéressait de plus en plus à la vie des femmes grâce à des mouvements médiatisés, comme Greenham Common, qui ouvraient de belles perspectives de recherche et d'articles à publier. Je sais qu'on ne va pas me croire, mais c'était la période la plus enthousiasmante pour un géographe débutant.

Ma directrice de thèse était l'une de ces pionnières. Melissa Armstrong était revenue à Londres après cinq années d'études et de post-doctorat aux États-Unis, pétrie d'idéologie marxiste et féministe. Elle a frappé UCL comme une tornade, déraciné les structures de pouvoir en place et fait bouger les plaques tectoniques de la géographie pour imposer quelque chose de complètement nouveau. Melissa passait autant de temps avec des philosophes et des chercheurs en sciences sociales qu'avec les collègues de son département, et son énergie étourdissait ses collaborateurs.

Nous n'étions que deux femmes parmi les doctorants en géographie à l'époque, et nous sommes devenues ses amies, ses disciples et ses prosélytes. Notre admiration frisait l'adulation, en particulier quand elle mettait en pratique ses idées politiques. À la fin des années 1980, la communauté philosophique dissidente de Prague a secrètement invité des universitaires occidentaux susceptibles de se rallier à leur cause : « Venez nous aider à subvertir le régime en donnant des cours clandestins. »

Melissa a intégré St Scholastica's College, à Oxford, juste à temps pour rejoindre cette vague d'universitaires libertaires prêts à collaborer avec leurs homologues de l'Est. Elle est devenue membre d'un groupe qui faisait cours dans des appartements ou des chambres bondées au-dessus des bars, avec la même énergie et la même imagination que quand elle enseignait pour nous à Oxford. (Je l'avais en effet suivie à Oxford où j'avais obtenu un poste de jeune chercheuse à St Scholastica's.) Même si leur public était composé d'ouvriers en bâtiment et de vendeurs, de balayeurs et de dames pipi qui travaillaient beaucoup, ils assistaient à ses cours avec davantage de passion et d'engagement que nous.

Melissa a souvent effectué ce voyage risqué et stressant. Elle transportait en secret des livres dans ses bagages – des manifestes féministes déguisés en romans de gare – et ramenait avec elle des textes du *samizdat* rédigés par ceux qu'elle considérait de plus en plus comme des collègues, à Prague et au-delà. Ses visites répétées ont fini par éveiller les soupçons des autorités et, après quelques accrochages avec la police, le régime tchécoslovaque lui a fait savoir qu'il ne lui délivrerait plus de visa. Melissa était furieuse et frustrée, mais encore plus déterminée à lutter pour la liberté d'expression et la liberté d'enseignement. Je me rappelle encore le soir où elle a appris qu'elle n'aurait plus jamais le droit de travailler avec ses étudiants clandestins de Prague. Nous étions dans son bureau à St Scholastica's et elle a débouché une bouteille de vin avec une telle force qu'elle a tordu le tire-bouchon.

— Je ne vais pas renoncer, a-t-elle annoncé en remplissant sans ménagement deux verres de soave. Ils croient qu'ils peuvent nous faire taire, mais ça ne va pas se passer comme ça.

— Mais qu'est-ce que tu vas faire puisqu'ils refusent de te laisser entrer?

Melissa a bu une longue gorgée de vin puis a laissé ses cheveux bruns tomber devant son visage, si bien que je ne distinguais plus vraiment ses traits.

— Il y a un petit groupe qui est en train de monter une fondation pour lever des fonds afin de soutenir la communauté dissidente. Ils veulent essayer de les faire sortir du pays et leur donner de quoi vivre jusqu'à ce qu'ils trouvent un poste dans une université ici.

Elle a relevé ses cheveux d'un air de défi.

— Mais je ne pense pas que c'est comme ça qu'on changera le monde, a-t-elle ajouté.

— Alors qu'est-ce que tu vas faire?

— Je vais continuer ailleurs ce qu'on a commencé à Prague. Ce n'est pas le seul pays où on interdit aux gens de parler et de penser. C'est trop important pour qu'on renonce, Maggie. Ces gens ont besoin de nous.

Il n'a pas fallu longtemps avant que Melissa ne trouve une solution pour pouvoir diffuser cette nouvelle discipline alliant féminisme, philosophie et géopolitique. La réponse se trouvait à Dubrovnik. Bien que faisant partie du bloc soviétique, la Yougoslavie était plus libre de communiquer avec l'Ouest. Là-bas, au Centre interuniversitaire (IUC), il était possible pour des chercheurs de franchir le fossé idéologique qui les séparait et de discuter. Ceux que les régimes oppressaient et contraignaient pouvaient ainsi dissimuler leurs idées dissidentes et la nature des rencontres qui rendaient leurs visites à l'IUC si enrichissantes. Ils pouvaient suivre des cours et discuter des dernières théories avant de rapporter ces idées chez eux et les transmettre aux quelques étudiants en qui ils avaient confiance. Melissa était dans son élément, partageant son enthousiasme et ses réflexions avec tous ceux qu'elle rencontrait.

Comme elle l'avait fait à Oxford, elle rendait l'apprentissage amusant. Les cours se transformaient en soirées remplies de discussions et de débats autour d'un verre. Elle a lancé un journal pour des philosophes et géographes féministes dissidents après avoir convaincu une petite maison d'édition universitaire allemande d'apporter une contribution financière anonyme. Je me rappelle avoir passé des nuits entières à taper les articles rédigés à la main dans un anglais parfois décousu. Mais j'étais heureuse de participer à cette aventure. Tout le monde aimait Melissa ; tout le monde voulait travailler avec elle.

Malheureusement pour elle, ses collègues de St Scholastica's faisaient partie de ces gens-là. Au lieu d'être fiers de ce qu'elle accomplissait dans le monde, la direction de l'université souffrait de cette étroitesse d'esprit dont on affuble souvent les universitaires. Ils se préoccupaient davantage de leurs propres intérêts que d'un groupe de philosophes en devenir dont ils n'avaient jamais entendu parler. La faculté payait Melissa pour qu'elle enseigne et assume sa part des tâches administratives. En son absence durant l'été 1991, alors que la Croatie semblait sur le point de sombrer dans la guerre civile, la direction l'a nommée doyenne et sommée d'honorer ses engagements.

Melissa était furieuse. Même si aujourd'hui, après toutes ces années passées à l'université, je peux comprendre la position délicate dans laquelle se trouvait la direction, j'étais entièrement de son côté à l'époque. Avec la chute du mur de Berlin et l'effondrement imminent de l'Union soviétique, le rôle des universitaires occidentaux était encore plus essentiel pour l'avenir, expliquait-elle. Bien plus essentiel que de donner cours à des étudiants de deuxième cycle qui avaient bénéficié d'une meilleure éducation. À mes yeux, elle avait fait le seul choix qui s'imposait à la morale. Mais en dépit de ses arguments passionnés qu'elle répétait à qui voulait bien l'entendre, l'université a campé sur ses positions. À la rentrée suivante, on lui a coupé les ailes. Elle n'a pas pu retourner auprès des dissidents de Dubrovnik. On lui a confié un cours de première année sur Malthus et l'histoire du développement des populations.

Voilà comment j'ai atterri à Dubrovnik le 1er octobre 1991, le jour où les bombes se sont mises à tomber, coupant l'accès à l'eau et à l'électricité.

7

Alan Macanespie glissa la main entre deux boutons de sa chemise pour se gratter le ventre tout en avalant une gorgée de café au lait dans un gobelet en carton. Theo Proctor esquissa une moue dégoûtée quand son collègue rota, envoyant des effluves fétides depuis l'autre côté de la table.

— Tu es répugnant, tu sais ? lança le Gallois en agitant la main devant son visage avant de saisir sa bouteille d'eau.

— Tu ne sais peut-être pas comment t'amuser le samedi soir, mais c'est pas une raison pour qu'on se conduise tous comme des enfants de chœur, répliqua Macanespie en pivotant sur sa chaise, son ventre suivant le mouvement tel une onde sinusoïdale de graisse. Après avoir écouté ce connard de Cagney hier, j'avais besoin de me changer les idées. J'ai mieux à faire un dimanche matin que m'occuper de ce tas de conneries.

Il fit une grimace en regardant la pile de papiers posée sur la table près de Proctor. La mauvaise surprise que leur avait réservée Cagney l'énervait et l'inquiétait ; à moins qu'il ne finisse par voir une lumière au bout du tunnel qui ne soit pas un train arrivant à toute allure, la seule perspective pour lui était celle d'une retraite prématurée et peu glorieuse après une carrière sans éclat.

Proctor posa sa fine main sur la pile.

— Non, tu n'as rien de mieux à faire. Pas si tu veux toucher ta retraite. Cagney nous a dans le collimateur. Il est aigri et il pense que nous autres, les bons petits soldats qui font leur boulot, on sert uniquement de faire-valoir.

Macanespie gloussa.

— C'est plutôt son costume tout neuf qui lui sert de faire-valoir.

— Il veut aussi prouver aux chefs qu'il est à la hauteur de sa mission. Il lui faut des résultats et s'il ne les obtient pas, il fera retomber la faute sur quelqu'un d'autre ; j'ai pas envie que ce soit moi, continua Proctor en ouvrant son ordinateur portable et en tapant sur une touche pour quitter le mode veille. Depuis WikiLeaks et Edward Snowden, ils sont tous devenus paranos au sujet des fuites. Et franche-ment, si on regarde ce qui s'est passé sous notre contrôle, on ne peut pas s'empêcher de penser que quelqu'un a décidé de se faire justice lui-même.

Macanespie rota de nouveau en regardant le gobelet en carton d'un air accusateur, comme s'il était d'une certaine façon responsable de son propre manque de tenue. Il frotta sa barbichette rousse en soupirant.

— Tout le monde s'en fout. Se débarrasser de ces ordures est un grand service rendu à l'humanité.

— Tu ferais mieux de ne pas répéter ça à Wilson Cagney.

Proctor fronça les sourcils en ouvrant une feuille de calcul. Les poils noirs et fins de ses doigts osseux leur don-naient l'air de pattes d'insectes agrandies au microscope galopant sur les touches du clavier.

— Tu es célibataire, Alan. Tu n'as pas d'enfants. Tu n'as peut-être pas d'autre perspective dans la vie que boire jusqu'à ta mort, mais moi je dois penser à Lorna et aux filles.

Il y eut un silence de plomb. Macanespie était impassible, ne laissant rien transparaître de ses émotions. Proctor était allé trop loin. Pendant des années, leur collaboration avait fonctionné parce que chacun avait affiché une indifférence étudiée vis-à-vis des défauts de l'autre. Ils étaient comme un couple marié dans un pays catholique avant la légalisation du divorce. Ils avaient tiré le mauvais numéro et avaient tenté de s'en accommoder, fermé les yeux sur le mépris mutuel qu'ils se portaient et évité de commenter les habitudes répugnantes de l'autre. Proctor n'avait jamais critiqué le penchant de Macanespie pour la boisson ni ses manquements à ce que le Gallois considérait comme l'hygiène la plus élémentaire. De son côté, Macanespie avait toléré les attitudes pointilleuses de son collègue qui selon lui confinaient aux TOC et ne se plaignait jamais qu'il fasse en permanence étalage de ses photos de famille, l'assommant d'anecdotes sur les brillantes, magnifiques, érudites et talentueuses personnes qu'étaient ses filles. Ce pacte efficace avait été pulvérisé par Wilson Cagney et sa diplomatie de la canonnière. À présent, Proctor paraissait heureux de le jeter en pâture avec pour seule justification l'échec sur lequel s'était conclue la dernière relation amoureuse de Macanespie. L'Écossais était persuadé que son collègue était jaloux parce que n'étant pas marié, sa petite amie n'avait pas pu le plumer au moment de la séparation. Bien fait pour elle. Macanespie l'avait demandée en mariage plus d'une fois mais elle avait toujours décliné l'offre. Elle était donc partie sans rien de plus qu'en arrivant. Mais Proctor, lui, serait obligé de se farcir ce collet monté de Lorna jusqu'à la fin de ses jours. Bien fait pour lui, franchement.

Macanespie s'éclaircit la voix.

— Rappelle-moi ce qu'on cherche ?

— Ces huit dernières années, onze personnes visées par le Tribunal pénal international pour l'ex-Yougoslavie ont été assassinées à quelques jours de leur arrestation, répondit Proctor en ouvrant une nouvelle fenêtre qu'il scruta attentivement. La paperasse était enregistrée, l'opération avait été lancée. Mais entre le lancement et l'exécution…

Il rougit en prenant conscience que son choix de mots était inapproprié.

— … il s'agissait bel et bien d'une exécution ! s'exclama Macanespie de façon un peu trop prévisible.

Parfois il ne pouvait pas s'en empêcher. Son humour noir écossais refusait de se tenir tranquille.

— Et combien de dossiers étaient à nous ? continua-t-il.

— Huit d'entre eux étaient gérés par des Britanniques. Les trois autres avaient des Britanniques parmi leur équipe.

— Les mêmes à chaque fois ?

Proctor parcourut l'écran du bout du doigt.

— Apparemment non. Alexandra Reid était assistante sur deux des dossiers et en a chapeauté un. Will Pringle en a dirigé trois, Derek Green deux et il a participé à un troisième. Quant à Patterson Tait, il a dirigé les deux autres. On peut donc sans doute les éliminer. Mais il faut qu'on épluche chaque dossier pour étudier tous les noms des collaborateurs et trouver le facteur commun. La taupe.

Macanespie poussa un grognement.

— Tu plaisantes ou quoi ? Tu ne proposes pas sérieusement qu'on s'engage dans la tâche la plus inutile qui soit depuis la campagne du Parti travailliste de 1987 ? On sait tous ce qui s'est passé. Un genre de nettoyage ethnique visant des salopards. Ce type a débarrassé les Balkans de la vermine qui a transformé la région en enfer dans les années quatre-vingt-dix. Toi et moi on sait très bien qui est responsable de ces assassinats.

Proctor expira bruyamment par le nez. Il pinça les lèvres et fronça les sourcils devant son écran, tapant sur les touches du clavier comme s'il s'agissait des yeux de son collègue.

— On n'en sait rien, grommela-t-il.

— « On n'en sait rien », répéta Macanespie sur un ton moqueur. Tout le monde est au courant depuis des années, Theo. Ne fais pas comme si tu ne savais pas de qui je veux parler.

— Ce ne sont que des rumeurs et des ragots.

— Des rumeurs et des ragots que personne n'a jamais démentis, à ce que je sache. Les types des Balkans, ils échangent tous un petit clin d'œil entendu quand les gens commencent à dire que c'est une sacrée coïncidence qu'une ordure avec un passé de criminel de guerre long comme le bras a encore passé l'arme à gauche avant qu'on puisse l'incarcérer.

Proctor secoua la tête.

— Ça ne signifie pas pour autant que c'est vrai. C'est simplement une bonne histoire à raconter.

— C'est une histoire qui correspond à la réalité. C'est pour ça qu'on ne cesse de la raconter, répliqua Macanespie en commençant à compter sur ses doigts potelés. Qui connaît tous les acteurs majeurs de l'époque ? Qui est considéré comme un putain de héros par la moitié des Balkans, lesquels seraient prêts à tout pour le protéger ? Qui s'est époumoné devant tous les médias pour répéter que le Tribunal pénal international pour l'ex-Yougoslavie ne servait à rien et a ensuite disparu de la circulation quelques semaines seulement avant le premier assassinat ?

Proctor réorganisa sa pile de documents. Ils n'en avaient pas besoin.

— Tu parles de Dimitar Petrović.

— Exactement ! s'exclama Macanespie en tendant les deux pouces avec un sourire triomphant. Tu finis toujours par y arriver, Theo. Il faut te pousser un peu, mais tu arrives toujours à atteindre le sommet de la montagne.

— Comme d'habitude, Alan, tu es complètement à côté de la plaque. Même si tu avais raison au sujet de Petrović – et je ne dis pas que c'est le cas –, même si tu avais raison, on ne serait pas pour autant tirés d'affaire. Wilson Cagney est sûrement déjà au courant pour Petrović. Le problème, ce n'est pas lui. Le problème, c'est qui lui fournit des informations. Il y a quelqu'un qui lui indique où chercher, Alan. Et selon Cagney, c'est l'un de nous deux ou alors quelqu'un de très proche.

8

Il y avait de bonnes et de mauvaises nouvelles. Malheureusement pour Karen, les bonnes arrivèrent en premier. Même si cela lui permettait de commencer la journée du bon pied, ça rendait les mauvaises nouvelles encore plus difficiles à encaisser.

La bonne nouvelle était venue de son collègue qui avait analysé les empreintes digitales de la carte magnétique récupérée sur le squelette. Karen avait quitté la maison avant que River ne se réveille, emportant avec elle un thermos rempli de café fort pour réveiller ses neurones. Elle aurait pu prendre connaissance des avancées du légiste par téléphone mais elle aimait bien rencontrer les techniciens quand c'était possible. Elle réussissait toujours à les persuader de faire un petit effort supplémentaire pour elle. Et quand on travaillait sur des affaires non classées avec un budget minimal, ce petit effort pouvait tout changer.

Le dimanche, à une heure si matinale, il n'y avait pas beaucoup de circulation, et elle atteignit en un temps record le tout nouveau QG de la police écossaise. Il était situé dans ce que Karen considérait comme l'équivalent écossais du triangle des Bermudes : un no man's land coincé entre la M80, la M73 et la M8. On l'avait baptisé le Gartcosh

Business Interchange pour le rendre plus attractif et dynamique. D'après elle, ce nouveau nom ne suffisait pas à effacer de la mémoire collective locale les énormes usines de laminage et les aciéries qui avaient employé jusqu'à un millier d'ouvriers. Leurs carrières avaient été brisées quand British Steel avait fermé le site en 1986. Une génération plus tard, les cicatrices étaient toujours visibles.

Le nouveau bâtiment de la police écossaise constituait un ajout remarquable au panorama. Sa façade en béton blanc et vitres teintées faisait penser à des codes-barres géants inclinés et implantés dans le paysage. La première fois qu'elle l'avait vu, Karen avait été consternée et tentée de le considérer comme un caprice d'architecte. Mais Phil, qui avait lu un article sur Internet, lui avait expliqué que le bâtiment avait la forme d'un chromosome et que l'effet code-barres était censé représenter l'ADN. « C'est une métaphore », avait-il ajouté. Elle avait accepté cette explication à contrecœur, jugeant que dans la mesure où il allait abriter le service de l'identité judiciaire de la police écossaise, ce design n'était pas entièrement dépourvu de sens. Elle était néanmoins contente qu'on ne lui ait pas demandé d'aller travailler au sein d'une fichue métaphore.

L'avantage du dimanche, c'était qu'il y avait des places où se garer. Le gouvernement incitait tout le monde à être écolo et à utiliser les transports en commun pour aller travailler. Quand on construisait de nouveaux bâtiments, la stratégie était de créer beaucoup moins de places de parking que le nombre d'employés. À en croire un ancien collègue de Karen, Gartcosh disposait de deux cent cinquante places pour mille deux cents employés. Or ces derniers avaient pour la plupart été relocalisés là depuis le centre du pays. Et cette région ne proposait quasiment pas de liaison avec Gartcosh. « Certains arrivent au travail avant sept heures juste pour avoir une place de parking », lui avait raconté son collègue. D'autres poussaient des jurons et saccageaient le bas-côté des routes avoisinantes. Ça n'allait pas modifier la politique du gouvernement, mais ça les défoulait.

À l'intérieur du bâtiment, tout était neuf et impeccable à l'exception des employés. Ils étaient aussi négligés, ringards et grincheux qu'avant. Trevor Dingwall, l'expert en empreintes digitales, avait toujours l'air d'un gars qu'on avait forcé à quitter le pub en plein match de foot. Il portait le maillot de St Johnstone FC, un pantalon de survêtement ample et des baskets trop grandes qui auraient pu être acceptables chez un étudiant. Chez un quadragénaire bedonnant avec une barbichette et une calvitie naissante, l'image était déprimante. Karen le trouva dans un box isolé du vaste bureau ouvert et désert, assis devant une série de fichiers d'empreintes.

— Tu vois ça ? Ça ne cessera jamais de me surprendre, lança-t-il pour entamer la conversation.

— Moi aussi je suis contente de te voir, Trevor. Quelles sont les réjouissances au programme aujourd'hui ?

Il remonta ses lunettes et la regarda.

— Combien de temps ce corps est-il resté sur ce toit, à ton avis ?

Karen leva les yeux au ciel. Pourquoi est-ce que tout le monde faisait toujours des digressions ? C'était comme s'il fallait tourner chaque conversation en performance artistique.

— À l'heure où je te parle, ma meilleure estimation est entre cinq et dix ans.

Trevor hocha la tête d'un air docte.

— Je te le dis, ça ne cessera jamais de me surprendre. Le policier qui a analysé cette carte m'a dit qu'elle avait sans doute été d'abord placée dans une poche puis, quand le tissu s'était décomposé, elle s'est retrouvée collée contre un mur. Donc une des faces a été protégée, si tu vois ce que je veux dire.

Karen voyait bien. Elle imaginait la carte de plastique rouge foncé posée contre le mur tandis que le tissu de la poche où elle s'était logée se décomposait.

— Oui. Alors, qu'est-ce que tu as trouvé ?

— Deux empreintes digitales. Probablement index et majeur.

D'accord, songea Karen. Assez incroyable.

— Et la qualité des empreintes ?

— Plutôt bonne, en fait. Surface plane, peu manipulée. Il ne m'a pas fallu longtemps pour les obtenir. Pour être honnête, je m'attendais à un peu plus de difficultés.

Il avait l'air déçu.

— La prochaine fois j'essaierai de trouver quelque chose qui fasse honneur à tes compétences.

Trevor poursuivit sans relever sa remarque ironique.

— À mon avis, on lui a donné une clé à la réception d'un hôtel. Il l'a peut-être utilisée une fois avant de la ranger dans sa poche. Il y a des traces de ce qui pourrait être une empreinte sur l'autre face, peut-être une empreinte de pouce, mais elle est trop dégradée pour nous être d'une quelconque utilité.

— Et les empreintes que tu as pu relever, tu les as entrées dans le système ?

— Je l'ai fait avant de rentrer chez moi et j'ai laissé tourner toute la nuit. Ça n'a rien donné. Ton cadavre n'a pas de casier judiciaire ici au Royaume-Uni. Et c'est tout ce que j'ai, malheureusement.

Bonne nouvelle, mauvaise nouvelle. Karen poussa un soupir.

— OK, merci quand même. Est-ce que tu peux transmettre la carte au service informatique et numérique ? J'aimerais bien qu'ils examinent la bande magnétique pour voir si on peut en tirer quelque chose.

— C'est déjà fait. Je leur ai déposé la carte après avoir relevé les empreintes.

— Je vais y faire un saut et voir ce qu'ils en disent. Merci, Trevor.

— Pas de problème.

Karen se dirigeait vers la porte quand elle s'arrêta, prise d'une intuition.

— Trevor, est-ce que l'armée a un fichier d'empreintes digitales ?

Il fronça les sourcils.

— Tu veux dire, avec les empreintes des soldats ? Non. Ils n'enregistrent que les empreintes des insurgés dans des endroits comme l'Afghanistan, pour pouvoir identifier les gens aux check points ou lors des raids, c'est tout.

— Et les services secrets ? Est-ce qu'ils gardent les empreintes des gens qui travaillent pour eux ? Je pense aux ressortissants étrangers.

Trevor haussa ses sourcils broussailleux.

— Ça, c'est une bonne question. Je n'ai jamais rencontré ce genre de cas. Qu'est-ce qui te fait croire que ton squelette pourrait en être un ?

— L'anthropologue pense que ses dents ont été soignées dans le bloc de l'Est. Je me suis demandé s'il pouvait avoir travaillé pour nous.

Trevor gloussa.

— Il est plus probable que ce soit un plombier polonais plutôt qu'un espion.

Karen soupira.

— Tu as sans doute raison. Mais pourquoi est-ce qu'un plombier polonais se retrouverait sur le toit de la John Drummond avec une balle dans la tête ?

Il haussa les épaules d'un air indifférent.

— Ils ont des gangsters, comme nous.

— Super, exactement ce dont j'ai besoin : une excursion dans le monde de la mafia de l'Est. Comme si on n'avait pas assez de truands chez nous.

Elle nota néanmoins mentalement d'interroger la brigade qui s'occupait du crime organisé au sein des communautés immigrées de la région centrale.

En traversant le bâtiment pour rejoindre le service informatique et numérique, Karen fut frappée par la vue imprenable sur Campsie Fells, au loin. C'était une des choses qu'elle aimait le plus en Écosse. Le paysage se rappelait toujours à vous dans les moments les plus inattendus. Ce n'était pas surprenant que tant d'étrangers qui traversaient le pays finissaient par y rester. Était-ce ce qui était arrivé au squelette de la John Drummond ? Est-ce qu'il était de passage et s'était laissé tenter par une autre vie ? Ou bien trempait-il dans des affaires louches ?

Karen poussa la porte menant au labo du service informatique et numérique. Il n'y avait personne à la réception, mais un panneau indiquait d'appuyer sur une sonnette située sur le mur. Elle avait presque perdu espoir quand la porte s'ouvrit pour laisser apparaître une jeune femme large d'épaules en débardeur moulant et jean rouge, avec des cheveux blond platine et un piercing dans le nez. Quand elle posa les yeux sur elle, Karen se sentit immédiatement négligée, grosse et démodée.

— Je suis le commandant Pirie, dit-elle, bien décidée à prendre l'initiative si elle le pouvait. Unité des affaires historiques. J'aimerais parler à quelqu'un au sujet d'une preuve qu'on vous a transmise hier.

Son interlocutrice mâchonna son chewing-gum.

— Je suis Tamsin Martineau et c'est à moi qu'on a confié votre cas, répondit-elle avec un accent australien. Venez.

Karen lui emboîta le pas jusqu'à une pièce éclairée uniquement à la lueur des écrans d'ordinateur.

— Je sais que vous n'avez pas eu beaucoup de temps pour vous pencher dessus, mais j'étais dans le coin.

— Pas de problème, dit Tamsin en s'installant dans un siège ergonomique face à un poste de travail doté de trois moniteurs et de plusieurs boîtes noir et argent dont Karen ignorait la fonction. Prenez une chaise.

Karen saisit la chaise la plus proche et s'assit.

— Est-ce que vous avez quelque chose pour moi ?

À peine avait-elle prononcé cette phrase qu'elle la regretta. Tamsin sourit comme si on venait de lui confier les clés d'une voiture de sport.

— Eh bien, dit-elle en étirant les syllabes. Voyons voir… D'après votre collègue chargé de la scène de crime, il s'agirait d'une clé d'hôtel et je suis d'accord avec cette hypothèse. En théorie, la carte pourrait encore contenir des données. Mais ces données ne nous seront probablement d'aucune utilité. Elles ne vont pas nous dire : « Motel Mystère, chambre 302, nuit du 20 juin, au nom de M. Untel. » Il ne faut pas rêver. En fait, cette carte ne contient sans doute pas grand-chose si ce n'est une suite de chiffres qui correspond au code d'accès d'une porte d'hôtel donnée à une période donnée. Si on avait vraiment de la chance, elle contiendrait aussi des éléments indiquant la nature de la réservation.

— La nature de la réservation ? Vous voulez dire par quel moyen on l'a effectuée ? Par téléphone ou par Internet, ce genre de choses ?

Tamsin lança à Karen un regard impatient comme si elle était une enfant stupide.

— Non, je veux dire s'il s'agissait d'une nuit seule ou avec petit déjeuner inclus, ce genre de détails. Ou si le client pouvait ajouter des dépenses annexes sur le compte de la chambre. Ce qui indiquerait que l'hôtel avait effectué une préautorisation sur sa carte de crédit. Si le client avait accès à d'autres services comme une salle de gym, une piscine ou un salon privé. Cela pourrait vous aider à cibler le type d'hôtel en question.

— Je vois, répondit Karen qui comprenait ce qu'elle voulait dire. Par exemple, s'il avait accès à une salle de gym et une piscine, il y a peu de chances qu'il s'agisse d'une guest house de Leith.

— Exactement. Il pourrait même y avoir une date et une heure d'expiration, ce qui vous donnerait un créneau au cours duquel le client aurait fréquenté l'établissement. Le seul problème qu'on pourrait rencontrer, c'est que les informations contenues sur ces cartes sont presque toujours cryptées. Ils utilisent un code spécifique à l'établissement, installé en même temps que le système. L'avantage, c'est que ce code est généralement assez court par rapport à ce qu'on fait aujourd'hui. Et comme il n'existe pas beaucoup d'entreprises qui créent ce type de systèmes cryptés, il n'y a pas beaucoup d'algorithmes à intégrer à l'équation. Donc quelqu'un comme moi peut décrypter ça en une semaine ou deux.

— Une semaine ou deux ?

Karen ne parvint pas à dissimuler sa déception.

— Voyons, commandant. Vous savez bien que ce n'est rien du tout à notre échelle. Le vrai décryptage peut prendre jusqu'à plusieurs mois. Mais de toute façon, tout ça, c'est de la théorie. Parce que votre carte est restée exposée aux intempéries et que la bande magnétique s'est désagrégée comme des pellicules sur le col d'une veste.

— Merde, lâcha Karen, abasourdie.

— Ceci étant… j'ai pu en retirer quelques infos. Et elles s'avèrent bien plus utiles que de savoir si M. Untel avait oui ou non accès au salon privé…

Tamsin marqua une pause pour plus de suspense.

Karen savait ce qu'on attendait d'elle.

— Ah bon ? C'est incroyable. Qu'est-ce que vous avez découvert ?

— Voilà : si plusieurs cartes se frottent les unes contre les autres dans votre poche, les infos contenues dans l'une des bandes magnétiques peuvent se transférer sur l'autre. C'est ce qui s'est passé. Manifestement, M. Untel avait placé sa carte de crédit tout contre sa clé d'hôtel. Et certaines infos ont été transférées. C'est votre jour de chance, commandant.

— Vous avez un nom ?

Tamsin mâchonna de nouveau son chewing-gum en prenant son temps.

— C'est tout comme. Je suis votre bonne fée, commandant. J'ai un code guichet et les cinq premiers chiffres d'un numéro de compte. Je ne crois pas que vous aurez besoin d'un expert en code secret pour vous donner une réponse demain matin quand les banques ouvriront.

9

Karen avait beau être douée pour plier les autres à sa volonté, ça n'était d'aucune aide pour obtenir des informations sur un compte bancaire un dimanche. Elle aurait pu convaincre un juge coopératif de lui signer un mandat, mais ça n'aurait pas vraiment accéléré la procédure et elle n'avait pas envie de se rendre redevable d'un service pour rien. Elle savait que River serait au labo en train d'examiner le squelette en quête d'indices concernant son origine, mais elle n'avait rien à faire là-bas ; par ailleurs, River l'appellerait dès qu'elle trouverait une information susceptible de lui fournir une piste. Le compagnon d'escalade de Fraser Jardine ne l'avait pas contactée. Il était peut-être temps de lui botter les fesses pour lui rappeler que négliger la police n'était pas une excellente idée.

Elle s'appuya contre le capot de la discrète Ford Focus qu'elle avait choisie précisément pour ça et appela Ian Laurie. Au moment où une énième sonnerie s'apprêtait à céder la place à la messagerie, elle fut interrompue par un grognement rauque.

— Ici le commandant Karen Pirie. Qui est à l'appareil ?

Karen n'avait même pas à feindre la sévérité.

Il y eut un raclement de gorge gras à l'autre bout. Phil n'était pas parfait, songea-t-elle. Mais au moins il ne faisait pas ça au petit matin.

— Est-ce que c'est un canular ? fit une voix grave.

Apparemment, Fraser Jardine l'avait prise au sérieux quand elle lui avait demandé de ne pas parler de sa macabre découverte.

— Ici la police, monsieur. Est-ce que vous êtes Ian Laurie ?

— Ouais. Mais j'ai rien fait de mal.

— Personne ne vous accuse, monsieur. Je vous ai laissé un message hier en vous demandant de me contacter d'urgence.

Il laissa échapper un rire guttural.

— Alors c'était pas une blague. Merde ! J'ai cru que c'était un de mes copains qui se foutait de moi. Je suis désolé, commandant. Je suis moins con que ça d'habitude. C'est juste que je me marie dans une semaine et mes copains ne perdent pas une occasion de me faire marcher.

La fin de la belle vie, sans aucun doute, se dit Karen.

— Ce n'est pas une blague, monsieur. Et j'ai besoin de vous parler d'un sujet important. Je ne suis pas très loin. Si vous voulez bien me donner votre adresse, je peux être chez vous d'ici peu. Je ne vous retiendrai pas longtemps, et je vous assure que ce n'est pas un canular.

Elle avait dans la voix une autorité qui, généralement, faisait son petit effet, en particulier auprès des innocents.

Cela fonctionna. Une heure plus tard, elle gravissait l'escalier interminable d'un immeuble de Gorgie. Tandis que son pouls s'accélérait, elle se demanda pourquoi les témoins vivaient toujours au dernier étage. Au moins, cet immeuble était propre ; elle avait perdu le compte du nombre d'escaliers qu'elle avait gravis dans sa vie en retenant sa respiration à cause des relents nauséabonds de pisse, de restes de plats à emporter et d'autres choses auxquelles elle ne voulait pas trop penser.

La Menthe attendait devant la porte de Laurie qu'elle le rattrape et reprenne son souffle. Il avait l'air aussi heureux d'avoir été réquisitionné un dimanche qu'elle de le voir là. Même si on parlait de modifier la loi, le système écossais exigeait que deux policiers soient toujours présents à chaque étape de l'enquête. Si Karen pénétrait chez Laurie seule et qu'il avouait toute une série de meurtres, cela ne constituerait pas une preuve recevable. Aux yeux du tribunal, cela pourrait être considéré comme de la pure invention. Elle était donc contrainte de passer son dimanche avec La Menthe.

Depuis le salon de Ian Laurie, on avait une vue imprenable sur des cheminées et le ciel. Il valait mieux regarder dehors que dedans. Laurie portait un short de survêtement ample et un tee-shirt gris à l'effigie d'un club de gym du centre-ville. Il avait les muscles fuselés et la maigreur d'un coureur de fond ou d'un grimpeur, mais ce jour-là, il avait aussi les yeux et le teint jaunâtres, une barbe de deux jours broussailleuse et une haleine à réveiller un mort. Karen n'enviait pas sa future femme.

Il indiqua un canapé en cuir avachi qui avait l'air onéreux mais sérieusement maltraité. Laurie se laissa tomber dans un fauteuil assorti faisant face à un grand écran plasma là où s'était jadis trouvée une cheminée.

— Alors, dit-il. Quel est ce sujet important dont vous voulez me parler ?

Il paraissait sceptique.

— Je vais y venir, dit Karen. Je voulais vous interroger à propos de quelque chose que vous avez dit à Fraser Jardine.

Laurie se gratta les aisselles en bâillant.

— Fraser ? Qu'est-ce que j'ai dit à Fraser ?

— Quand il a expliqué qu'il allait à la John Drummond, un de vos amis communs lui a demandé s'il allait passer par l'intérieur ou l'extérieur. Cela lui a rappelé que vous aviez mentionné avoir escaladé ce bâtiment.

Laurie se redressa, l'air fatigué.

— Jamais de la vie. C'était juste une blague.

— Monsieur Laurie, je ne cherche pas à arrêter qui que ce soit pour avoir pénétré sur une propriété privée. Mais j'ai besoin d'aide. Je ne vous tends pas de piège. J'essaie juste d'en savoir un peu plus.

— Je n'ai jamais mis les pieds là-bas, répéta-t-il sur un ton ferme. Je ne peux rien vous dire sur ce bâtiment. Rien du tout.

— Qu'est-ce que vous faites dans la vie, monsieur Laurie ? demanda Karen sur un ton détaché.

Les photos monochromes encadrées représentant des musiciens de jazz noirs n'étaient sans doute pas un indice, mais simplement une touche de déco.

— Je travaille pour RBS, répondit-il avant d'ajouter en voyant sa moue : Je ne suis pas banquier, je suis cadre au service technique du bâtiment.

Karen sourit.

— Vous faites quoi ? Vous comptez les chaises ? Il n'y en a plus autant qu'avant, j'imagine. Donc comme la plupart des gens, vous n'avez pas souvent affaire à la police. Je veux juste vous expliquer que ce n'est pas comme à la télé. Je suis beaucoup plus intelligente que la plupart de ces inspecteurs endormis qu'on voit dans les séries. Et beaucoup moins patiente. J'essaie de rester polie et de ne pas monopoliser votre temps. Nous pouvons aussi aller au poste, mais vous serez très en retard pour le travail demain.

Elle le gratifia de ce sourire auquel ses collègues avaient appris à ne pas se fier.

Laurie regarda La Menthe comme s'il s'attendait à un peu de solidarité masculine. Le policier fixait ses pieds des yeux.

— Je n'ai rien fait, gémit Laurie.

— L'escalade libre, reprit Karen. Qu'est-ce que vous savez de l'escalade libre, monsieur Laurie ?

— J'ai vu des vidéos sur YouTube. Ce genre de trucs.

— Je crois que ce n'est pas tout. Je ne sais pas pourquoi vous êtes aussi méfiant. Je me fiche pas mal de ce que vous faites pendant vos jours de repos. Tout ce qui m'intéresse, c'est de savoir comment la victime d'un meurtre a pu se retrouver sur le toit de l'école John Drummond sans aucune trace d'effraction.

— Un meurtre ? s'étrangla Laurie. Vous n'aviez pas parlé de meurtre.

— J'essaie de vous ménager. Alors, vous allez me parler de la John Drummond, oui ou non ?

— Je veux un avocat, bégaya-t-il.

La Menthe leva les yeux.

— Comme l'a dit la chef, on ne vous accuse de rien. On veut simplement des informations. Si vous prenez un avocat, vous allez commencer à avoir l'air suspect.

Karen regarda son adjoint avec un respect inhabituel. C'était la deuxième fois en deux jours qu'il disait quelque chose qui n'était pas stupide. Est-ce qu'il y avait une nouvelle drogue sur le marché dont elle n'avait pas entendu parler ?

— Alors, la John Drummond ? reprit-elle.

Laurie voûta les épaules et croisa les bras.

— On ne fait de mal à personne, vous savez ? On aime bien les défis, c'est tout.

Karen eut envie de le rembarrer mais se ravisa. Un groupe de garçons nantis en quête de sensations. Non contents de saper l'économie globale, il fallait qu'ils fassent les malins comme des enfants.

— OK, dit-elle. Qui c'est « on » ?

— Moi et deux copains de fac. On faisait un peu d'escalade à l'époque. L'hiver dans les Highlands, de temps en temps dans les Alpes. Et puis on est devenus accros à la grimpe urbaine. C'est une sensation incroyable. Il y a environ trois ans, on a vu cette émission sur la BBC, *L'Escalade d'immeubles*. Ça parlait précisément de ça, d'escalader des bâtiments. On s'est mis à chercher sur Internet des vidéos de gens qui le faisaient.

Il s'interrompit.

— Et vous vous y êtes mis vous aussi ?

Laurie avait l'air tout penaud.

— On ne faisait de mal à personne. On faisait ça la nuit, discrètement, pour ne pas effrayer les gens.

Karen secoua la tête, désespérée par l'insouciance et la bêtise des jeunes.

— Alors dites-moi ce que vous savez sur la John Drummond.

Il poussa un soupir.

— J'ai fini par rencontrer des gens qui partageaient la même passion. Pour la plupart, je les connais seulement par Internet. Mais on échange des infos : les meilleurs trajets pour escalader les bâtiments difficiles, des astuces pour franchir certains obstacles en particulier. Quelqu'un dans le Sud a mentionné la John Drummond, en disant qu'il n'y avait quasiment aucune sécurité et qu'on pouvait y aller sans craindre de se faire prendre. Et que c'était un bon challenge parce qu'il y avait beaucoup de saillies. Un type que je connais de Glasgow a dit qu'il l'avait escaladé en solitaire le jour du solstice d'été, quand il ne fait pas complètement nuit, et que ça avait été super, que la vue était extraordinaire. Alors on y est allés. C'est tout ce que je sais. Je ne sais rien sur ce meurtre, je vous le jure.

— Donc vous avez escaladé le bâtiment ?

Il hocha la tête.

— En septembre. Le vendredi 13. On s'est dit que ce serait sympa d'y aller ce jour-là.

— Vous êtes montés sur le toit ?

— Oui, c'est le but. Pour pouvoir dire qu'on l'a escaladé, il faut vraiment aller jusqu'au sommet.

La Menthe se pencha en avant, levant un doigt pour demander la parole. Il savait bien qu'il valait mieux ne pas interrompre Karen en pleine conversation. Elle hocha la tête.

— Est-ce que ça signifie que vous êtes montés jusqu'aux tourelles ?

— Les pinacles ? Oui, on en a fait un chacun.

— Est-ce que vous êtes entrés à l'intérieur ? demanda Karen en reprenant les rênes de l'interrogatoire.

— Dougie a jeté un œil à l'un d'entre eux. Mais il a dit qu'il n'y avait rien à voir et que c'était trop petit pour qu'on puisse rentrer dedans. Alors on a laissé tomber et on est redescendus. C'est là qu'il était, le mort ? Dans l'un des pinacles ?

Son teint jaune vira au verdâtre.

— Est-ce que vous avez déjà rencontré un grimpeur originaire du bloc de l'Est ?

Les prendre au dépourvu avec une question inattendue. C'était la méthode de Karen. Laurie eut l'air dérouté.

— Comment ça ? Vous voulez dire un Russe ou quelque chose dans ce genre ?

— Plutôt des pays Baltes. Ou des Balkans.

Karen prit conscience qu'il ne savait pas de quoi elle parlait. Il était encore à l'école primaire quand le conflit dans les Balkans avait secoué le consensus de l'Europe d'après-guerre.

— La Lettonie, la Lituanie, l'Estonie, la Croatie, la Serbie, la Bosnie, la Pologne même.

Son visage s'éclaira.

— D'accord. Non, je ne crois pas. J'ai échangé des messages avec quelques Américains, des Néo-Zélandais, mais pas d'autres étrangers. À moins de compter les Anglais, ajouta-t-il avec un petit sourire en coin.

C'était un record pour 2014, songea Karen. Ce n'était pas encore l'heure du déjeuner et quelqu'un avait déjà fait allusion au référendum à venir au sujet de l'indépendance.

— Vous allez devoir nous donner une liste de vos contacts dans le milieu de l'escalade. L'inspecteur Murray va voir ça avec vous.

— Comment est-ce qu'il est mort ?

C'était la question qu'ils ne manquaient jamais de poser. Comment la victime avait-elle perdu la vie.

— On lui a tiré dessus, répondit Karen. Quelqu'un s'est planté devant lui, a posé une arme sur son front et a appuyé sur la détente.

La Menthe fit un geste avec les deux doigts de la main droite pour figurer un revolver.

— Pan ! lâcha-t-il. Fini l'escalade.

Durant tout l'été, on avait parlé de la guerre. Début juin, la Croatie avait fait sécession de la Yougoslavie, bien décidée à échapper à la domination des Serbes. Mais ces derniers demeuraient suffisamment nombreux au sein du pays pour créer une lame de fond en faveur de la création d'un nouvel État serbe en Croatie. Cette idée recevait le soutien inconditionnel de la Serbie et de l'armée yougoslave, elle-même appuyée par Slobodan Milošević et ses méthodes fortes. Ces divergences ne pouvaient que mener à la catastrophe mais j'étais trop jeune et Melissa trop optimiste pour croire que le pire allait vraiment se produire.

C'est pourquoi lorsque l'université a mis un terme à la dernière mission de Melissa dans les Balkans, nous avons considéré cela comme un simple contretemps. Melissa pensait que son absence serait temporaire et qu'elle pourrait facilement être remplacée par une jeune et intelligente collègue en post-doctorat partageant les idées de son mentor. Elle m'imaginait bien enseigner, collaborer avec les auteurs d'articles et faire cours dans les nouvelles institutions qui allaient renaître des cendres de l'ancien pays communiste. Comment les choses auraient-elles pu mal tourner ?

Les premières semaines, tout semblait se passer comme Melissa l'avait prédit : les démonstrations de force paraissaient ne mener à rien et les envies d'en découdre s'éteindre d'elles-mêmes. Certes, on se battait à Vukovar, mais c'était loin et cela ne semblait inquiéter personne à Dubrovnik. Là-bas, on n'avait pas peur. La ville n'avait rien à voir avec mon voyage à Prague avec Melissa quelques années plus tôt, pendant lequel la police secrète était venue frapper à la porte d'une maison où nous menions un séminaire clandestin. Nos hôtes avaient ouvert une trappe cachée dans le sol de la cuisine pour nous entasser dans une cave humide où, paniqués, on entendait les rats galoper sur la pierre et des bruits sourds au-dessus de nos têtes chaque fois que les soldats donnaient des coups de pied sur les lattes du plancher. C'était effrayant, il faut bien l'avouer. Mais quand je suis arrivée à Dubrovnik, le communisme avait perdu son emprise sur l'État. Nous étions tous européens à présent.

J'ai accepté cette nouvelle vie avec passion, les bras et le cœur grands ouverts. En fuyant la région de Fife pour Londres, j'avais découvert que l'immersion totale était le meilleur moyen de vivre pleinement de nouvelles expériences et j'étais heureuse de me trouver une fois de plus dans cette situation. Je louais une chambre à une institutrice qui s'appelait Varya. Melissa avait travaillé avec elle sur un projet de recherche et elle savait que mon loyer pour cette chambre de bonne sous les toits ferait une grosse différence pour elle et sa famille. Je crois que j'étais la seule à avoir une chambre à moi. Même la vieille mère de Varya devait partager la sienne avec l'enfant de la maison, une fillette de dix ans.

Ma chambre était spartiate : un lit en fer avec un matelas pas plus épais qu'une feuille de papier, un placard en pin brut garni d'étagères et d'un portant où étaient suspendues trois chemises et une veste, une table juste assez grande pour accueillir un cahier A4 et une chaise en bois branlante. Au-dessus du lit, un crucifix était suspendu avec un Christ émacié baissant les yeux d'un air triste ; il se reflétait dans le miroir du mur opposé, si bien que je pouvais le voir depuis mon lit. Mais le panorama sur la ville compensait tout le reste. La maison de Varya était située en dehors de la ville fortifiée, au pied du mont Saint-Serge, la colline escarpée surplombant Dubrovnik. Derrière la bâtisse, il y avait un étroit jardin qui s'étendait jusqu'à une plantation de pins et de buissons. Mais depuis ma fenêtre à l'avant de la maison, j'avais une vue panoramique sur la vieille ville et ses remparts.

Jusqu'à ce que je découvre Dubrovnik, j'ignorais à quoi pouvait bien ressembler une ville fortifiée. J'avais vu des restes du mur que les Romains avaient construit autour de Londres. Six mètres de haut, deux mètres et demi d'épaisseur. J'avais trouvé ça impressionnant. Les murs de Dubrovnik faisaient vingt-cinq mètres de haut et huit d'épaisseur, soit trois à quatre fois plus que celui de Londres. La vue sur le patchwork de toits en tuile et sur les coques blanches des bateaux dans le port m'a donné des ailes pendant ces jours de septembre au cours desquels je cherchais mes marques. Certains matins, le ciel était d'un bleu profond tel qu'on n'en voit jamais au Royaume-Uni. D'autres jours, comme l'été s'achevait, des nuages filandreux zébraient le ciel.

Les cours que je donnais étaient eux aussi libérateurs. Après toutes ces années d'oppression, il y avait un véritable sentiment de ferveur dans l'air mais également de désorientation. Nous considérons toujours notre liberté comme acquise; au cours de cette période, j'ai mesuré à quel point il était troublant et libérateur d'avoir la permission de penser, écrire et parler ouvertement. Bien entendu, il y avait beaucoup d'universitaires issus de l'ère communiste qui s'accrochaient à leurs anciens postes et à leurs vieilles habitudes autour de nous. Néanmoins, nous avions l'impression de perpétuer une révolution par notre action.

L'étincelle de l'indépendance intellectuelle semblait également enflammer nos relations sociales. Même si les ressources des gens étaient limitées, tout le monde était content de trouver des excuses pour se réunir et faire la fête. Je croulais sous les invitations, que ce soit pour boire un thé sagement accompagné de pâtisseries au miel et aux noix ou pour se rendre à des soirées animées arrosées à la slivovitz et à la rakija.

J'étais jeune et suffisamment curieuse pour répondre à la plupart de ces invitations. Je savais que ce séjour à Dubrovnik allait m'ouvrir de nouvelles perspectives professionnelles, sous forme de contacts et d'articles, voire de livres à écrire, et je voulais rencontrer le plus de monde possible. J'étais surprise par le nombre de gens qui avaient connaissance du mouvement universitaire clandestin et j'étais touchée par le plaisir qu'ils prenaient à y participer. La plupart de mes soirées étaient occupées par ses rencontres qui m'ouvraient sans cesse de nouveaux champs intellectuels à explorer.

Melissa m'y avait préparée. En revanche, elle ne m'avait pas préparée à trouver l'amour.

10

À la fin de l'après-midi, Macanespie et Proctor avaient parcouru les onze dossiers. Ils avaient sans aucun doute des points communs en dehors de ceux que Wilson Cagney avait mentionnés, comme le fit remarquer à contrecœur Macanespie, rechignant à admettre que son chef pouvait avoir raison.

— Ils ont tous pensé qu'ils allaient s'en tirer, commenta-t-il. Ils ont vu leurs copains se faire arrêter et traîner devant le tribunal. Pourtant, ils se sentaient en sécurité. Ils avaient tous changé de nom et s'étaient réinventés une histoire. La plupart avaient coupé les ponts avec leurs familles et leurs amis.

— Rester vivant quitte à ne pas avoir de vie, murmura Proctor.

— Oh, je pense qu'ils avaient presque tous une vie. Elle était simplement différente. Regarde comment ils occupaient leur temps, putain !

Il tira un dossier. Ils les avaient numérotés parce que c'était plus simple que d'essayer de retenir les noms et les pseudonymes.

— Numéro six. Accusé d'avoir dirigé un camp de violeurs aux alentours de Srebrenica. On estime qu'entre cent et cent trente femmes et filles ont été violées à mort par une succession de soldats serbes. D'après plusieurs témoins, le numéro six aimait bien regarder. Et y prendre part de temps en temps, quand les filles étaient suffisamment jeunes. Il a ordonné aux anciens du village de creuser une tombe de trois mètres de profondeur. Quand ses hommes et lui en ont eu fini avec les femmes, ils les ont jetées dans le trou, les ont recouvertes d'une couche de chaux et de terre, puis ont jeté par-dessus des cadavres de chiens et d'ânes, de sorte que le jour où on lancerait des recherches, les chiens policiers sentent la présence des animaux morts et que personne ne songe à creuser davantage. Et qu'est devenu le numéro six ?

Proctor leva les yeux vers le plafond pour se rappeler le contenu du dossier qu'il avait lu plus tôt dans la journée.

— Est-ce que c'est celui qui a refait sa vie à Tenerife ?

— Non. C'est celui qui est devenu prof de fitness à Calgary. Avec une nouvelle épouse et deux filles.

Proctor fit une grimace.

— Je me souviens, maintenant. Jolie maison en banlieue, un pilier de la communauté serbe locale.

— Laquelle a ensuite prétendu n'avoir aucune idée qu'il était l'un des bouchers du Kosovo.

Il balança le dossier d'un air dégoûté. Après les avoir lus l'un après l'autre, Macanespie s'était dit qu'il aimerait bien retrouver la trace de cet assassin, ne serait-ce que pour lui serrer la main.

— Donc comme je l'ai dit, tous ces gens-là avaient une nouvelle identité. Et il y a autre chose : aucun d'entre eux n'est resté dans les Balkans, sauf si on inclut la Grèce. Et ceux qui se trouvaient en Grèce étaient sur des îles lointaines, là où ils étaient sûrs de ne croiser personne susceptible de savoir ce qu'ils avaient fait dans leur vie antérieure.

Rhodes, Chypre, la Crète... on ne trouve pas beaucoup de réfugiés kosovars par là-bas.

— Ça signifie aussi que celui qui les a tués avait plus de chance de pouvoir le faire tranquillement. Si le type en fuite a choisi un trou où personne ne pourra le reconnaître, il est possible que ça s'applique aussi à l'assassin.

Macanespie fronça les sourcils.

— Je ne suis pas sûr de partager ton avis là-dessus. Je crois qu'on doit partir de l'hypothèse que le tueur n'était pas du même côté que ses cibles. On a donc le numéro six qui s'est réfugié au sein de la communauté serbe de Calgary. Je suis prêt à parier que dans cette communauté, certains savaient très bien de qui il s'agissait mais ne voyaient aucun problème à le cacher. Cependant, si l'assassin a participé à la guerre, ces gens-là auraient pu le reconnaître.

Proctor réfléchit.

— C'est juste. Bien sûr, on ne peut pas être certains que notre assassin ait été mêlé à la guerre. Il était peut-être trop jeune à l'époque pour être impliqué. Mais il s'est lancé dans ce voyage au bout de la vengeance après les ravages que la guerre a causés dans sa vie. Ou peut-être dans sa famille. Ou dans son peuple, si on veut aller jusque-là.

— « Un voyage au bout de la vengeance », reprit Macanespie sur un ton sarcastique. Vous les Gallois, vous êtes de vrais poètes. En tout cas, ils ont tous refait leur vie. Ils étaient tous en exil. Et ils sont tous morts de la même façon. Égorgés par-derrière.

— Ça a vraiment quelque chose de personnel, analysa Proctor. Il faut du courage pour faire ça.

— Ce qui nous mène tout droit au général Dimitar Petrović. Formation militaire – bon sang, on l'a formé nous-mêmes ! Des nerfs d'acier, paraît-il. Ses états de service sont impressionnants pour un agent du renseignement. La plupart d'entre eux ne sont pas exposés en première ligne, mais il s'est retrouvé plus d'une fois au cœur du conflit. Il prenait son rôle très au sérieux.

Les deux hommes restèrent un moment à regarder les dossiers silencieusement.

— Il n'y a qu'une seule chose que je n'arrive pas à comprendre, finit par dire Proctor en cliquant sur sa souris pour ouvrir une série de fiches de renseignements personnels.

— Laquelle ?

— Je suis en train de regarder les informations concernant Dimitar Petrović. Il mesure plus d'un mètre quatre-vingt et c'est pas un poids plume. La question que je me pose, c'est comment il a pu s'approcher suffisamment de ces types pour leur trancher la gorge sans se faire remarquer.

Macanespie secoua la tête.

— Je ne vois pas le problème. C'est pas parce qu'il est costaud qu'il ne peut pas se déplacer sur la pointe des pieds. Mon père pesait presque cent trente kilos, mais il était très agile sur une piste de danse. Il pouvait s'approcher de ma mère quand elle faisait la vaisselle sans qu'elle s'en aperçoive et lui aurait presque causé une crise cardiaque. Et puis regarde les lieux des meurtres. Il les a tous tués quand ils étaient seuls. Je pense qu'il les a surveillés assez longtemps avant de trouver le moment approprié pour intervenir avec le plus de chances de réussite.

Il reprit les dossiers soigneusement empilés.

— Regarde. Une piste de jogging. Un parking souterrain. Le seuil d'un immeuble, deux fois. Devant la sortie de secours d'un blanchisseur. Dans une ruelle où on dépose les poubelles. Dans un *pool house*. Et cetera. Il n'a pas bondi d'un buisson comme un ninja, putain ! Il a tout planifié, à chaque étape.

— Alors c'est Petrović ? On est d'accord là-dessus, au moins ?

Macanespie poussa un soupir.

— C'est le choix le plus évident. Il a disparu de la circulation juste avant le début des meurtres. Et chaque victime était impliquée dans des atrocités dont il avait connaissance. Que ce soit pendant la guerre de Croatie, à laquelle il a activement participé puisqu'il dirigeait les services du renseignement de l'armée croate, ou pendant le conflit au Kosovo au cours duquel il était rattaché à l'OTAN. Il était proche des observateurs internationaux à l'époque – il a vu beaucoup de choses de ses propres yeux et le reste, il l'a entendu raconter par les malheureux survivants. Et ses sources le menaient tout droit à certaines des unités directement impliquées dans ces atrocités.

Macanespie essayait d'avoir l'air objectif pour que Proctor ne devine pas que cette affaire commençait à le toucher sur le plan personnel. Son métier l'avait amené à côtoyer tout un tas d'êtres humains capables d'infliger les pires horreurs à leurs semblables. Au fil des années, il avait appris à bâtir un mur entre son métier et le reste de sa vie. Mais de temps en temps, un incident trouvait la faille dans son armure et s'insinuait jusque dans ses cauchemars. Et parmi eux, un souvenir émanant de ces dossiers.

Un village sur les collines du Kosovo. Un groupe de soldats serbes animés par le feu de la conquête. Un regroupement forcé de tous les hommes du village. En théorie, ils n'étaient pas autorisés à porter une arme avant l'âge de quatorze ans, mais les Serbes aimaient pécher par excès de prudence, si bien que tous les garçons de plus de douze ans avaient été contraints de se joindre aux autres, que l'on menait vers une grange à l'entrée du village. Les soldats beuglaient des ordres, les frappaient au visage à coups de

107

crosse de fusil, leur tailladaient les bras et les jambes à l'aide de baïonnettes et en une demi-heure tous les hommes avaient été poussés à l'intérieur de la grange. On ne leur accordait même pas le respect dû au bétail. Parce que le bétail, lui, servait à quelque chose.

Quarante-six d'entre eux avaient été envoyés contre le mur du fond, entassés dans un coin, sentant autour d'eux la peur de leurs compagnons. Ils savaient ce qui allait arriver mais essayaient de se convaincre que ce serait différent des horreurs dont ils avaient entendu parler. C'était peut-être des rumeurs, grossies par la terreur des gens. Peut-être leur panique suffirait-elle à dissuader les Serbes qui s'en iraient en se moquant de ces pitoyables Kosovars qui ne parvenaient même pas à contrôler leur vessie.

Sept soldats entrèrent dans la grange, la kalachnikov négligemment passée en bandoulière. Puis, sur ordre de leur commandant – un homme trapu au crâne rasé et aux traits étonnamment fins –, ils levèrent leurs armes et vidèrent leurs chargeurs sur les corps des quarante-six Kosovars. Quand ils en eurent terminé, deux soldats allèrent s'assurer qu'ils étaient tous morts en leur donnant des coups de pied. Après avoir quitté la grange, ils y mirent le feu.

Si les nuits d'Alan Macanespie étaient hantées par ce qui s'était passé cet après-midi-là, c'est parce qu'il y avait eu un témoin involontaire. L'un de ces garçons n'était pas mort. Il s'était retrouvé coincé dans le coin le plus au fond de la grange. Quand la fusillade avait commencé, il avait été écrasé par le poids des corps et avait brièvement perdu connaissance. Il avait donc eu l'air d'être bel et bien mort quand le soldat lui avait envoyé un coup de botte dans les côtes. Il était revenu à lui au moment où les flammes commençaient à attaquer l'édifice.

Malgré la fumée et la chaleur, il était parvenu à ramper jusqu'à une porte située sur le côté et à l'ouvrir suffisamment pour s'y glisser et se laisser rouler sur le sol, hors de vue des soldats qui riaient et buvaient à l'extérieur. Sonné et blessé, il avait tout de même réussi à gagner la forêt bordant le village. Il avait survécu et raconté son histoire. Et il l'avait racontée avec fièvre, en lui donnant vie, ce qu'aucun compte rendu officiel ne pouvait faire. Ses mots s'étaient gravés dans l'esprit de Macanespie. Si, comme Dimitar Petrović, il avait été viscéralement impliqué dans le conflit des Balkans, il aurait voulu se venger de la façon la plus primitive de ces brutes qui avaient violé des femmes et massacré son pays tout entier.

Il s'efforça d'écarter ce souvenir.

— Je ne peux pas dire que je le condamne complètement, commenta-t-il.

— Ils prévoient sans doute de l'accueillir en héros quand il rentrera au pays, dit Proctor.

— Quand bien même, ça ne va pas suffire à Cagney. Ce qu'on doit faire maintenant, c'est dresser une liste de tous ceux qui ont eu accès aux dossiers. Depuis les enquêteurs jusqu'à ceux qui étaient chargés de la planification opérationnelle. Il faut qu'on trouve les dénominateurs communs, expliqua Macanespie d'un air sombre. Putain, ça va être un vrai cauchemar de passer en revue ces dossiers.

— Ou sinon on prend un raccourci.

— Comment ? On ne peut pas sous-traiter. Personne ne sera assez fou pour nous débarrasser de cette tâche.

Proctor secoua la tête.

— Ce n'est pas du tout à ça que je pensais. Qu'est-ce que Cagney veut vraiment ?

— La taupe.

— C'est juste un écran de fumée. Si on trouve la taupe, Cagney récoltera une petite tape dans le dos. Mais la gloire ? Ce n'est pas en dénonçant un pauvre gratte-papier du tribunal qu'il va l'avoir. La gloire, il l'aura en traînant Dimitar Petrović devant la Cour de justice. C'est ça qui fera de Cagney un héros. L'homme qui a fait passer la justice avant tout.

— Peut-être bien, Theo ! s'exclama Macanespie. Mais Dimitar Petrović est un genre de Zorro. Comment est-ce que tu crois que deux employés du ministère des Affaires étrangères vont bien pouvoir l'amener jusqu'ici ?

Proctor se tapota l'aile du nez.

— Fais-moi confiance, Alan. J'ai une petite idée derrière la tête. Regarde-moi et prends-en de la graine, mon petit. Prends-en de la graine.

11

Quand on était dans le métier depuis longtemps, on finissait par connaître la personnalité des différents juges chargés de signer les mandats dont on avait besoin pour accomplir une mission. En théorie, Karen aurait dû faire appel à un juge d'Édimbourg. Mais cela l'aurait forcée à sortir de sa zone de confort. Elle préférait se tourner vers un collègue de Kirkcaldy avec qui elle avait l'habitude de travailler. Par ailleurs, si elle se présentait au tribunal local à la première heure lundi matin, elle n'aurait pas à attendre comme elle le ferait dans la capitale. Mieux encore, elle gagnerait une heure et demie de sommeil.

Karen avait passé la plus grande partie de sa vie professionnelle dans la région de Fife, dont elle était originaire, mais la création de la police écossaise en 2013 avait tout changé pour elle. L'unité des affaires non classées qu'elle avait été heureuse de diriger depuis son bureau à Glenrothes avait été amalgamée à d'autres services émanant de diverses forces de police, avec pour conséquences une réduction drastique des effectifs et le déplacement de ses bureaux de l'autre côté du Forth Bridge, à Édimbourg. Sur le papier, elle avait davantage de responsabilités : elle dirigeait désormais une unité au plan national. En réalité, elle faisait tourner une plus grosse machine avec les mêmes moyens qu'auparavant. Les chefs appelaient ça des « économies d'échelle ». Mais aux yeux de Karen, cela s'appelait simplement faire beaucoup plus avec beaucoup moins.

Elle avait milité pour garder sa base dans la région de Fife, parce qu'elle trouvait important de montrer aux gens que la nouvelle police nationale n'était pas uniquement présente à Édimbourg et Glasgow. Elle avait rapidement fait marche arrière quand son chef avait suggéré de l'envoyer à Gartcosh. Le trajet pour elle aurait été quasiment impossible. Les allers-retours à Édimbourg en pleine heure de pointe étaient déjà suffisamment pénibles. À sa mort, la route qui la mènerait vers l'enfer serait certainement la bretelle d'accès au Forth Bridge battue par la pluie un froid et sombre matin de décembre. La future bretelle d'accès était vendue comme le paradis des voyageurs, mais elle soupçonnait qu'elle s'avérerait aussi inutile que les trams d'Édimbourg, trop à la mode et trop chers.

Karen avait suggéré un déménagement à Édimbourg. Ou au moins de l'autre côté du pont. L'inspecteur Murray l'avait déjà franchi ; il partageait un appartement avec trois étudiants, ce qui avait fait dire à Karen qu'il en faudrait beaucoup comme lui pour égaler le QI de ses colocataires. Mais Phil, habituellement raisonnable et enclin au compromis, avait freiné des quatre fers. Vivre à Kirkcaldy était pratique pour lui, avec son nouveau poste à Dunfermline ; ils venaient juste de finir de rénover la maison ; les prix de l'immobilier à Édimbourg étaient scandaleux ; et il aimait bien aller à pied aux matchs des Raith Rovers et pouvoir boire une bière avec ses copains. Ils avaient failli se disputer pour la première fois et ça avait enragé Karen que ses priorités à elle soient aussi bas sur l'échelle de leurs priorités communes. Elle aimait Phil, mais cet épuisant trajet quotidien la rendait dingue.

Il existait une solution évidente. Elle était toujours propriétaire d'une maison aux abords de la ville. Après avoir emménagé avec Phil, elle l'avait louée, mais elle pouvait sans problème mettre fin à ce bail. Elle n'aurait aucune difficulté à la vendre et utiliser cet argent pour la caution d'un petit appartement proche de son lieu de travail. Ce qui freinait Karen, c'était la peur que cela puisse mettre un terme à sa relation avec Phil. C'était le seul homme avec qui elle ait jamais vécu et au fond, elle craignait que si elle le quittait, il reste le seul homme à avoir jamais partagé sa vie. Par ailleurs, elle l'aimait.

Mais tout ça n'était encore que de simples hypothèses. Pour l'heure, elle devait réussir à obtenir un mandat qui obligerait une banque à lui transmettre des informations sur l'un de ses clients. Elle retrouva La Menthe à la descente du train d'Édimbourg et ensemble ils traversèrent le Memorial Gardens jusqu'au tribunal de Kirkcaldy, situé dans ce bâtiment familier de style seigneurial écossais et orné de tourelles. Karen chercha son huissier préféré et vérifia qui siégeait ce matin-là. Soulagée de constater que les plus grincheux avaient l'air absents, elle alla trouver John Grieve. Il prenait toujours le parti du plus faible, ce qui n'avantageait pas forcément Karen. Mais ces temps-ci, s'en prendre à une banque était bien plus intéressant que s'attaquer à un policier.

On les fit entrer dans le bureau du juge Grieve, une pièce carrée située dans l'extension moderne du tribunal. Il leva les yeux de sa table de travail, les regardant par-dessus ses lunettes en demi-lune. Avec ses pattes grises broussailleuses et son col cassé, il avait l'air de passer une audition pour un rôle dans une adaptation télévisée de Dickens.

— Commandant Pirie. Inspecteur Murray. Je croyais que vous aviez déménagé à Édimbourg.

— Nous sommes une seule et même nation à présent, vous n'êtes pas au courant ?

Il esquissa un petit sourire qui le fit ressembler à un lézard.

— Mais quelle nation, commandant ? Telle est la question.

— Nous connaîtrons tous la réponse à cette question après le référendum, monsieur le juge, répondit-elle en posant sa liasse de formulaires sur le bureau devant lui. Dans l'immédiat, je me contenterai d'un mandat.

Il parcourut rapidement sa demande.

— Vous voulez soutirer des informations à la FCB ? s'étonna-t-il en gloussant. Des gens plus courageux que vous ont essayé, sans succès.

— Je ne leur demande rien qui puisse mettre en péril leurs affaires. Ça va leur causer un tout petit désagrément, mais c'est pour m'aider dans une enquête sur un meurtre.

Karen insista sur le mot « meurtre ». Même avec les juges qui travaillaient au quotidien sur des crimes graves, ça ne faisait pas de mal de rappeler à quel point l'enjeu était important.

Grieve sourit.

— Si je peux causer du désagrément à un banquier, alors je n'ai pas perdu ma journée. Après tout, nous subissons tous les jours les conséquences de leur gestion cavalière de notre argent. C'est plutôt agréable d'avoir l'occasion de leur décocher un coup de poing symbolique.

Il fronça les sourcils en parcourant le mandat plus attentivement. Karen n'était pas inquiète. Elle avait un dossier solide. Il avait suffi de deux minutes sur Internet pour déterminer à quelle banque se rattachait le code guichet, et à quelle agence en particulier. Il était clair qu'il s'agissait de sa piste la plus sérieuse pour élucider ce mystère.

— Par ailleurs, vous semblez avoir là toutes les raisons de solliciter leur aide. Nous devons bien cela aux morts, je crois.

Il saisit un stylo-plume à l'ancienne et signa d'un grand geste de la main.

— Voilà. Bonne chance, commandant. Si vous rencontrez le moindre problème au moment de l'interpellation, n'hésitez pas à me contacter.

Sur ce, Karen s'éclipsa.

— L'interpellation ne me posera pas le moindre problème, marmonna-t-elle dans sa barbe tout en prenant la route de l'agence principale de la Forth and Clyde Bank.

La banque occupait l'une des pyramides de verre noires qui surplombaient la route de façon inquiétante, là où l'accès depuis le Forth Bridge se divisait en deux voies, vers Glasgow et Édimbourg. Quand l'imposant nouveau complexe avait été dévoilé en 2007, juste avant que les banques ne poussent le capitalisme au bord de l'effondrement, le directeur de la FCB avait déclaré : « Ce site symbolise le nouveau dynamisme de l'Écosse. Nous ne sommes pas installés dans l'une des deux grandes villes du pays mais nous sommes tournés vers elles. Nous incarnons la synergie et l'énergie. Nous sommes l'avenir. »

Malheureusement, les événements ne s'étaient pas vraiment déroulés comme il l'avait imaginé. Quand les banques avaient touché le fond après l'effondrement de Lehman Brothers en 2008, il était vite apparu que la FCB avait renoncé au prudent conservatisme fiscal de ses pères fondateurs. À l'image de nombreuses institutions en apparente bonne santé, la banque avait transformé ses solides fondations en véritable gruyère à force d'inventer des moyens toujours plus compliqués de gagner davantage d'argent. Et comme toutes les autres institutions, on l'avait jugée trop grosse pour s'effondrer.

Puisque le contribuable britannique détenait désormais 69 % de l'entreprise, Karen se dit qu'elle et Phil devraient avoir le droit d'installer leur barbecue sur l'une des pelouses immaculées ou dans une des cours en marbre italien du complexe pour pique-niquer face à l'enviable panorama dont jouissait la banque : les Penland Hills au sud et les Ochils au nord. À cette pensée, elle laissa échapper un petit rire sardonique. Pour commencer, ils auraient dû franchir des grilles et passer devant des vigiles aux allures de gardiens de prison. Si elle n'avait pas téléphoné avant pour connaître le nom du responsable à qui elle devait s'adresser et obtenir un rendez-vous le matin même, elle n'aurait jamais pu pénétrer dans le complexe. Sa carte de police n'aurait pas suffi à intimider les vigiles impressionnants postés à l'entrée.

Cette fois-ci, ils examinèrent leurs pièces d'identité puis en firent une copie. Ils prirent en photo la plaque d'immatriculation de Karen et vérifièrent son rendez-vous par téléphone avant de les laisser entrer.

Le verre fumé qui séparait les bureaux de la FCB du monde extérieur créait à l'intérieur une ambiance étrange. C'était comme de se trouver en plein film de Hollywood avec des couleurs légèrement modifiées. L'effet était plus déconcertant que futuriste. Gordon Fitzgerald, qui jouissait du titre de responsable des relations extérieures, l'attendait à la réception où trônait un bureau en granit noir. Elle avait imaginé qu'il porterait un costume aussi onéreux que la garde-robe de Phil dans son intégralité (sa vaste collection de chemises Raith Rovers incluse). Mais ce qu'elle avait sous les yeux, c'était du prêt-à-porter de qualité moyenne qui n'était guère plus élégant que le look de La Menthe.

Il lui tendit la main.

— Commandant Pirie, enchanté de vous rencontrer, dit-il avant de hocher la tête en direction de La Menthe. Inspecteur. Appelez-moi Fitz, comme tout le monde.

Tu peux toujours rêver, songea-t-elle.

— J'espère que notre sécurité vous a impressionnés, reprit-il.

— Ça laisse à penser que vous avez quelque chose qui vaut la peine d'être volé, dit-elle sur un ton très sérieux en lui serrant la main.

Poignée de main chaude et sèche, ferme mais sans défiance. Karen était prête à parier qu'il s'était entraîné.

Il lâcha un rire aigu et nerveux.

— Eh bien, nous sommes une banque.

— Et ce même si vous ne gardez pas d'argent dans vos locaux.

— Il ne s'agit pas de protéger nos fonds. C'est à cause des menaces reçues par le personnel après la crise financière. Les passions se sont déchaînées, je suis sûr que vous vous en souvenez. Nous sommes reconnaissants envers vos collègues de nous avoir protégés aussi efficacement.

Karen se demandait parfois, même si c'était une hérésie, pourquoi ils s'étaient embêtés à le faire. Ça n'arrivait pas souvent, mais de temps en temps, elle se disait que la loi de la jungle avait du bon. Mais elle faisait partie de la police ; c'était son devoir de veiller sur ses concitoyens. Banquiers et branleurs, toxicos et alcoolos, en théorie, ils étaient tous égaux aux yeux de la police.

En théorie.

— Vous avez l'occasion de nous rendre la pareille aujourd'hui. Est-ce qu'on pourrait se parler en privé ?

Karen indiqua le hall d'entrée. Il n'y avait pas beaucoup d'activité, mais elle voulait donner du poids à son propos.

— Idéalement, dans un bureau équipé d'un ordinateur pour que vous puissiez accéder à des informations sur un compte, ajouta-t-elle.

Il parut offensé, comme si elle avait suggéré un rapport sexuel inapproprié.

— Pour l'accès aux comptes je ne promets rien, dit-il pour gagner du temps. Mais dans l'immédiat, nous pouvons utiliser l'une de nos salles de réunion.

Il traversa le hall et ouvrit une porte menant à une pièce de petite taille mais élégamment meublée.

Intéressant, se dit Karen. On ne la laissait pas entrer dans la banque en elle-même. C'était à peine une antichambre du lieu où tout se jouait pour la FCB. Néanmoins, c'était un début. Elle s'installa dans l'un des sièges en cuir regroupés autour d'une table circulaire au centre de la pièce. La Menthe resta près de la porte et Karen n'attendit pas que Gordon Fitzgerald s'assoie pour se lancer :

— J'enquête sur un meurtre. Je dispose d'une piste solide, à savoir un code guichet et les cinq premiers chiffres d'un numéro de compte. J'ai besoin que vous me disiez à quel client ils appartiennent.

Fitzgerald esquissa de nouveau un petit sourire.

— Nous avons un devoir de confidentialité, commandant. Nous ne pouvons pas vous donner les coordonnées de centaines de clients sur simple demande.

Karen sourit à son tour.

— Voyons, Fitz. Nous savons tous les deux qu'il ne s'agit pas de centaines de clients. Ce n'est pas comme si chaque agence avait une série de numéros de compte qu'elle distribuait dans l'ordre. Les numéros de compte sont délivrés par l'agence centrale, dans le désordre. Donc sur les neuf cent quatre-vingt-dix-neuf clients qui partagent les cinq mêmes premiers chiffres, ils seront très peu nombreux à posséder le même code guichet. Est-ce que je me trompe ?

— Non, vous avez raison. Mais ça ne change pas notre position. Devoir de confidentialité, commandant. C'est ce qui prime ici.

Karen ouvrit son sac.

— Tout à fait louable. Mais j'ai avec moi quelque chose qui pèse plus lourd que votre devoir de confidentialité. Vous pensiez vraiment que j'allais venir vous demander des informations sur un compte en banque sans mandat ?

Elle posa le document signé sur la table.

Il s'en saisit comme s'il était contaminé.

— Je vais devoir soumettre ça à notre équipe juridique.

— C'est un mandat, Fitz. Si vous refusez de coopérer, vous comparaîtrez cet après-midi devant un juge pour outrage à magistrat. À Kirkcaldy, par-dessus le marché. Écoutez, je ne demande pas la lune. Je peux même vous préciser ma requête. L'homme sur lequel j'enquête est mort depuis au moins cinq ans. Alors j'imagine qu'il n'y a pas eu beaucoup d'activité sur ce compte ces derniers temps.

Il se leva.

— Il faut que j'aille parler à un de mes collègues, annonça-t-il.

Karen sortit ostensiblement son téléphone pour enclencher son minuteur. Elle le montra à Fitzgerald.

— Vous avez une demi-heure. Après ça, j'appellerai le juge.

Le visage du banquier se décomposa l'espace d'un instant puis il se ressaisit.

— Je vais faire au plus vite, dit-il.

Il quitta la pièce plus rapidement qu'il n'y était entré.

La Menthe s'assit en face d'elle.

— Vous vous êtes bien amusée, n'est-ce pas, chef ?

Elle sourit.

— Ça se voit tant que ça ?

— Je crois qu'il a compris le message. À votre avis, ils vont coopérer ?

— On va voir. En attendant, fais tes devoirs de maths, joue à Candy Crush ou n'importe quoi d'utile pendant que je vérifie mes e-mails.

D'après son minuteur, vingt-sept minutes s'étaient écoulées quand la porte s'ouvrit de nouveau. Ce ne fut pas Gordon Fitzgerald qui entra. C'était une femme d'une quarantaine d'années vêtue d'un tailleur noir discret et d'une chemise à rayures fines. Elle tenait à la main une mince enveloppe en papier kraft et se présenta tout en se dirigeant vers la chaise située entre Karen et La Menthe.

— Je suis Gemma Mackay, dit-elle sur un ton sec. Je travaille pour le service juridique de la banque. J'ai lu votre mandat et tout me semble en ordre. Nous avons étudié les comptes dépendant de cette agence et il n'y en a qu'un qui correspond aux chiffres que vous nous avez transmis.

— Ce qui facilite la tâche à tout le monde, commenta Karen.

— Tout à fait. Cependant, d'après mon collègue, vous pensez que ce compte est inactif, c'est bien ça ?

— Nous pensons que le titulaire de ce compte a peut-être été victime d'un meurtre. Donc oui, c'est ce que nous avons supposé.

Gemma hocha la tête.

— Eh bien vous avez raison et tort tout à la fois.

12

Theo Proctor vérifia nerveusement une deuxième fois que tout était prêt pour la communication par Skype.

— Je continue de penser que tu devrais lui parler, dit-il. Tu la connais mieux que moi.

Macanespie esquissa une grimace.

— Elle ne voudra rien dire à quelqu'un comme moi. Tessa Minogue a une trop haute opinion d'elle-même pour ça.

— Mais tu as travaillé avec elle pendant deux ans. Vous avez des points communs.

— Le mot-clé dans cette phrase, c'est « commun ». Tessa se place au-dessus du commun des mortels. Elle trouve que je suis un porc. Et puis on n'a pas toujours été en très bons termes. Elle est avocate des droits de l'homme, pas avocate criminelle. Elle n'arrêtait pas de me rebattre les oreilles avec le problème des droits de l'accusé par rapport aux droits de la victime, alors que nous, on devait s'en tenir aux paramètres de la loi. Elle cherchait toujours à défendre ce qui était juste, et parfois, je la trouvais complètement cinglée. Moi, je défendais ce qui était faisable. Un jour, elle m'a dit que c'était à cause de connards légalistes comme moi que des types comme Radovan Karadžić pouvaient se cacher.

Proctor fit la moue.

— C'est un peu sévère.

— Ouais. Surtout que l'avocat de Karadžić prétendait justement que les droits de son client étaient bafoués. Comme tous ces fichus avocats des droits de l'homme. Capables de retourner leur veste en un clin d'œil, dit-il avant de consulter sa montre. Plus que dix minutes. Est-ce que tu as des doutes sur quoi que ce soit ?

Proctor réfléchit. C'était son idée de contacter Tessa Minogue, mais il avait pensé que Macanespie prendrait la parole. Il en connaissait pas mal à son sujet sans trop savoir comment. Au fil des années, au sein d'une petite communauté comme celle qui entourait le tribunal, on finissait par apprendre des choses sur les autres, presque par osmose.

Il savait que Minogue s'était rendue pour la première fois dans les Balkans pendant la guerre en Croatie. Elle suivait un master en droit international à l'époque et même si ses recherches portaient sur la régulation des lois dans le contexte d'un conflit de plus grande envergure, elle avait été cooptée par Maggie Blake dans la campagne pour reconstruire la vieille ville détruite de Dubrovnik. C'était probablement à ce moment-là qu'elle avait rencontré Petrović, qui à l'époque dirigeait les services du renseignement de l'armée croate dans cette région.

Mais la fin du siège de Dubrovnik avait marqué le début du long conflit qui allait secouer la région, un conflit auquel Petrović avait toujours, d'une façon ou d'une autre, été lié. Quand les combats s'étaient étendus à la Bosnie-Herzégovine, avec l'alliance contre-nature de Karadžić et Milošević contre les Croates et les musulmans, Petrović paraissait toujours avoir pris part à l'action. Il avait apparemment des contacts partout, parfois même dans les endroits les plus surprenants. Son expérience du renseignement le rendait utile non seulement aux Croates, mais aussi à une coalition plus vaste d'acteurs. Peu après, Sarajevo avait été prise d'assaut, victime d'intenses bombardements et de terribles privations qui donnaient à Dubrovnik les allures d'une répétition générale. La ville avait enduré presque quatre années d'enfer, plongeant dans le désespoir tous ceux qui se préoccupaient de sa défense et de sa survie. Et partout, comme un fil rouge reliant différents éléments d'une même tapisserie, Dimitar Petrović. Il avait l'air de passer sans problème des Croates aux observateurs internationaux, transmettant des informations aussi bien aux commandants de l'OTAN qu'à ses propres généraux.

Quelque part au milieu de tout ça, Tessa Minogue travaillait comme observatrice internationale et conseillère juridique pour les forces de l'UE et de l'OTAN qui tentaient de contenir l'affligeante montée de violence dans la région. À mesure que se multipliaient les récits d'atrocités, de massacres et de viols collectifs, la nécessité de garder la trace de ce qui se passait était devenue évidente. Tessa et ses collègues s'étaient donné pour mission de trouver des rescapés et de recueillir des témoignages dans l'idée de mettre en place une procédure légale à long terme.

Maggie Blake avait elle aussi partie liée dans tout ça. Elle avait réussi à transformer ce conflit en une mine inépuisable de travaux universitaires : articles, conférences, chapitres de livres puis ouvrages entiers consacrés à la géopolitique de la guerre des Balkans. Chaque fois qu'elle quittait Oxford, c'était pour aller sur le terrain, interroger tous ceux qui étaient disposés à lui parler, observer et écouter ce qui s'y déroulait dans les moindres détails, sans apparemment se soucier des bombes, des snipers et des soldats de tous bords.

Au départ, Macanespie et ses collègues avaient cru que Maggie choisissait ces lieux d'intervention au hasard. Et puis

Tessa Minogue avait suggéré que ce qui attirait Maggie dans les Balkans, ce n'était pas seulement la recherche universitaire. Macanespie avait lu la note dans son dossier, rédigée sur une page jaunissante à en-tête du Baja Luka Hotel :

> « Le camp de concentration de Manjaca est soupçonné de détenir environ sept cents Croates et Bosniaques. Conditions déplorables, passages à tabac quotidiens, décès recensés. Deux nouvelles mosquées démolies cette semaine. D'après Tessa Minogue, le professeur Maggie Blake est là-bas parce qu'elle a une liaison avec le colonel Petrović. Ça dure depuis leur rencontre en 1991 à Dubrovnik. Ils sont restés très discrets. Petrović a été rappelé à Belgrade, personne ne sait pourquoi. »

À deux reprises, Petrović s'était rendu au Royaume-Uni pour des raisons diplomatiques ou militaires. Les deux fois, il avait disparu pendant quelques jours ; et à chaque fois, Tessa avait dit à des collègues qu'il logeait chez Maggie Blake à Oxford. Peu de temps après les accords de Dayton de 1995, Petrović avait débarqué à Oxford. Il avait vécu avec Maggie pendant six mois, avant que la mise en place de l'Armée de libération du Kosovo, afin de contrer la violente campagne menée par Milošević pour séquestrer les biens du Kosovo, ne le rappelle sur le théâtre militaire, cette fois en tant qu'observateur accrédité par l'OTAN.

À vrai dire, Proctor avait du mal à imaginer pire sort que celui de témoin impartial face à la brutalité et à la barbarie en ce vingtième siècle mourant et dans ce coin des Balkans. La Seconde Guerre mondiale était censée avoir mis un terme à ce genre de sauvagerie en Europe ; le Kosovo avait douloureusement rappelé à tout le monde que la frontière entre la barbarie et la civilisation était mince.

Préparer les déclarations de témoins en vue des auditions au tribunal avait été une tâche déjà difficile pour Macanespie et ses collègues. Il ne pouvait pas imaginer ce qu'un homme ayant vécu cela en personne pouvait ressentir. Petrović avait expérimenté tout ça, et plus encore. En tant que colonel de l'armée croate, il avait dû participer aux opérations stratégiques qui avaient si mal terminé. Il avait vu tellement de destructions : tant de vies perdues, de foyers détruits, de gens privés d'avenir. Ce n'était pas étonnant qu'il ait pété les plombs.

L'équipe du tribunal s'était consacrée à rendre justice aux victimes pour qu'il puisse y avoir une forme de vérité et de réconciliation en ex-Yougoslavie. Mais inévitablement, la bureaucratie et les interminables querelles des avocats avaient dénaturé leur objectif, et les résultats obtenus étaient bien en deçà de leurs espérances. Pour quelqu'un comme Dimitar Petrović, la frustration avait dû être insupportable. Macanespie avait entendu dire que trois de ces pays (la Slovénie, la Croatie et la Serbie) se plaçaient parmi les vingt pays du monde où le taux de suicide était le plus élevé. Face à un tel niveau de désespoir, il n'était pas surprenant qu'un homme ayant la possibilité de rendre justice lui-même le fasse. Si cela n'avait tenu qu'à eux, Macanespie savait que Proctor et lui n'auraient jamais eu le cœur de mettre fin à la croisade personnelle de Petrović.

Mais cela ne tenait pas qu'à eux. Wilson Cagney, un homme qui n'était pas personnellement touché ni ému par les événements survenus dans les Balkans durant la dernière décennie du vingtième siècle, avait décrété que toute vengeance sortant du cadre de la loi serait condamnée.

L'ordinateur émit une sonnerie, interrompant Macanespie dans ses pensées et indiquant que Tessa Minogue était en ligne et prête pour cet appel. Avec une vitesse inattendue, il contourna le bureau de façon à se trouver dans le champ de vision de Proctor et à voir l'écran sans être vu. Il prépara une pile de papiers et un stylo afin de pouvoir écrire des messages à son collègue en cas de besoin.

Proctor démarra le système d'enregistrement audio avant de prendre l'appel. Comme toujours sur Skype, le teint des gens n'avait rien de naturel et rappelait davantage un reflet déformé dans un miroir de fête foraine.

— Bonjour Tessa, lança-t-il en souriant tant bien que mal. Merci d'avoir accepté de me parler.

— C'est toujours un plaisir de discuter avec vous autres du tribunal, Theo. On travaille tous dans le même sens, n'est-ce pas ?

Macanespie sentit qu'elle avait déjà pris l'avantage. Il y avait un fossé inconfortable entre les attentes des avocats des droits de l'homme et ce que les employés du tribunal voulaient ou pouvaient obtenir. Ils en avaient tous fait l'amère expérience, et cela débouchait sur des négociations qui ne satisfaisaient jamais personne.

— Inutile de te dire que nous sommes en train de boucler les dossiers, annonça Proctor.

— Comme si je pouvais l'oublier. C'est une décision difficile, Theo. Il arrive un moment où tellement de temps s'est écoulé que les témoignages sont forcément déformés et dénaturés. C'est ironique de défendre à ce point les droits de personnes qui n'ont jamais respecté les droits de leurs victimes. Mais je sais pourquoi tu fais cela et je ne peux pas, honnêtement, me battre contre toi.

— C'est très généreux de ta part, Tessa. Mais ce n'est pas de ça que je voulais te parler. On est encore en train de traiter certains dossiers. Karadžić, Mladić et quelques autres. On voudrait s'assurer que nos preuves tiennent la route et j'ai la tâche ingrate de trouver des informateurs fiables qui pourraient nous apporter des témoignages décisifs.

— Bon courage, dit-elle avec un sourire qui sur l'écran se transforma en grimace pixélisée. Ils se sont tous éparpillés aux quatre vents. Et comment pourrait-on leur en vouloir ?

— Parmi les gens qu'on essaie de localiser, il y a un vieil ami à toi. Le général Petrović de l'armée croate. Dimitar Petrović.

Tessa passa une longue mèche de cheveux noirs derrière son oreille.

— Mitja ? Mon Dieu, ça remonte à longtemps. Je ne l'ai pas vu depuis, peut-être… huit ans ? Il vivait avec Maggie Blake à Oxford. Jusqu'à ce qu'il la quitte.

— Qu'est-ce qui l'a poussé à partir ?

Tessa haussa les épaules.

— Qui connaît vraiment les motivations d'un homme ? Pourquoi est-ce que vous vous intéressez à lui, de toute façon ?

Proctor sourit.

— Tu sais ce que c'est. Il a toujours figuré sur notre liste mais on a toujours eu d'autres témoins plus urgents. Il est passé entre les mailles du filet. Et maintenant, c'est un peu difficile pour nous, à vrai dire. Est-ce que tu sais où il est allé après avoir quitté le professeur Blake ?

— Ah, tu sais donc qu'elle est devenue professeur. Il y en a un qui s'intéresse plus à Maggie qu'à Mitja, on dirait…

Proctor écarquilla les yeux et Macanespie lui montra une feuille sur laquelle il avait écrit « Publications ».

— Pas du tout, se défendit Proctor. Elle écrit beaucoup sur les Balkans et on voit ses publications, c'est tout.

— Si tu le dis, Theo.

— Donc pour en revenir à ma question... Est-ce que tu as été en contact avec le général Petrović depuis qu'il a quitté Maggie Blake ? Tu sais où il se trouve ?

— Ça fait deux questions, Theo. Et les réponses sont : « non » et « pas exactement ».

Macanespie redressa la tête, impatient d'en savoir plus. Il leva le pouce à l'intention de son collègue. Proctor ne sembla pas trouver cela justifié.

— « Pas exactement », qu'est-ce que ça veut dire ?

— Je ne suis sûre de rien. Mais j'ai toujours pensé que Mitja retournerait en Croatie. Il aimait son pays, Theo. Il lui manquait vraiment, expliqua-t-elle avec un soupir. Il n'a jamais beaucoup parlé de sa vie avant la guerre, et je me suis toujours demandé ce qu'il avait laissé derrière lui. Une épouse, probablement. Peut-être des enfants. Une famille, sans aucun doute. Il a grandi à l'Est. Il m'a dit que la grande ville la plus proche quand il était enfant, c'était Vukovar.

Elle écarta les mains en signe d'impuissance.

— C'est tout ce que je sais. Il a toujours été très doué pour esquiver les questions sur son passé. En même temps, personne ne parlait beaucoup de son histoire personnelle pendant la guerre. On était tous trop occupés à s'assurer un avenir. Quand les bombes tombent partout autour de toi, tu es complètement concentré sur l'ici et maintenant.

— Alors tu penses qu'il est rentré chez lui ?

— Pas toi ? De retour parmi les siens. Parmi ceux qui pourraient le guérir. Je me suis souvent demandé s'il ne souffrait pas de stress post-traumatique, tu sais. Parfois, il avait comme des absences. Il se renfermait. Il était dans la pièce, à table, mais il n'était pas présent, si tu vois ce que je veux dire.

— Je vois. Et c'est pour ça qu'il a quitté Maggie ? Parce qu'il avait le mal du pays ? Après six ou sept ans de bonheur avec elle à Oxford, il a fichu le camp pour rentrer en Croatie ?

Proctor n'arrivait pas à dissimuler son incrédulité.

Tessa poussa un soupir.

— L'idée n'est pas si farfelue, Theo. Il n'avait pas vraiment d'identité ici. Il donnait quelques cours à la fac, sur la guerre et la paix, ce genre de choses. De temps en temps, il était consultant en sécurité pour l'un de ses anciens camarades de l'OTAN. Mais la star, c'était Maggie. Ironique pour lui, qui s'était trouvé au cœur de toutes ces guerres, que sa petite amie soit devenue celle dont l'opinion faisait autorité. Surtout qu'il n'était là que parce que c'était sa petite amie. Je comprends que ça puisse être difficile à vivre sur le long terme, non ?

— Alors qu'en Croatie, il était toujours quelqu'un, c'est ce que tu sous-entends ?

Elle sourit.

— J'imagine que oui, tu ne penses pas ? Il était l'un de leurs héros de guerre.

— C'est une hypothèse plausible. Mais si c'est le cas, c'est bizarre qu'on ne l'ait pas localisé. Depuis la création du tribunal, nous avons des équipes sur le terrain, qui traquent des criminels de guerre présumés. Et recherchent des témoins, évidemment. On n'a pas entendu parler de Petrović une seule fois.

Tessa passa une nouvelle mèche derrière son oreille. Est-ce que c'était un signe ? Une réaction involontaire à une question qui la mettait mal à l'aise ? Ou juste une façon de gagner du temps ?

— Je ne sais pas quoi te répondre. Il est possible que des gens le protègent. Tu sais que tout fonctionne par clans, là-bas. S'il a décidé d'en finir avec tout ça, il a pu s'installer dans un petit village de montagne, protégé par les habitants. Karadžić a vécu à Belgrade pendant des années alors qu'il était censé être l'homme le plus recherché du monde. On raconte qu'il assistait à des matchs de foot de Ligue 1 en Italie, bon sang ! S'ils peuvent protéger un monstre pareil, ils n'y réfléchiront pas à deux fois pour cacher un héros comme Mitja.

— J'imagine. Tu n'as jamais eu de nouvelles de lui ?

Elle secoua la tête d'un air désolé.

— Pas même un e-mail. Et Maggie non plus. Je peux te dire que ça m'a blessée dans mon orgueil. Je croyais qu'on était amis, Mitja et moi. Qu'il quitte Maggie, c'est une chose. Ça arrive. Il y a bien des façons de se séparer. Mais moi j'étais son amie. Il ne m'a même pas dit au revoir. Mais j'espère qu'il est heureux. J'ai cru pendant longtemps qu'il était heureux ici ; manifestement je me suis trompée. Les Croates ne peuvent pas t'aider ? Ils doivent sûrement avoir quelque chose dans leurs dossiers. Les communistes étaient les rois de la bureaucratie, après tout.

Proctor secoua la tête.

— Comme ça arrive souvent dans cette région du monde, une partie des archives militaires n'a pas survécu à la guerre. Une bombe incendiaire, apparemment. C'est fichu de ce côté-là.

Une expression que Macanespie ne réussit pas identifier passa sur le visage de Tessa.

— Pas de chance, Theo. Je suis désolée de ne pas pouvoir t'aider davantage. Mais je dois filer. Si je pense à quelque chose, je te tiendrai au courant.

— Merci, Tessa. Prends soin de toi.

Elle coupa l'appel sans un mot de plus. Macanespie apparut comme un diable qui sort de sa boîte.

— Qu'est-ce que tu en penses ? demanda-t-il.

Proctor haussa les épaules.

— Je crois qu'elle ment. Mais je ne sais pas à propos de quoi.

Il se rongea l'ongle du pouce, l'air anxieux.

Macanespie gagna son bureau d'un pas lourd.

— Il ne nous reste plus que le plan B, on dirait.

Proctor leva les yeux. Macanespie était déjà en train de tapoter sur son clavier du bout de ses doigts potelés pour accéder au site de KLM.

— Va pour le plan B, acquiesça-t-il gravement. Mais je tiens à le dire : ça ne me plaît pas.

Ce n'était pas un coup de foudre. Mais il s'est immédiatement passé quelque chose. Je dirigeais un séminaire sur l'engagement féministe dans la lutte contre le nucléaire, un après-midi de septembre. Vers la fin de la séance, l'un des administrateurs de l'université, qui nous avait beaucoup aidés à l'IUC, s'est glissé dans la pièce accompagné d'un homme vêtu d'une tenue militaire kaki. Fabijan Jokić a fait un geste pour m'indiquer de ne pas m'interrompre, si bien que j'ai continué à parler, consciente de la présence d'un étranger qui me mettait légèrement mal à l'aise.

Il paraissait étonnamment détendu. Le premier bouton de sa chemise était défait et ses pouces étaient glissés dans sa ceinture, une main négligemment posée sur la crosse de son arme. Je me sentais toujours assez mal à l'aise en présence d'hommes armés, mais j'essayais de me convaincre qu'il n'y avait rien à craindre. Par ailleurs, c'était le plus bel homme que j'avais rencontré depuis mon arrivée en Croatie.

Il mesurait un peu plus d'un mètre quatre-vingt, il était mince et ses manches de chemise retroussées révélaient les muscles de ses avant-bras. Il avait des cheveux noirs dont une mèche bouclée lui tombait sur le front. Il avait beau la repousser, elle retombait systématiquement devant ses yeux. La cynique qui était en moi pensait qu'il s'agissait d'un look savamment calculé. Plus tard, j'ai dû réviser mon jugement. J'allais découvrir que c'était un homme presque dénué de vanité.

Je parlais toujours, mais j'étais en pilote automatique. Sa présence me déconcentrait. Plus je le regardais, plus je le trouvais attirant. Il avait des traits typiques des Balkans : des yeux sombres légèrement tombants, des pommettes slaves, un nez fin, des lèvres charnues. Chez lui, tout cela se combinait de façon surprenante. Si vous connaissez Dimitar Berbatov, le gracieux et langoureux joueur de football de Tottenham et Manchester, vous aurez une bonne idée de ce à quoi ressemblait ce soldat mystérieux. Il avait des gestes élégants et sur le visage une expression qui pouvait être prise pour de la fierté ou de l'arrogance, selon le point de vue.

Quand j'ai fini par boucler le résumé du cours que je venais de donner, deux étudiants ont accaparé mon attention. Fabijan et le soldat se sont approchés lentement, en pleine conversation. J'ai expédié mes étudiants plus vite que d'habitude, parce que j'étais curieuse de parler à mes deux visiteurs.

Une fois la pièce vidée, Fabijan m'a présentée au soldat :

— Maggie, voici le colonel Dimitar Petrović de l'armée croate.

J'ai essayé de ne pas minauder. Après tout, je venais de livrer une analyse au vitriol des pouvoirs grandissants que les forces de l'OTAN cédaient à leurs commandements militaires. Jusque-là, je n'avais jamais eu de conversation avec un membre de l'armée qui n'ait pas été caractérisée par une profonde hostilité. Le dernier auquel je m'étais adressée était un soldat américain en poste à la base de Menwith Hill. Je crois que je lui avais dit, mot pour mot : « Pourquoi est-ce que vous ne foutez pas le camp aux États-Unis, vous et votre bande de mercenaires ? » Il était donc peu probable que j'engage une discussion avec le colonel Petrović, malgré sa grande beauté.

— Enchantée, ai-je dit en souriant bêtement.

Il a gracieusement incliné la tête.

— Tout le plaisir est pour moi. Je m'excuse d'avoir interrompu votre cours, mais on m'a raconté qu'il s'y disait des choses intéressantes et je voulais juger par moi-même.

Je me suis mise à rougir.

— Votre anglais est très bon, ai-je commenté.

Que voulez-vous, je suis écossaise. On ne sait pas accepter les compliments.

Il a esquissé un sourire en coin.

— J'ai passé six mois à Chicksands avec vos services de renseignement. C'était marche ou crève. Je n'avais pas le choix.

— Je ne vois pas en quoi mes recherches peuvent aider un colonel croate spécialisé dans le renseignement.

Parfois mes manières pompeuses m'étonnent moi-même. Mais il n'a pas semblé y prêter attention.

— Nous essayons de bâtir une autre société, ici en Croatie. Et cela implique de tout repenser. Le communisme est mort, ainsi que tout ce qui touche à cette triste période. Nous devons remplacer ce qui est mort par de nouveaux organismes vivants, expliqua-t-il en haussant élégamment les épaules. Et notamment dans l'armée. Sous l'ancien régime, il était interdit de manifester. Alors nous n'avons jamais appris à gérer la contestation de façon raisonnable. J'ai lu un papier que vous avez coécrit avec Melissa Armstrong au sujet de la féminisation de la contestation à Greenham Commons et ça m'a intrigué. J'ai essayé de la rencontrer quand elle était ici au printemps, mais j'ai dû m'absenter.

D'un signe de tête, il désigna Fabijan qui avait l'air de s'ennuyer.

— Il m'a dit que vous remplaciez le professeur Armstrong et j'espérais que vous voudriez bien me parler.

— Je ne suis pas une experte.

J'avais suffisamment vécu pour reconnaître qu'il savait très bien manier ce sourire charmeur. Ça ne m'a pas empêchée de me laisser séduire.

— Par rapport à moi, si, répondit-il avant de consulter sa montre. J'ai un rendez-vous avec le maire maintenant, mais est-ce qu'on peut se donner rendez-vous bientôt?

J'ai essayé de cacher mon enthousiasme.

— J'ai un emploi du temps assez chargé, mais je peux m'arranger.

— Demain soir?

J'ai hoché la tête.

— Après dix-neuf heures, quand vous voulez.

— Est-ce que vous connaissez le restaurant Proto? À l'angle des rues Siroka et Vara?

Je ne le connaissais pas, mais l'air incrédule de Fabijan et le fait que ce lieu se situait dans la vieille ville en disaient assez long. Je ne savais pas pourquoi, mais le colonel Petrović cherchait à m'impressionner.

— Je suis sûre que je peux trouver.

Il repoussa sa mèche rebelle et acquiesça.

— Je vais réserver une table pour vingt heures, dit-il en esquissant de nouveau ce sourire charmeur. J'ai hâte d'y être.

— Moi aussi.

Il fit une petite courbette avant de s'éloigner. Fabijan m'adressa un dernier regard de surprise exagérée et le suivit. Je ne savais pas ce qui venait de se passer, mais je n'avais pas envie de me poser de questions. Le plus bel homme de toute la Croatie venait de m'inviter à dîner. Il y avait peut-être des nuages à l'horizon, mais cela suffisait à éclaircir ma journée.

13

Maggie ne s'était pas attendue à voir Tessa, mais elle n'était pas fâchée de la retrouver pour autant, surtout qu'elle était arrivée avec un sac du traiteur thaï du coin.

— J'espérais te trouver avant que tu descendes dîner, dit Tessa, une main posée sur l'épaule de Maggie tout en lui faisant la bise.

— Tu ne pouvais pas mieux tomber. J'ai même de la bière Singha au frigo.

Maggie la mena jusqu'à sa minuscule kitchenette-salle à manger et, alors que Tessa sortait les boîtes remplies de nourriture, elle s'occupa des bières et des verres. Tessa parla sans fin de la nourriture et du couple excentrique qui gérait ce restaurant de plats à emporter, sans laisser de place à une éventuelle conversation jusqu'à ce qu'elles s'installent et se servent en larb gai et beignets de poisson épicés.

— Alors qu'est-ce qu'on fête ? demanda Maggie en trempant un beignet de poisson dans la sauce chili sucrée.

— Est-ce qu'on a besoin d'une raison ?

— Non, mais généralement, quand tu débarques à l'improviste en apportant à manger, ce n'est pas sans raison. Ou alors c'est que tu as quelque chose à te faire pardonner.

Maggie avait parlé sur un ton chaleureux, taquin. Les deux femmes étaient amies depuis suffisamment longtemps pour se permettre d'être directes l'une envers l'autre.

Tessa laissa échapper un bref soupir :

— Tu me connais trop bien.

Maggie sentit un frisson d'anxiété. Depuis le départ de Mitja, elle avait toujours craint de perdre ses plus proches amis. Or Tessa avait un profil et des compétences qui la rendaient intéressante pour de potentiels employeurs dans le monde entier.

— Alors, qu'est-ce qui se passe ? Ne dis rien. On t'a offert un nouveau poste aux Nations unies et tu te demandes si tu vas accepter ?

Tessa posa ses baguettes et prit la main de Maggie.

— Je ne vais pas te quitter, dit-elle. Je te l'ai promis et j'étais sincère. On n'est peut-être plus ensemble, mais je tiens toujours mes promesses.

Maggie regarda au loin, à travers la fenêtre, vers les bâtiments de l'université. Si elle se concentrait sur ces arbres si familiers, elle pourrait peut-être tenir le coup. Tessa l'avait sauvée du désespoir après le départ de Mitja ; ensuite, elles avaient trouvé un autre type de réconfort, mais elles savaient intimement l'une comme l'autre que c'était le besoin et non l'amour qui les avait réunies. Elles étaient redevenues amies sans rancœur, mais parfois la loyauté indéfectible de Tessa provoquait chez Maggie de fortes émotions avec lesquelles elle n'était pas complètement à l'aise.

— D'accord. Alors si ce n'est pas une proposition de poste sensationnelle, de quoi s'agit-il ? demanda Maggie en parvenant à conserver un ton badin.

— J'ai eu une conversation très étrange sur Skype aujourd'hui, dit Tessa en se concentrant de nouveau sur son plat. L'un des employés britanniques rattachés au Tribunal pénal international pour l'ex-Yougoslavie m'a appelée. J'ignorais ce qu'il voulait. J'ai pensé que c'était lié au fait que le tribunal boucle ses dossiers. Qu'ils voulaient me proposer une sorte de négociation pour les victimes dont les dossiers n'ont pas été clos, ce genre de choses.

— Mais... J'ai l'impression qu'un « mais » se cache quelque part.

Tessa hocha la tête en avalant une bouchée.

— Un gros « mais ». J'ai parlé à ce type, Theo Proctor. Tu l'as déjà croisé ?

Maggie fouilla dans ses souvenirs. Ses contacts dans les Balkans se comptaient par centaines, mais ce nom-là ne lui disait rien.

— Non, je ne crois pas.

— Tu t'en souviendrais. Un petit Gallois bizarre et nerveux. Le genre de types pas clairs dont la fonction n'est jamais bien définie et qui se défilent dès que tu essaies de savoir exactement ce qu'ils font et qui ils servent. J'ai entendu dire qu'ils avaient un nouveau chef qui veut faire bouger les choses, Wilson Cagney. Du coup, il y a du changement qui commence à apparaître.

— Pour l'instant, ce ne sont que des ragots. Quel rapport avec toi ?

— Avec moi, aucun, ma chère. Mais avec toi, si.

Surprise, Maggie laissa échapper de ses baguettes un morceau de poulet.

— Moi ? Pourquoi moi ? J'ai transmis toutes mes notes aux enquêteurs du TPIY il y a des années. Et j'ai envoyé à Scheveningen une copie de tout ce que j'ai écrit depuis.

— Ce ne sont pas tes notes qui les intéressent. C'est Mitja.

L'émotion que provoquait ce nom n'avait pas diminué avec les années. Maggie était toujours aussi bouleversée quand les gens le prononçaient. C'était comme si le dire à voix haute pouvait d'une certaine façon le faire apparaître. C'était stupide, elle le savait, mais encore aujourd'hui, cela l'affectait.

— Je ne comprends pas.

— Proctor m'a raconté qu'il cherchait des témoins pour boucler certains dossiers en vue des derniers procès et appels. Il m'a dit que Mitja figurait sur la liste des témoins potentiels depuis des lustres mais qu'il était passé entre les mailles du filet. Il m'a demandé si je savais où il se trouvait.

Maggie avait du mal à comprendre où Tessa voulait en venir.

— Mitja a déposé son témoignage au moment de la création du TPIY. C'est en partie pour ça qu'il était si fâché que les procès soient annulés les uns après les autres. Selon lui, ils disposaient de toutes les preuves, mais les avocats n'avaient pas fait leur boulot correctement. Et s'ils reviennent sur son témoignage seulement maintenant, ça prouve bien qu'il avait raison ! Combien de témoins ont-ils négligé en route ? Combien d'entre eux sont encore dans la nature à cause de leur incompétence ? Ou bien est-ce que c'est de la corruption ?

Elle repoussa son assiette, cette conversation lui ayant coupé l'appétit.

Tessa soupira et fit tourner son verre de bière.

— Quelle qu'en soit la raison, il est trop tard pour changer les choses. C'est pour ça que d'après moi, cet appel n'était qu'un tissu de conneries. Des conneries, ni plus ni moins, Maggie.

— Comment ça ?

— C'était un prétexte. Ils ne recherchent pas Mitja parce qu'ils veulent un témoignage. Ils le cherchent parce que

Wilson Cagney est une nouvelle recrue et qu'il veut nettoyer les écuries d'Augias.

Le visage de Maggie se tendit.

— Arrête de parler comme une avocate, Tess. Ça ne te ressemble pas. Parle clairement. Qu'est-ce que tu veux dire ?

Tessa caressa son verre couvert de condensation.

— Ils le soupçonnent… non, en fait, c'est plus que ça. Je crois qu'ils croient savoir ce qu'il a fait. Et qu'ils ont décidé de se bouger et de dire : « Ça suffit. Les meurtres doivent cesser et le tueur doit payer. »

Maggie tapa de la main sur la table, faisant trembler les assiettes et les verres.

— Putain ! Encore cette histoire ! Je t'ai dit ce que j'en pensais l'autre soir à la fête. Mitja est rentré chez lui.

— Et je vais te rétorquer la même chose. Regarde l'enchaînement des événements. Le tribunal sabote certains dossiers qui n'auraient dû poser aucun problème. Mitja n'a cessé de crier au scandale. Il répétait que les avocats étaient corrompus et que les témoins avaient été achetés ou intimidés. Il était hors de lui, disait que la justice avait échoué, que ça envoyait aux victimes et aux futurs bourreaux un message de…

— Et il avait parfaitement raison, l'interrompit Maggie énervée. Tu étais d'accord avec lui. Moi aussi. On était tous scandalisés. Et puis on a tourné la page. Parce que toute cette colère, cette rancœur, cette honte ne nous menaient nulle part. C'était une impasse émotionnelle. J'en ai discuté avec lui. J'ai vu son désespoir mais aussi sa résignation. Il en souffrait, Tessa. Ça lui brisait le cœur. Mais il avait compris que c'était futile de se fixer là-dessus. Il avait laissé tomber.

Tessa secoua la tête d'un air entêté.

— C'est ce que tu as envie de croire, Maggie. Parce que tu refuses de penser qu'il t'a abandonnée pour se faire justice lui-même. Pour devenir le genre de héros que tu n'approuvais pas.

— Un héros ? Tu penses que celui qui a commis ces meurtres est un héros ? Bon sang, Tess, parfois tu me fais peur.

— C.Q.F.D. Il savait que tu réagirais comme ça. Il savait qu'il ne pouvait pas tout avoir. Qu'il ne pouvait pas accomplir sa vengeance tout en te gardant près de lui. Et même si c'est dur pour toi de l'accepter, il a choisi de faire ce qui lui paraissait juste.

Maggie se passa les mains dans les cheveux, désespérée.

— N'essaie pas d'appliquer à Mitja ton fichu raisonnement à l'irlandaise. Comment est-ce que tu peux penser ça de lui ? C'était ton ami. Comment est-ce que tu peux penser que l'homme qu'on connaissait ait été capable de se transformer en machine de guerre ? Franchement, Tess ?

La voix de Maggie, montant dans les aigus, résonna dans la petite pièce, emplie de désillusion et d'incrédulité.

Tessa se frotta les yeux du poing.

— Parce que c'est la seule réponse qui ait du sens, Maggie. Sans ça, comment est-ce que tu peux expliquer qu'il soit parti du jour au lendemain ?

Maggie secoua la tête, perdant patience.

— C'est facile, Tess. Sa rage a réveillé son amour pour la Croatie. Quand on est revenus ici après la fin de la guerre, il a cherché l'apaisement. Il a essayé de se convaincre que notre amour était suffisamment fort pour le faire quitter son pays. Mais il n'y est pas parvenu. Et la colère a fait resurgir la douleur de l'exil, expliqua-t-elle avant de pousser un soupir. Il n'est pas parti pour se transformer en tueur, Tess. Il est parti parce que je ne lui suffisais pas. Est-ce que tu imagines à quel point je me sens nulle ? Mais je vais te dire une chose. Je ne me sens pas nulle au point d'imaginer Mitja en tueur sanguinaire, juste pour me sentir mieux.

Elle se mit à ramasser les boîtes de nourriture qu'elles n'avaient quasiment pas touchées et les jeta à la poubelle.

— Je crois que tu ferais mieux d'y aller.

Elle se retourna vers son amie et s'appuya contre l'évier.

— Peu importe ce que je crois, Maggie, répondit Tessa en se levant et en s'approchant de la porte. Je ne suis pas venue ici ce soir pour me disputer avec toi. Au fond de toi, tu connais la vérité. Mais tu dois avoir conscience que certaines personnes sont convaincues que Mitja est un fou qu'il faut empêcher de nuire. Si tu sais où il est, tu ferais mieux de le prévenir.

14

Ce n'était pas la première fois que River envisageait de déménager, malgré tous les trajets que cela impliquerait. Lors de ses collaborations précédentes avec Karen Pirie, elle avait dû « emprunter » les locaux de l'université de Dundee, où l'ancienne entité de la police de Fife avait délocalisé une grosse partie du service de l'identité judiciaire. Quand elle y pensait, elle enviait le chef de service qui jouissait du double privilège de pouvoir pratiquer et enseigner l'anatomie et la médecine légale. Au moins ici, personne n'avait l'impression d'être le parent pauvre, la dernière roue du carrosse budgétaire de l'Université du Nord. En termes de carrière, un déménagement à Dundee lui ouvrirait de nombreuses portes.

Mais il y avait Ewan. Le commandant Ewan Rigston de la police de Cumbria, aussi attaché à son territoire que les moutons herdwick à leurs prés. Ses sentiments pour lui avaient fini par la retenir là-bas. Elle avait cessé de voyager, et de nomade était devenue sédentaire. La chasseuse-cueilleuse s'était transformée en cultivatrice avec un champ bien défini. C'était la première fois qu'elle restait aussi longtemps dans un endroit et ça la surprenait toujours de ne pas le regretter.

Cependant, depuis quelque temps, River se demandait si sa carrière ne stagnait pas. Elle avait peu de perspectives de promotion au sein de l'université ; son chemin était bloqué par des hommes suffisants qui avaient investi les lieux et comptaient bien y terminer leur carrière confortablement. Ils vivaient parfois dans les plus beaux coins de la campagne écossaise et passaient leurs journées dans une institution qui n'avait aucunement l'intention de faire bouger les choses. Cela aurait pu être tolérable s'il s'était agi de vieux dinosaures proches de l'âge de la retraite. Mais ils n'avaient que quelques années de plus qu'elle et s'accrochaient à leurs postes avec la même détermination qu'un homme politique à son siège.

Tandis qu'elle attendait que l'analyse isotopique soit terminée, elle se demanda s'il était envisageable pour elle de travailler ailleurs. À Dundee par exemple. Elle pouvait sans doute consacrer quatre jours par semaine à l'enseignement et au travail en labo puis une journée à travailler chez elle sur les résultats et la rédaction d'articles. De cette façon, elle ne serait absente que trois soirs par semaine. Et de toute façon, Ewan était absent au moins deux soirs par semaine à cause de son travail ou de diverses obligations sociales. Ça ne changerait sûrement pas grand-chose. Par ailleurs, elle serait bien plus heureuse professionnellement parlant et cela se refléterait sur son humeur générale. Et les trajets ne seraient pas insupportables. Train depuis Carlisle. Changement à Édimbourg. Elle pourrait mettre ce temps à profit ; l'expérience lui avait prouvé qu'elle pouvait travailler n'importe où.

Le spectromètre de masse émit un faible bip indiquant qu'il avait terminé son cycle. River téléchargea les résultats sur son ordinateur portable puis les entra dans un programme qui allait identifier l'origine géographique de l'échantillon de fémur. Il ne lui restait qu'un seul test à effectuer avec le plus récent de ses outils avant de pouvoir établir un profil pour Karen.

La veille au soir, elle avait prélevé un échantillon de l'os qui assure le maintien des éléments essentiels à l'ouïe humaine. L'os pétreux, composante de l'os temporal, est l'un des plus durs du corps humain ; il renferme notamment les membranes qui commandent notre sens de l'équilibre et nous permettent de percevoir des ondes sonores. C'est l'une des premières parties du squelette à prendre forme. Si bien qu'une analyse de cet os indiquera l'emplacement géographique où se trouvait la mère de l'individu quand il était encore dans son ventre.

— J'adore ce métier, murmura River en s'attaquant au morceau d'os qu'elle avait préparé.

Dans une demi-heure, elle connaîtrait sur quel sol son squelette avait vu le jour.

Pendant qu'elle attendait que le spectromètre de masse fasse son travail, elle porta son attention sur la dent qui l'avait occupée jusque tard dans la nuit. Comme les cercles concentriques des troncs d'arbres, les dents possèdent des couches qui révèlent l'âge de leur propriétaire. Chaque année, elles se recouvrent de deux microscopiques couches d'émail : l'une claire, l'autre foncée. Nous avons beau faire notre possible pour avoir l'air jeune de l'extérieur, après notre mort, notre corps révèle la triste vérité.

River s'était mise à travailler sur la dent le matin précédent et l'avait nettoyée à l'aide d'une bouillie de pierre ponce avant de la rincer à l'eau claire pendant huit heures. Elle l'avait ensuite nettoyée à l'alcool puis sectionnée à l'aide d'un cutter à lame diamant. Pour finir, elle avait utilisé encore un peu d'alcool pour déshydrater les morceaux, les avait nettoyés au xylène et les avait fixés à des lames de microscope. Elle avait demandé à deux étudiants en anatomie de les examiner et de compter les cercles. Pour une tâche aussi minutieuse, il était toujours bon d'avoir un autre regard. En plus, cela permettait aux étudiants de s'entraîner.

River fit la mise au point avec le microscope et se mit à compter. La première fois, elle arriva à quarante-six. La deuxième fois, quarante-sept. La troisième fois, elle retomba sur ce même chiffre. À ce moment-là seulement, elle compara ses résultats avec ceux des étudiants. L'un avait trouvé quarante-sept ; l'autre quarante-huit. Ils tournaient donc tous autour du même résultat. Le squelette de Karen devait donc avoir la quarantaine bien avancée. Peut-être un peu vieux pour escalader des bâtiments, mais certains ne savaient pas s'arrêter. River se carra dans son siège en relâchant ses épaules. Elle allait se préparer une tasse de café, puis elle mettrait tout en ordre pour Karen. Elle lui rédigerait un compte rendu, bien entendu. Mais elle connaissait trop bien Karen. Elle allait lui demander le plus de détails possible. Cela amusait toujours River que cette femme chargée des affaires non classées soit la personne la moins patiente qu'elle ait jamais rencontrée.

Fortifiée par la caféine, River composa le numéro. Le timbre distant de la voix de Karen et le bruit de fond indiquaient qu'elle était en voiture.

— Tu es au volant ? demanda River.

— Non, je l'ai laissé à Jason. On est en route pour Oxford.

— Oxford ? En Angleterre ?

— Oui, et pas celui qui se trouve dans le Northumberland.

— Qu'est-ce que vous allez faire là-bas ?

— Parler d'un compte en banque avec un professeur.

River gloussa. Karen était comme ça : il fallait toujours lui tirer les vers du nez.

— Mais encore… ?

— On a extrait un numéro de compte partiel de la carte magnétique que tu as trouvée sur la scène du crime, expliqua Karen. Il s'avère que c'était un compte FCB. Je leur ai donc rendu une petite visite ce matin dans l'espoir de trouver le nom du propriétaire. Crois-moi, même avec un mandat signé par un juge, ces connards ne voulaient pas me parler.

— Difficile à croire.

— Apparemment, leur réticence est liée au fait que le compte n'est pas complètement inactif, annonça Karen avant de marquer une pause pour laisser River réagir.

— Comment c'est possible si le type est mort ?

— Parce que c'est un compte commun. Il a été ouvert en 2001. Depuis cette date, l'un des bénéficiaires du compte y a versé quatre cents livres tous les mois. Jusqu'en septembre 2007, le deuxième bénéficiaire a lui aussi versé des montants réguliers, de cent à sept cent cinquante livres.

— Intéressant. Et les retraits sur le compte ?

— Jusqu'en septembre 2006, il y a des retraits en liquide à des distributeurs automatiques. Principalement à Oxford, mais aussi à Londres, Édimbourg, Venise et Ravenne. Et des paiements par carte bancaire. Rien d'important. Du genre courses au supermarché. Rien depuis.

— C'est étrange. Si l'un des deux continue de verser de l'argent, on s'attendrait à ce qu'il en retire aussi.

— Ce serait logique.

River était intriguée. Connaissant Karen, elle se doutait qu'il y avait autre chose.

— Alors qui sont ces gens ?

— Celui qui a arrêté les paiements s'appelle Dimitar Petrović. L'adresse qu'il a donnée quand ils ont ouvert le compte était à St Scholastica's College, à Oxford. Est-ce que quelque chose là-dedans te paraît bizarre ?

River réfléchit.

— C'est la dernière faculté à être devenue mixte, non ? À l'époque, c'était encore une institution réservée aux femmes.

— Exactement. En plein dans le mille. Ce type qui, d'après la banque, n'avait pas d'autres comptes chez eux, vivait apparemment dans une faculté de femmes. Et chez FCB, personne n'a rien remarqué. Ou s'ils l'ont remarqué, ils s'en fichaient. Parce que l'autre bénéficiaire du compte était aussi respectable que toi et moi…

— Attends une minute, protesta River. Ne m'accuse pas d'être respectable.

— Très drôle. Tu veux en savoir plus sur cette femme, oui ou non ?

— Vas-y, dis-moi. Qui est-ce ?

— À l'époque de l'ouverture du compte, c'était le Dr Margaret Blake, membre du personnel enseignant de géographie à St Scholastica's College. Aujourd'hui, on l'appelle « professeur » Blake. Et tous les mois, elle verse quatre cents livres sur un compte en banque auquel elle ne touche pas. À ton avis, pourquoi elle pourrait bien faire ça ?

— Mmm… Parce qu'elle espère qu'il va revenir.

— Ou bien elle pense qu'il peut avoir besoin de cet argent. Quoi qu'il en soit, c'est intéressant, tu ne trouves pas ?

— Sans aucun doute. J'imagine que tu ne l'as pas avertie de ta visite ?

— Tu as tout compris. Je n'ai pas envie de lui donner le temps d'inventer une explication rationnelle et intelli-

gente pour m'embrouiller, comme vous autres les universitaires savez si bien le faire.

River éclata de rire.

— Comme si tu étais du genre à te laisser embrouiller.
On est en plein milieu de semestre, elle devrait être dans
son joli bureau surplombant les toits ancestraux, à jouir du
luxe d'une charge d'enseignement réduite et des dîners entre
collègues.

— Bon, puisqu'il semblerait que Dimitar Petrović soit
notre homme, qu'est-ce que tu peux me dire à son sujet ?

River effleura une touche sur son clavier et lui lut son
compte rendu.

— Le squelette est sans aucun doute de sexe masculin.
Il avait entre quarante-six et quarante-huit ans quand il est
mort et mesurait environ un mètre quatre-vingt. Je t'ai déjà
parlé de ses dents. Quand il était dans le ventre de sa mère,
celle-ci vivait dans une région qui est aujourd'hui l'est de
la Croatie ou le nord-ouest de la Serbie. Il vivait dans cette
même région à l'âge de six ou sept ans, quand ses dents
d'adulte se sont formées. L'analyse de son fémur nous
apprend autre chose, mais ce n'est pas très clair. D'après
mon expérience, je dirais qu'il a passé les sept ou huit dernières années de sa vie entre les Balkans et le Royaume-
Uni. Il aurait aussi pu se trouver au Kosovo ou au Monténégro. C'est impossible d'être plus précise, je suis désolée.

— C'est assez incroyable, commenta Karen. Maintenant
que je sais ça, je vais peut-être faire quelques recherches sur
Google à son sujet.

— Ce n'est pas tout. Il a une petite plaque de métal
sur le fémur gauche. À cause d'une fracture je pense, mais
c'était il y a longtemps. L'os a cicatrisé autour de la plaque
et il n'y a rien sur le métal ou les vis pour identifier un
constructeur. Pour moi, c'est un signe indiquant le bloc de

l'Est, vu l'ancienneté de la blessure. Ils ont mis du temps avant de marquer leurs implants orthopédiques. Donc ça n'est qu'une hypothèse.

— Intéressant. Et l'ADN ? Est-ce que tu l'as déterminé ?

— Oui. Je te l'ai envoyé, il faudra que tu trouves quelqu'un pour le rentrer dans la base de données.

— Super. Bon travail, River.

— Ça m'a plu. J'aime bien les énigmes. Mais j'ai l'impression que tu n'as pas eu besoin de moi pour la résoudre.

— Tu m'es indispensable ! Grâce à toi, j'ai quelque chose à quoi comparer mes découvertes. Et vu que Margaret Blake a l'air de vivre dans l'illusion la plus totale, il va me falloir un maximum d'arguments pour la convaincre.

15

Glasgow avait changé depuis l'époque où Maggie y avait passé une triste semaine de janvier, l'année avant de partir pour Dubrovnik. Elle avait fêté le Nouvel An avec sa famille et de vieux amis d'école dans la région de Fife avant de traverser le pays pour se rendre à la conférence annuelle de l'Institut britannique des géographes, où elle se sentait comme un petit poisson dans un très grand bassin. La lugubre résidence étudiante en béton était plus déprimante que tous les lieux où elle avait vécu à Londres ou à Oxford, et chaque fois qu'elle en franchissait le seuil elle était accueillie par un type de pluie différent.

C'était en 1990, lors de la semaine de lancement de l'Année européenne de la culture qui se déroulait alors dans cette ville. Maggie ne pouvait pas s'empêcher de répéter cette vieille blague, à savoir qu'elle avait vu davantage de culture dans un pot de yaourt. La ville était grise et triste et chaque bâtiment moderne semblait avoir été construit par un architecte qui se foutait pas mal des gens censés occuper ou admirer leurs travaux. Elle trouvait cela stupéfiant. Elle était entourée de vieilles bâtisses évoquant une esthétique qui s'était perdue avec le temps : des immeubles de grès imposants, l'impressionnante université de style gothique victorien, la fine flèche blanche de l'église qui s'élevait au-dessus de l'élégant Park District, les tours de Trinity College... Comment avait-on pu tourner le dos à tout cela pour produire des boîtes en verre et en béton qui ne tenaient pas compte du mode de vie des gens ? Elle avait quitté la ville en se disant qu'il était temps pour les géographes d'interroger l'impact de la laideur sur l'habitat urbain.

Mais depuis cette époque, la ville avait connu une révolution. Maggie avait rechigné à accepter un séminaire à l'université parce que son séjour précédent n'avait fait que la conforter dans l'idée qu'Édimbourg était la seule ville d'Écosse vivable. Toutefois, l'approche de son cinquantième anniversaire l'avait convaincue de faire un petit bilan de sa vie et de sortir des habitudes qui conditionnaient son existence et sa pensée.

Elle avait donc accepté l'invitation. À présent, elle s'en réjouissait. De part et d'autre, la ville se parait pour les Jeux du Commonwealth à venir. On repeignait même les lignes blanches des rues. Son hôtel était situé sur les berges de la Clyde en face des bâtiments impressionnants et modernes hébergeant BBC Scotland et STV. Après le dîner, comme il ne pleuvait pas et qu'un de ses grands plaisirs était de marcher en ville la nuit, elle s'engagea le long du fleuve. Les eaux brunes se mouvaient lentement au rythme de la marée, déformant les reflets des immeubles abritant habitations et bureaux qui s'élevaient sur les berges. Il y avait de nouveaux ponts dont l'un avait été surnommé Squinty Bridge parce qu'il enjambait la Clyde de biais[1] ; c'était un pont piéton bâti là pour célébrer le nouveau millénaire. Si elle ne les avait pas vus de

---

1. *Squint* signifie « loucher ». *(N.d.T.)*

ses propres yeux, Maggie n'aurait pas cru que ces quais bien éclairés se trouvaient à Glasgow.

La rumeur de la circulation sur l'autoroute de Kingston Bridge formait un contrepoint à ses préoccupations. Après toutes ces années, elle pouvait passer des jours entiers sans penser consciemment à Mitja, mais cet anniversaire charnière et cette fête rassemblant les gens qu'elle aimait le plus l'avaient fait resurgir dans son esprit, avant même la conversation malvenue qu'elle avait eue avec Tessa durant le week-end.

Maggie comprenait pourquoi il l'avait quittée de cette façon. Il la connaissait – et se connaissait lui-même – suffisamment pour savoir qu'elle utiliserait tous les moyens à sa disposition pour le garder, et qu'une partie de lui voulait rester. Elle aurait été un boulet pour lui, il l'aurait traînée constamment derrière lui jusqu'à ce que finalement, à force de frictions, il s'en libère. Cela aurait été un processus horrible et destructeur pour tous les deux. C'était plus délicat d'être parti comme il l'avait fait.

Et pourtant... Elle ne parvenait pas vraiment à comprendre ni à pardonner le silence qui avait suivi. Comme il ne lui avait pas clairement dit qu'il était parti pour de bon, il l'avait condamnée à espérer. Voilà ce qu'elle trouvait le plus cruel, or Mitja n'était pas cruel. Tout ça n'avait donc aucun de sens.

Après son départ, certains amis de Maggie l'avaient poussée à aller le chercher. À retourner en Croatie, utiliser ses contacts pour retrouver sa trace comme s'il s'agissait d'un criminel de guerre de la trempe de Milošević ou Karadžić. Elle y avait pensé. Elle s'était même imaginée débarquer dans un petit village de montagne pour le mettre face à ses responsabilités devant sa femme et une ribambelle d'enfants aux cheveux noirs avec les mêmes yeux et la même bouche que lui. Mais en définitive, elle avait trop de fierté pour ça. Il l'avait blessée dans son orgueil, c'était certain. Mais il lui restait un certain respect de soi. Elle avait encore un peu de dignité. Un tout petit peu.

Elle s'était presque attendue à le voir revenir sur le devant de la scène politique croate ou internationale. De temps en temps, elle tapait son nom dans Google pour voir s'il apparaissait. En vain. Peut-être que ces années passées avec elle à Oxford lui avaient enseigné qu'il pouvait mener une vie tranquille : lire et penser, cultiver leur jardin, faire de l'escalade avec des amis. Peut-être qu'il avait retrouvé ce genre d'existence mais qu'au lieu de la vivre avec elle, il avait voulu s'entourer de sa famille et des gens auprès de qui il avait grandi.

Parfois, l'attrait du pays natal était irrésistible. Elle, elle ne l'avait jamais ressenti. Elle avait vécu trop longtemps loin de l'Écosse pour avoir envie d'y retourner. Mais elle l'avait vu chez d'autres. Cette année-là, celle du référendum, était aussi pour beaucoup l'année du retour au bercail ; elle connaissait plusieurs universitaires qui avaient fichu le camp pour retourner au nord de la frontière, incapables de supporter l'idée que leur pays puisse choisir sa destinée sans eux.

Ce qu'elle n'arrivait pas à croire, c'est qu'il ait cessé de l'aimer. Ne pouvant admettre qu'il l'ait fuie, elle restait persuadée qu'il était parti pour retrouver quelque chose qui lui manquait. Et ce soir, comme cela se produisait souvent quand elle marchait le long de l'eau, elle aurait aimé qu'il soit à ses côtés. À Dubrovnik, ils s'étaient souvent promenés au bord de la mer, le rythme de leurs pas accordé à celui des vagues. Plus tard, au Kosovo, ils avaient toujours essayé de trouver un fleuve ou un lac près duquel se promener afin d'échapper à la peur et aux combats. Et à Oxford bien sûr, il y avait eu la Cherwell et l'Isis. Il aurait aimé cette promenade sur les rives du fleuve à Glasgow, songea-t-elle en s'approchant de l'arche du pont de Jamaica Street.

Un lampadaire n'aurait pas été du luxe, se dit-elle alors que l'obscurité l'enveloppait. La pollution lumineuse de la ville produisait une lueur suffisante pour se déplacer, mais quelqu'un de moins habitué qu'elle à marcher en ville le soir aurait pu être facilement déstabilisé.

Comme pour renforcer cette pensée, la silhouette d'un homme apparut soudain à l'autre extrémité de l'arche, faisant écran à la lumière et s'avançant vers elle. Nullement inquiète, Maggie se décala légèrement sur un côté pour lui laisser la place de passer.

Mais l'autre imita son mouvement. Quelques instants plus tard, ils se retrouvèrent quasiment nez à nez. Elle essaya de le contourner mais il écarta les bras pour lui barrer le passage.

À présent, elle sentait l'inquiétude s'emparer d'elle.

— Excusez-moi, dit-elle d'un ton ferme.

— Tiens, tiens, tiens, le professeur Blake. Comment allez-vous, professeur ?

Il avait l'accent du coin mais il semblait exagéré : rugueux et menaçant.

— Qui êtes-vous ? Qu'est-ce que vous voulez ?

Maggie avait déjà connu le danger mais c'était encore plus déstabilisant de le rencontrer à des centaines de kilomètres d'une zone de guerre, dans un centre-ville où le taux de criminalité n'avait jamais été aussi bas.

— Juste quelques petites informations et tout se passera bien.

— Vous êtes sûr que vous parlez à la bonne personne ? Je ne suis qu'un professeur de géographie.

Il se rapprocha. Elle respira sa sueur rance et son haleine chargée d'ail.

— C'est bien vous qu'on cherche. Où est Dimitar Petrović ?

Son cœur fit un bond dans sa poitrine.

— Je ne sais pas de quoi vous parlez répondit-elle sans parvenir à dissimuler sa panique.

Elle fit un pas en arrière, puis un deuxième. Un troisième et elle serait suffisamment loin pour se retourner et s'enfuir en courant. Son assaillant n'avait pas l'air d'être très rapide.

Elle leva le pied pour reculer et vacilla en sentant une main se poser au bas de son dos.

— Pas si vite, grogna une voix derrière elle. Réponds à la question.

Maggie fit volte-face. L'homme derrière elle était plus petit, mais il avait lui aussi les bras écartés pour lui bloquer la route.

— Laissez-moi passer, dit-elle, sentant la peur céder peu à peu la place à la colère.

— Pas tant que tu n'auras pas répondu à la question, reprit le gros derrière elle, tout proche et menaçant.

— Je vous le répète, je ne sais pas de quoi vous parlez. Maintenant laissez-moi passer ou je vous jure que je me mets à crier.

— Tu peux crier autant que tu veux. On est à Glasgow. Tout le monde s'en fout.

Sa main était posée sur son épaule maintenant, pesante.

À ce moment-là, le salut arriva. Un bruit de chaussures de course, un souffle haletant et, une seconde plus tard, un troisième homme s'arrêta à leur hauteur.

— Tout va bien ? Ces types vous embêtent ?

— Merde, lâcha le gros en tournant les talons et en repartant lourdement dans la direction opposée.

L'autre bouscula Maggie, la faisant vaciller, et se hâta de rejoindre son comparse.

Une fois seule avec le coureur, Maggie sentit ses jambes flageoler. La voix de l'homme la ramena au moment présent.

— Vous allez bien ? Est-ce qu'ils vous ont fait du mal ?

L'inquiétude sincère dans sa voix la toucha.

— Non. Ils m'ont juste fait peur, c'est tout.

— Où est-ce que vous allez ? Je vous raccompagne.

Il courait en faisant du surplace à présent, comme si lui aussi souffrait des conséquences de cet événement bref mais traumatisant.

— Je loge dans un hôtel le long de Broomielaw, près du centre d'exposition. Merci de la proposition, mais je crois que je vais prendre un taxi. Au cas où ces deux types seraient toujours dans le coin.

— OK, mais laissez-moi vous accompagner jusqu'à la station. Vous pourrez prendre un taxi là-bas.

— Ça ira, dit-elle en y croyant presque.

Elle s'était trouvée au milieu de tirs d'obus et de fusillades. Elle avait vu les conséquences de massacres et de viols collectifs. Elle était sûrement capable d'encaisser les menaces de deux quinquagénaires en costume sous un pont de Glasgow, non ?

— Je n'en suis pas sûr, répliqua le coureur. Écoutez, ma mère m'a bien élevé et je préfère vous accompagner jusqu'à ce que vous soyez en sécurité à bord d'un taxi.

Elle ne pouvait pas refuser. Une fois assise à l'arrière du taxi, son regard se perdit dans la nuit au-dehors. Qu'est-ce qui se passait ? D'abord Tessa, puis ces deux brutes. Pourquoi Mitja intéressait-il subitement tout le monde ? Et pourquoi croyaient-ils tous qu'elle savait où il était ?

Quand j'ai demandé à Varya comment m'habiller pour aller chez Proto, elle a eu l'air aussi surprise que Fabijan.

— Proto? a-t-elle demandé en éclatant de rire. Là-bas, il n'y a que des gros poissons, et pas seulement dans l'assiette. Je crois que je ne connais personne qui y ait déjà dîné.

J'allais donc devoir me mettre sur mon trente et un. Le seul problème, c'est que je n'avais aucune tenue très habillée. Après un rapide tour d'horizon de ma garde-robe limitée, j'ai trouvé une robe sans manches en jersey noir avec un col rond. Elle me boudinait un peu à Oxford mais j'avais perdu quelques kilos depuis mon arrivée à Dubrovnik, parce que mon organisme avait dû s'adapter à mon nouveau régime alimentaire. Ça pouvait faire l'affaire si je trouvais une jolie étole ou un foulard à me mettre sur les épaules et à nouer sur la poitrine.

Le lendemain matin, j'ai fait un crochet par le marché de Gundulićeva Poljana, à quelques rues seulement des locaux bondés où j'enseignais. Comme d'habitude, la vieille ville était très animée; la moitié des habitants se pressaient dans le marché pour faire le plein de produits frais, de miel et de vin. Je savais que quelques étals vendaient des serviettes brodées et des foulards; j'y trouverais sûrement quelque chose de joli et pas cher, soit l'opposé de ce qu'était Proto, manifestement.

J'ai été surprise de constater à quel point les étals étaient vides, mais j'ai supposé que les gens venaient faire leur marché tôt le matin et que les premiers arrivés emportaient les meilleurs produits. J'ai réussi à trouver une fine étole en coton violet agrémentée de glands et d'un motif de volutes dorées qui paraissait plus chère qu'elle ne l'était en réalité.

Pour pouvoir me souvenir des cours que j'avais donnés ce jour-là, il faudrait poser la question à l'un de mes étudiants. J'avais l'impression d'être une adolescente, estomac creux et tête légère. Je savais que c'était ridicule de ressentir cela pour un homme – un soldat, qui plus est! – que je venais tout juste de rencontrer. Toutefois, je ne parvenais pas à revenir à la raison.

De l'extérieur, Proto n'était guère différent des autres restaurants de la vieille ville. Une bâtisse de pierre à l'angle d'une rue avec des tables contre le mur, des couples élégants attablés devant des verres de vin de Dalmatie bien frais couverts de condensation. Quand je suis entrée et ai annoncé que j'étais avec le colonel Petrović, le maître d'hôtel s'est incliné devant moi et m'a conduite jusqu'à un escalier de marbre menant à une terrasse extérieure plantée de verdure. C'était une chaude soirée de septembre, le soleil commençait à décliner; le colonel se tenait debout à une extrémité de la terrasse vêtu d'une belle chemise blanche et d'un pantalon noir serré orné d'une bande rouge le long de la couture.

Je crois bien avoir poussé un petit hoquet de surprise.

Il est venu à ma rencontre, a pris mes mains dans les siennes et les a embrassées. Puis, glissant sa main au bas de mon dos, il m'a guidée vers notre table.

— Merci d'être venue, docteur, a-t-il dit tandis que le serveur posait les menus devant nous.

— Merci de m'avoir invitée, colonel.

Il a secoué la tête.

— Je vous en prie. Mes amis m'appellent Mitja, m'a-t-il dit en m'adressant ce sourire ravageur. J'espère que nous allons apprendre à mieux nous connaître.

— Moi aussi, Mitja. Mes amis m'appellent Maggie, d'ailleurs.

J'ai souri à mon tour.

C'est comme ça que ça a commencé. Tout en dégustant une soupe de fruits de mer à base de tomates et de moules, des calamars grillés et de la rožata, nous avons parlé des heures durant. De la loyauté à Foucault, des lignes de fracture du paysage à celles de la politique des Balkans, nous avons abordé le genre de sujets dont on parle avec les gens qu'on connaît bien. Nous avons aussi beaucoup ri, comme si l'humour avait sa place malgré les circonstances. Pendant toute la soirée, j'ai observé son visage pour en apprendre la forme et les contours. Nous avons tous les deux été surpris quand les serveurs se sont mis à ranger les tables autour de nous d'une façon significative, indiquant qu'il était temps de partir. Je me sentais étourdie et enthousiasmée par notre conversation. Je n'avais pas envie que le repas prenne fin.

Nous sommes sortis dans la rue faiblement éclairée et déserte en nous dirigeant vers la porte Pile.

— J'ai une voiture, m'a-t-il précisé alors que nous approchions de la station de taxis.

— Je n'habite pas très loin, je vais marcher. J'aime bien l'air de la nuit.

— Dans ce cas, je vous accompagne, a-t-il insisté. Attendez un moment.

Il a traversé la rue d'un bon pas en direction d'une grosse Mercedes. La vitre du chauffeur s'est abaissée,

Mitja a échangé quelques mots puis est revenu vers moi.

— Mon chauffeur n'aime pas que je lui fausse compagnie, a-t-il dit en se mettant en route tout en prenant garde à laisser une certaine distance entre nous. Il est convaincu qu'un Serbe fou va essayer de me tuer. Il me croit bien plus important que je ne le suis.

Voilà que nous arrivions au sujet que nous avions évité pendant toute la soirée.

— Est-ce qu'il va y avoir une guerre totale? lui ai-je demandé.

Il a plongé les mains dans les poches de son pantalon.

— C'est dur d'imaginer qu'on pourra l'éviter. Vukovar est assiégée. Ils se font bombarder tous les jours par l'Armée populaire yougoslave. Les gens meurent dans les rues et on ne peut rien faire. Les Serbes veulent anéantir la ville et prendre le contrôle du territoire. Je sais que c'est à l'autre bout du pays, mais c'est stupide de penser que ça ne s'étendra pas. Milošević rêve d'une grande Serbie qui nous absorbera tous et nous transformera en esclaves.

— Alors est-ce que vous ne devriez pas protéger le pays au lieu d'emmener des géographes dans de bons restaurants?

Je ne le taquinais pas. Je me demandais vraiment ce qu'il allait répondre à cela.

Il a esquissé quelques pas de danse puis s'est tourné face à moi tout en reculant pour que la distance entre nous reste la même.

— Vous pensez que je suis en train de m'amuser comme l'empereur Néron pendant que Rome brûle? Maggie, toute la journée j'essaie de «protéger le pays ». Nous répétons les mêmes scénarios sans arrêt. Les mêmes plans, les mêmes dispositions, m'a-t-il répondu avec une passion évidente dans la voix. Nous espérons un miracle pour mettre la main sur plus de troupes, plus d'armes, plus de matériel militaire. Chaque jour, nous analysons la situation, et nous savons que nous sommes probablement foutus. Néanmoins, nous nous préparons. Nous nous tenons prêts. À présent, nous n'avons plus qu'à attendre.

— Vous ne pouvez rien faire ? Vous ne pouvez pas les attaquer ?

J'imaginais que c'était une question stupide, mais je ne savais pas quoi demander d'autre.

— Ils sont bien supérieurs à nous en nombre, en force. En réserve. Notre seule option, c'est de rester supérieurs moralement. Se ranger du côté des gentils. De cette façon, quand le temps sera venu d'appeler à l'aide, votre gouvernement, par exemple, dira : « Ces Croates méritent qu'on les aide. »

Il a joint les mains en prière.

— En attendant, j'essaie de me convaincre que nous avons un avenir et qu'il faut le préparer. Alors j'essaie de trouver des personnes qui m'aideront à mettre ça en place, a-t-il ajouté en faisant une petite révérence avant de se remettre à marcher à mes côtés. Bien entendu, si elles sont séduisantes en plus d'être intelligentes, ça ne gâche rien.

— Cliché, ai-je répondu. Je m'attendais à mieux.

— Ah, je ne suis qu'un simple soldat, a-t-il renchéri en exagérant son accent.

— Je ne crois pas.

J'essayais d'avoir l'air cynique et détachée, mais j'avais l'estomac tout retourné. J'avais envie qu'il tende la main pour me toucher, qu'il me prenne dans ses bras pour que nous puissions délaisser les considérations intellectuelles et laisser nos corps se découvrir.

Il resta silencieux, de nouveau mains dans les poches. Nous traversions la ville silencieuse où on n'entendait que les aboiements de quelques chiens attachés et, de temps en temps, le son d'une télé s'échappant d'une fenêtre.

— J'ai peur de ce qui va arriver à mon pays, a-t-il fini par me dire sur un ton grave. Nous ne sommes qu'un tout petit maillon de la chaîne politique. Ce qu'on croyait connaître a disparu. Nous ne savons pas ce que l'avenir nous réserve. Tout ce que je sais, c'est que ça ne va pas être joli.

Ce n'était pas le moment de badiner. J'ai passé mon bras autour du sien. Nous avons poursuivi notre chemin en silence pendant quelques minutes jusqu'au seuil de la maison de Varya.

— Je suis arrivée.

Je n'avais pas envie de lui dire au revoir, mais je n'avais guère le choix. J'ai retiré mon bras pour lui faire face. L'espace d'un instant, j'ai cru qu'il allait m'embrasser.

Mais non. Il s'est contenté d'incliner la tête vers moi et de dire :

— Merci pour cette belle soirée. J'ai apprécié notre conversation.

— Moi aussi. Et cet excellent repas.

Il recula d'un pas.

— La vie était censée devenir plus facile après la chute du communisme, a-t-il commenté. Mais rien n'est facile.

Son visage était dans l'ombre ; je ne savais pas ce que ses yeux cherchaient à exprimer.

— On peut peut-être se revoir?

— Oui, ce serait dommage de ne pas se revoir. Mais maintenant, je dois aller «protéger le pays», comme vous dites. Bonne nuit, Maggie.

Il s'est retourné et a remonté la rue rapidement avant de bifurquer à un angle. Je me suis adossée à la façade abîmée de la maison de Varya, les jambes tout à coup flageolantes. Pour la première fois depuis mon arrivée à Dubrovnik, je me suis demandé s'il était bien sage de rester là.

16

En arrivant à Oxford par le nord, on pouvait parvenir à St Scholastica's College sans même avoir aperçu les flèches des bâtisses. Karen était persuadée d'avoir vu des parties de la ville dans des rediffusions d'*Inspecteur Morse*, mais en réalité elle aurait pu se trouver n'importe où au-delà de la chaîne des Pennines. Il y avait quelque chose de très anglais et, aux yeux de Karen, de complètement étranger dans ces maisons semi-mitoyennes de l'entre-deux-guerres et cette brique rouge victorienne.

Elle fut étonnée de voir à quoi ressemblait la faculté. Pas de cour carrée en pierres des Cotswolds ornée de pelouses parfaites et d'escaliers polis par des générations de chaussures d'étudiants. L'école John Drummond possédait davantage de pinacles gothiques que ces bâtiments. Même l'entrée était banale : un portail en fer forgé fermé, et une loge de concierge en brique jaune sale qui ressemblait davantage à une guérite de sentinelle qu'au sésame ouvrant les portes du savoir. Même la faculté Adam Smith de Kirkcaldy était plus engageante que cela.

— On dirait que c'est fermé, annonça La Menthe.

— Ce genre d'endroits ne ferme jamais, ils se contentent de tenir à distance les gens comme nous.

Il consulta l'heure sur son téléphone.

— Elle est peut-être rentrée chez elle à cette heure-ci, non ?

— Elle vit ici. Fais demi-tour, on va se garer dans la rue. Je ne veux pas qu'on attire l'attention.

— Elle vit ici ? Comme une étudiante ?

— En quelque sorte. Sauf que les profs ont un petit appartement, une sorte de garçonnière.

— Une garçonnière ? Mais je croyais que cette faculté était réservée aux femmes ?

— J'imagine qu'ils appelaient ça comme ça à l'époque où tous les professeurs d'université étaient des hommes, répondit Karen en haussant les épaules. C'est-à-dire jusqu'à une époque relativement récente.

— D'accord, je vois. Mais pourquoi est-ce qu'ils continuent à utiliser ce terme ?

— Je n'en sais rien. Je sais simplement qu'ils l'utilisent.

— Comment vous le savez ?

Karen poussa un soupir. C'était un combat perpétuel de l'éduquer.

— Je le sais parce que je lis des livres, Jason. Parce que je regarde autre chose à la télé que des jeux faisant intervenir des célébrités.

Ils trouvèrent une place de parking à quelques rues de là et revinrent à pied vers la loge du concierge. Un homme noir d'âge moyen était assis à la réception, vêtu d'une chemise blanche impeccable et d'une cravate bleu foncé parfaitement nouée. Il se leva en souriant.

— Bonsoir. Que puis-je faire pour vous ?

Karen lui rendit son sourire.

— Je cherche le professeur Blake.

Le concierge secoua la tête d'un air désolé.

— Je suis navré mais elle n'est pas là ce soir.

— Savez-vous quand elle va rentrer ?

— Voudriez-vous lui laisser un message ? Vous pouvez le déposer dans son casier.

Il indiqua une série de compartiments en bois situés derrière Karen, contre le mur. Les deux étages supérieurs portaient des noms délicatement peints. Les autres casiers étaient plus grands et ne portaient que des lettres par ordre alphabétique.

— Elle l'aura dès son retour.

— Est-ce qu'elle sera rentrée ce soir ? insista Karen.

Le sourire du concierge avait cédé la place à une moue bornée.

— Je n'en sais rien.

Tant pis pour la discrétion, se dit-elle en sortant sa carte de police.

— Je suis le commandant Pirie, de la police écossaise, annonça-t-elle sur un ton toujours aimable mais ferme. Je viens de loin pour voir le professeur Blake. J'apprécierais que vous m'indiquiez quand elle sera de retour.

Le concierge eut l'air déconcerté.

— Vous arrivez d'Écosse ?

— Exactement.

— C'est loin, répéta La Menthe afin de dissiper un éventuel doute.

— Tout va bien ? Est-ce qu'il est arrivé quelque chose à ses parents ?

— Je ne peux discuter de l'affaire avec personne hormis le professeur Blake.

Le concierge laissa échapper un petit rire.

— J'imagine, mais c'est ironique que vous soyez venus d'Écosse pour lui parler. Parce que le professeur Blake est partie à Glasgow.

— À Glasgow ? Vous plaisantez ?

— Elle est partie ce matin. Elle m'a dit qu'elle donnait un séminaire à l'université.

Karen poussa un grognement.

— Je n'y crois pas. Est-ce que vous savez quand elle doit rentrer ?

Il hocha la tête.

— Il se trouve que oui. Elle m'a dit que le séjour serait rapide, vu qu'on est en plein semestre. Elle rentre demain soir.

Après l'avoir remercié, Karen sortit dans la nuit lourde d'humidité, Jason sur ses talons.

— Est-ce qu'on va aller à Glasgow, chef ?

— Inutile, répondit lentement Karen en pensant tout haut. Il est trop tard ce soir pour retourner dans le Nord. En plus, on ne sait pas où elle loge. Le temps qu'on la trouve, elle sera peut-être sur la route du retour…

Elle s'interrompit et sortit son carnet.

— Par ailleurs, on a une autre adresse à vérifier, tu te souviens ?

— Le logement qu'ils habitaient quand ils ont ouvert le compte.

Jason avait l'air fier de lui.

— Exactement. Allons voir si on trouve quelque chose de ce côté-là.

L'adresse qu'avaient donnée Dimitar Petrović et Margaret Blake était une petite villa victorienne située dans une rue entre Woodstock Road et Banbury Road, à un peu plus d'un kilomètre de St Scholastica's College. Les deux policiers l'observèrent depuis leur siège de voiture.

— D'après le document, c'est au 21A, dit Karen. Je ne vois pas de 21A, juste le 21.

— On dirait qu'il y a un sous-sol, chef. On aperçoit le haut des fenêtres d'ici. Vous voulez que je jette un œil dans l'allée ?

— Pour qu'un citoyen respectable appelle la police locale et signale un rôdeur ? Est-ce que tu as vraiment envie de t'expliquer devant un flic en quête d'une arrestation facile pour gonfler ses statistiques ? Non, nous allons frapper à la porte. Vu la chance qu'on a depuis le début de cette enquête, on va tomber sur un locataire qui a emménagé il y a six mois, ajouta-t-elle sur un ton las en sortant de la voiture.

La baie vitrée qui donnait sur la rue révélait un mur de livres, un canapé recouvert de chintz et d'épais rideaux retenus par de généreuses embrasses. Il faisait trop sombre pour en voir davantage, mais le carreau de verre fumé de la porte d'entrée laissait filtrer une lueur distante. Il y avait quelqu'un à l'intérieur. Ou bien c'était un moyen de dissuader les cambrioleurs. Karen appuya sur la sonnette ; ils l'entendirent résonner dans l'entrée. De longues secondes s'écoulèrent, puis l'intensité de la lumière changea, comme si on avait ouvert une porte. Une lampe s'alluma. Quelques instants plus tard, une ombre prit forme. Ils entendirent un petit bruit sec et la porte s'entrouvrit, retenue par une chaîne. La moitié d'un visage encadré de cheveux blancs coupés court apparut, lunettes sur le nez, ainsi qu'un œil.

— Je ne veux pas changer de fournisseur de gaz et je n'ai pas besoin de Jésus dans ma vie, annonça une voix ferme et précise.

— Moi non plus, rétorqua Karen en montrant sa carte. Commandant Karen Pirie, police écossaise. Je cherche le 21A. Est-ce que vous pouvez m'aider ?

L'interlocutrice haussa le seul sourcil visible.

— Ça n'existe pas. Par ailleurs, nous ne sommes pas en Écosse.

— On le sait bien, marmonna Jason derrière Karen.

— Mais le 21A a existé, reprit cette dernière.

— Si on veut...

Karen détestait déjà Oxford.

— Qu'est-ce que ça veut dire, exactement ?

— Ça a existé effectivement, mais pas dans la réalité.

— Je suis désolée, je ne suis que policière. Vous allez devoir m'expliquer ça avec des mots simples. Est-ce qu'on pourrait entrer ?

L'œil l'examina attentivement.

— Et si vous me disiez de quoi il s'agit ?

— Je cherche des informations à propos de quelqu'un qui a vécu au 21A.

C'était exactement le genre de conversations idiotes qui avaient poussé Karen à arrêter de regarder *Inspecteur Morse* quelques années plus tôt.

— C'est-à-dire le professeur Blake ou le général Petrović.

— Est-ce que cela signifie que ce sont les seuls à avoir jamais vécu ici ?

Une moitié de sourire creusa quelques rides dans la joue apparente.

— Bonne réponse, commandant.

La porte se ferma et un bruit de chaîne se fit entendre.

— Elle nous laisse entrer ? demanda Jason.

La porte s'ouvrit à nouveau.

— Oui, répondit la vieille dame. Fermez derrière vous.

Elle avait ce ton impérieux des gens habitués à donner des ordres et à ce qu'on leur obéisse. Elle s'engagea dans le couloir en s'appuyant sur sa canne. Karen et Jason échangèrent un regard puis la suivirent jusqu'au salon qu'ils avaient aperçu de l'extérieur. Elle appuya sur un interrupteur qui alluma trois lampes sur pied baignant la pièce d'une lumière douce. Maintenant qu'ils la voyaient mieux, Karen estima qu'elle devait avoir au moins quatre-vingts ans. Elle pouvait discerner les marques laissées par le chagrin et de l'entêtement sur son visage. La femme s'installa dans un haut fauteuil à côté d'une cheminée simple et élégante et agita sa canne en direction du canapé.

— Asseyez-vous.

— Comment vous appelez-vous, madame ? demanda Karen en donnant un petit coup de coude à Jason qui regardait autour de lui comme s'il n'avait jamais vu de bibliothèque. Votre carnet, inspecteur.

— Je suis le docteur Dorothea Simpson. Je ne suis pas docteur en médecine, mais en philosophie. Bien que je sois davantage historienne que philosophe. Jusqu'à ma retraite j'étais, comme Maggie Blake, professeur à St Scholastica's College.

— C'est comme ça que vous avez rencontré le professeur Blake ?

Le Dr Simpson inclina la tête.

— Oui. Pourriez-vous m'expliquer en quoi mes anciens locataires vous intéressent ?

— Nous essayons de retrouver la trace de Dimitar Petrović, répondit Karen.

La femme émit un petit rire cynique.

— Des femmes plus courageuses que vous ont échoué dans cette quête, commandant. À ma connaissance, personne n'a aperçu le général depuis qu'il a quitté Maggie… laissez-moi réfléchir, ça doit faire au moins sept ans. Ou peut-être huit ? Pour être honnête, j'ai été très étonnée de son départ. Mitja et Maggie semblaient tellement faits l'un pour l'autre, à la fois sur le plan intellectuel et amoureux.

— Comment avez-vous rencontré le général ?

— Maggie l'a ramené comme trophée de guerre, expliqua le Dr Simpson.

173

Son sourire était aimable, mais elle lança à Karen un regard espiègle. Elle s'interrompit, inclina la tête d'un côté et attendit que Karen réagisse.

— Je ne suis pas sûre de vous suivre, enchaîna cette dernière.

— Maggie est spécialiste des Balkans. Elle y a passé beaucoup de temps pendant les différents conflits des années quatre-vingt-dix.

— Et c'est là-bas qu'ils se sont rencontrés ?

Son interlocutrice hocha la tête.

— À quelle armée appartenait-il ?

Karen ne connaissait quasiment rien aux guerres des Balkans, mais suffisamment pour savoir que certaines factions étaient clairement considérées comme pires que d'autres.

Cette fois-ci, la vieille femme hocha la tête en esquissant un sourire approbateur. Karen se sentait comme une étudiante participant à un cours particulièrement exigeant ; elle espérait que Jason allait continuer de se taire.

— Il a commencé dans l'armée croate. Du côté des bons, pourrait-on dire. Mais ensuite, il est devenu conseiller spécial de l'OTAN. Il était spécialiste du renseignement, je crois.

— Dans quelles circonstances a-t-il rencontré le professeur Blake ? Quand elle faisait des recherches sur la guerre ?

— Elle enseignait les rudiments de la géopolitique féministe à l'Inter-University Center de Dubrovnik quand la guerre a débuté. Ils se sont rencontrés là-bas, à Dubrovnik, et quand la guerre au Kosovo s'est enfin terminée quelques années plus tard, il est venu la retrouver à Oxford. Mais la faculté était encore réservée aux femmes à l'époque. Ils avaient besoin d'un logement et ils n'avaient pas beaucoup d'argent. J'étais sur le point de prendre ma retraite et j'adorais voyager jusqu'à ce que cette fichue hanche me handicape.

Elle tapa sa jambe avec sa canne sans broncher. Puissants antidouleurs, en déduisit Karen.

— Nous pouvions donc nous dépanner mutuellement. Mitja est très bricoleur et il a transformé mon sous-sol en studio. En échange, ils gardaient la maison pendant mon absence.

— Combien de temps ont-ils vécu ici, dans votre sous-sol ?

Le Dr Simpson examina un coin du plafond tout en réfléchissant.

— Entre six et sept ans. Ils ne voyageaient pas beaucoup. Je pensais qu'ils retourneraient périodiquement dans les Balkans une fois la situation stabilisée, mais même Maggie n'y est pas beaucoup retournée ces derniers temps. Elle a une équipe de chercheurs qui travaille sur le terrain bien sûr. Elle propose de brillants projets de recherche qui rapportent beaucoup d'argent aux universités, puis elle écrit des livres tout aussi brillants qui sont très bons pour sa réputation. Et ce, sans quitter le confort de ses appartements à la faculté.

Karen crut détecter une pointe d'amertume ; peut-être le Dr Simpson pensait-elle qu'elle aurait mérité d'avoir la carrière de Maggie.

— Et le départ du général ? Qu'est-ce qui l'a provoqué ?

— Je n'en ai aucune idée. Personne ne le sait, je crois. Maggie est revenue d'une conférence de trois jours à Genève et il était parti. Pas de message, pas d'explication. Au départ elle a cru qu'il était allé faire de l'escalade. Mais son équipement était toujours là, dans le placard du bas. Au complet, d'après ce qu'elle pouvait en juger.

— Elle n'a pas signalé sa disparition ?

Tel un chaton apercevant un morceau de fil, Jason avait identifié un élément sur lequel rebondir. Karen, qui n'avait pas envie d'amener la conversation sur ce terrain, fulmina intérieurement.

— Je ne sais pas comment vous gérez ce genre de choses au nord de la frontière, mais ici, la police considère qu'un homme adulte et en bonne santé qui décide de partir est entièrement dans son droit. Ils n'y ont pas prêté la moindre attention.

— Il est vrai que ce n'est pas une priorité pour nous, à moins qu'on ait une bonne raison de suspecter quelque chose. J'imagine que ce n'était pas le cas ? demanda Karen qui avait décidé de poursuivre dans cette voie pour le moment.

— Exactement. C'était surprenant mais pas suspicieux. Maggie a toujours cru qu'il était rentré en Croatie, où il avait peut-être une famille. Je n'ai jamais vraiment réussi à m'en convaincre, mais aucune autre explication ne s'est présentée. Et voilà que vous arrivez avec vos questions sur Mitja après tout ce temps. Ce qui me pousse à penser qu'une autre hypothèse a fini par émerger. Est-ce que je me trompe ?

— Je ne peux révéler aucun détail de l'enquête à ce stade.

Karen savait que ce n'était pas une réponse satisfaisante. Elle venait de troquer sa mention « Très Bien » contre un « Passable ».

— Avez-vous l'intention de parler à Maggie ?

— Dès que possible. Elle est en déplacement pour le moment. J'apprécie vraiment votre aide. Mais je me demandais si on pouvait revenir un peu en arrière ? Vous avez mentionné l'escalade. Est-ce que le général Petrović pratiquait ce sport ?

Le Dr Simpson sourit.

— C'était une passion plutôt qu'un hobby. Ses amis et lui passaient beaucoup de temps dans les Highlands, en Écosse. Un endroit qui s'appelle Bagging Munros, je crois.

— Pour nous, Écossais, il s'agit plutôt d'une randonnée dans les collines que d'escalade. Est-ce qu'il s'attaquait également à des parois plus difficiles ?

— Oh oui. Il y a un placard en bas qui contient encore tout son équipement.

Karen nota mentalement cette information pour plus tard. Si Maggie Blake n'avait rien qui puisse permettre de déterminer l'ADN de Petrović, ils trouveraient peut-être leur bonheur dans le sous-sol du Dr Simpson.

— Est-ce qu'il escaladait aussi des bâtiments ? Avait-il mentionné ce genre de pratique ? J'imagine qu'il doit y avoir l'embarras du choix à Oxford.

Le Dr Simpson pinça les lèvres.

— C'est interdit par la loi, commandant.

Karen haussa les épaules.

— J'imagine que quelques arrangements avec la loi ne rebuteraient pas un homme qui a vécu les guerres des Balkans.

Mais les vannes s'étaient refermées. Même si Dorothea Simpson avait connaissance de quelconques transgressions de la part de Dimitar Petrović au sein de l'université, elle n'allait pas en parler.

— Je ne sais pas de quoi vous parlez, commandant, répondit-elle en se levant péniblement. À présent, j'ai besoin qu'on me laisse tranquille. Je suis une vieille dame et je me fatigue vite.

Elle lança un regard appuyé en direction de la porte. Karen comprit le message et fit signe à Jason de retourner dans le couloir. En sortant, elle remercia le Dr Simpson. Elle faillit lui demander de ne pas avertir Maggie Blake de leur visite. Mais ce serait inutile, se ravisa-t-elle. Les vieilles dames têtues comme le Dr Simpson n'obéissaient jamais aux jeunes femmes comme Karen.

En regagnant la voiture, Jason commenta :

— On dirait qu'on a dégotté un héros de guerre.

Karen haussa les sourcils.

— Il est peut-être général, Jason, mais ça ne fait pas de lui un héros.

17

Alan Macanespie regarda par la fenêtre le paysage verdoyant désolé où serpentait le train. Il ne l'aurait jamais admis, mais bien qu'il fût en route pour un rendez-vous avec Wilson Cagney, tout ce qu'il ressentait, c'était du soulagement.

Il n'était pas par nature un homme d'action. Son talent consistait à analyser les rapports qui lui parvenaient et à construire des ponts entre les différents services qui faisaient tourner la machine, pas à terroriser des femmes d'âge mûr. Il avait détesté faire ça et détestait encore plus cette anxiété qu'il ressentait en sachant que les conséquences pour lui, pour son poste et sa retraite seraient aussi terribles qu'imprévisibles. Il n'aurait jamais dû se laisser convaincre par l'idée stupide de Proctor comme s'ils formaient un couple d'agents secrets. À présent, Proctor lui-même faisait comme si cette idée n'avait rien à voir avec lui.

Mais au moins, il n'était plus sur le terrain et il s'en réjouissait. Une heure plus tôt, il avait dû poireauter dans le hall d'un hôtel en faisant mine de consulter son téléphone, regrettant de ne pas avoir un physique plus passe-partout. Il faisait tellement sombre sous Jamaica Bridge qu'il était impossible que Maggie Blake ait pu identifier ses traits, il en était quasiment sûr. Qui plus est, il s'était muni d'un bonnet enfoncé jusqu'aux yeux afin de dissimuler ses cheveux roux facilement reconnaissables. Mais tout de même. Elle avait vu sa silhouette se découper contre les lumières de la ville et avait dû en être traumatisée. Et si son profil s'était gravé dans son esprit pour toujours ? Et si aujourd'hui, en sortant de l'ascenseur, elle s'engageait non pas vers la salle du petit déjeuner, mais vers la réception et le voyait tapi là comme un gros crapaud ? Elle n'avait peut-être pas appelé la police la veille au soir, mais elle le ferait sans aucun doute ce matin si elle apercevait l'un de ses agresseurs traîner dans le hall de son hôtel.

Il avait sorti son téléphone et envoyé un message à Proctor qui patientait à l'extérieur dans une voiture de location. Comme ils ignoraient si Maggie Blake allait se déplacer à pied, en taxi, au volant d'une voiture ou dans un véhicule avec chauffeur, ils avaient tenté d'assurer leurs arrières. Macanespie ne savait même pas pourquoi ils continuaient à suivre Maggie Blake. Proctor avait toutefois insisté pour qu'ils ne la quittent pas d'une semelle.

— Elle va peut-être aller le retrouver, avait-il suggéré.

— Impossible, avait grommelé Macanespie. Si elle sait où il se trouve, elle saura comment le contacter sans attirer l'attention.

— C'est une professeur de géographie de cinquante ans, pas une espionne.

— Et lui, il était général dans le renseignement. Tu ne penses pas qu'il lui a expliqué comment effacer ses traces ? Putain, Theo, t'es vraiment doué pour te mettre des œillères !

Néanmoins, Proctor avait fini par l'emporter. Macanespie avait donc poireauté dans le hall de l'hôtel dès l'aube juste au cas où Maggie Blake déciderait de partir aux aurores alors que son séminaire ne commençait qu'à dix heures et qu'il avait lieu à un kilomètre de là.

Et puis tout avait changé. Son téléphone avait sonné, le tirant de sa mission de surveillance. D'après l'écran, l'appel provenait de Wilson Cagney. Son cœur avait fait un bond. Macanespie était censé se trouver à Scheveningen, pas à Glasgow. Si Cagney était attentif – et il l'était toujours – il allait remarquer que la tonalité n'était pas celle d'un téléphone étranger.

Il décrocha immédiatement, comme si cela pouvait régler le problème.

— Oui, Wilson ? dit-il d'emblée.

— Prenez le prochain vol pour Londres, ordonna Cagney sans préambule. Proctor et vous. J'ai besoin de vous voir dans mon bureau au plus vite. Prévenez-moi dès que vous êtes arrivés.

Pas un mot de plus. La définition même du coup de fil péremptoire. Aucune marge de manœuvre. Néanmoins, Cagney était tellement obnubilé par l'idée qu'il avait en tête qu'il n'avait même pas pris garde à la tonalité. Ravi, Macanespie avait bondi sur ses pieds et s'était presque rué vers la porte de sortie de l'hôtel.

Proctor avait d'abord été surpris, puis chagriné.

— On aura plus vite fait de prendre le train, avait-il conclu en démarrant, longeant l'hôtel pour regagner l'agence de location de voitures.

Voilà pourquoi ils se dirigeaient à présent vers le sud, ignorant pour encore cinq bonnes heures ce qui les attendait.

Quand ils l'avertirent de leur arrivée à Londres, Cagney leur demanda de le retrouver dans un café de Covent Garden.

— Je suis à une conférence à King's College, expliqua-t-il. Je n'ai pas le temps de retourner au bureau.

Ils le trouvèrent au fond du café bruyant, dans un coin, dos au mur ; son regard intimidant tenait les autres clients à distance. Quand ils s'approchèrent avec leur café allongé, il termina son double expresso et les fusilla du regard.

— Je vous ai assigné une tâche. Alors pourquoi c'est moi qui me retrouve à vous transmettre des informations ?

— On a perdu sa trace il y a huit ans, répondit Macanespie. Le champ de recherches est immense.

Cagney se frotta l'œil du bout de l'index.

— Vous me fatiguez, tous les deux. Voici les dernières informations à ce sujet : à l'évidence, nous sommes à l'affût du moindre renseignement concernant le général Dimitar Petrović. Et hier, il y a eu du nouveau. Un policier écossais a entré son nom dans la base de données criminelle et dans le registre des immatriculations. Rien d'intéressant n'en est ressorti, bien sûr. Mais je vous demande d'aller à Édimbourg pour parler à ce policier, Jason Murray, et à sa chef, le commandant Karen Pirie. Elle est à la tête de l'unité des affaires historiques. Je veux savoir pourquoi elle s'intéresse à Petrović et si elle a des informations qui pourraient nous aider à le retrouver.

— On ne peut pas se contenter de l'appeler ? demanda Macanespie. On est censés être tous du même côté, non ?

Le regard méprisant que lui lança Cagney donna un goût amer à la gorgée de café que Macanespie était en train d'avaler.

— Parce que nous ne sommes pas de gros fainéants. Et parce que c'est toujours plus efficace de parler aux gens face à face, vous devriez vous en être rendu compte maintenant. Je veux savoir pourquoi la police écossaise s'intéresse à Petrović et je veux connaître toute l'histoire, pas la version condensée en cinq secondes au téléphone par un commandant de police débordé. Ce n'est pas une coïncidence s'ils s'intéressent à lui pile en même temps que nous. Je veux savoir comment son nom est apparu dans leur enquête.

— Vous ne pourriez pas simplement leur poser la question ? Vous en avez l'autorité, après tout.

— Quand des gradés comme moi se mettent à poser des questions, ça éveille les soupçons. Alors que vous…

— À Édimbourg ? interrompit Proctor pour tenter de calmer l'agacement de leur supérieur.

— C'est là qu'est basée l'unité des affaires non classées. Ne téléphonez pas avant d'y aller. Conservez l'effet de surprise, ajouta Cagney en lissant sa cravate en soie argentée sur sa chemise blanche amidonnée. Essayez de réussir votre coup, messieurs.

Il se leva et contourna la table en prenant garde de ne rien frôler qui pourrait le tacher.

— J'attends de vos nouvelles très vite.

Macanespie le regarda se faufiler entre les clients dans son costume parfaitement coupé avant de disparaître.

— Quel petit con, commenta-t-il.

En même temps, il devait bien reconnaître que la condescendance de Cagney ne l'avait pas laissé indifférent ; il n'était pas encore prêt à s'avouer vaincu.

— Je n'arrive pas à croire qu'on doive retourner en Écosse. Il n'aurait pas pu nous le dire au téléphone ? À l'heure qu'il est, on serait déjà à Édimbourg, même si on était arrivés de Scheveningen et pas de Glasgow, maugréa Proctor.

— Il cherche à nous mettre la pression, répondit Macanespie en grimaçant à cause de l'acidité du café avant de se lever. Qu'il aille se faire foutre. Il va falloir qu'il se donne un peu plus de mal. Viens, Theo, retournons en Écosse et voyons si le commandant Pirie peut nous offrir un café digne de ce nom.

18

Alors que Jason hésitait encore entre un petit déjeuner anglais complet et du hareng fumé, Karen était déjà passée à la phase suivante de son enquête concernant ce squelette qui était très probablement celui de Dimitar Petrović.

Sa journée avait commencé un peu plus tôt par une conversation sur Skype avec Phil Parhatka. Chaque fois qu'elle travaillait avec River, elle pensait à l'homme de sa vie plus tendrement. Ils avaient fini par sortir ensemble en plein milieu d'une enquête assez médiatisée au cours de laquelle elle avait rencontré son amie. Karen avait une trentaine d'années à l'époque, elle s'était résignée à vivre seule, indépendante, imperturbable. Elle avait beaucoup d'amis ; tout le monde appréciait sa compagnie. Elle était sociable et fiable, mais au fond, c'était une vraie solitaire. En l'espace de quelques semaines cependant, sa vie avait été bouleversée. L'amour et l'amitié avaient détruit les barrières de protection qu'elle avait mis des années à construire ; à présent, elle le savait, elle était différente de cette jeune femme qui faisait passer son travail avant tout le reste parce qu'il n'y avait rien de plus important pour l'occuper.

Aujourd'hui il ne s'écoulait pas une journée sans qu'elle parle à Phil. Ni l'un ni l'autre ne s'y sentait obligé ; quand le travail les éloignait, ils discutaient parce qu'ils en avaient envie et qu'un jour passé sans s'adresser la parole semblait incomplet. Cela avait des avantages pratiques également. Même s'ils ne travaillaient plus dans la même unité, exercer la même activité leur permettait de s'échanger des conseils. Par ailleurs, la différence entre son travail à elle sur les affaires non classées et le sien à lui dans la brigade anti-criminalité ajoutait un degré de distance supplémentaire et bienvenu.

La première chose qu'elle avait donc faite en se réveillant, c'était de l'appeler. Il sirotait une tasse de thé à la table de la cuisine en avalant un sandwich au bacon et aux œufs.

— Je tourne le dos cinq minutes et hop, on laisse tomber les fruits, le taquina Karen.

— River les a tous dévorés, se défendit-il. Elle n'en mange pas cinq par jour mais dix.

— Ça ne t'ennuie pas qu'elle reste à la maison ?

— Pas du tout. On est allés manger un curry et boire quelques bières hier soir, du coup j'ai raté ton appel.

— Un soir de semaine ? Elle a une mauvaise influence sur toi.

— Non, c'est moi qui ai proposé. J'avais un petit truc à fêter. On a arrêté quelqu'un hier.

Karen esquissa un sourire. Elle adorait que l'équipe de Phil coince une de leurs cibles. Cela signifiait qu'une femme de plus pouvait dormir sur ses deux oreilles, au moins pour un moment.

— Raconte-moi.

— Tu te rappelles ce gros promoteur immobilier dont je t'ai parlé ? Celui qui est à l'origine du nouveau centre commercial juste derrière l'autoroute près de Rosyth ?

Elle s'en souvenait. Et elle aurait préféré l'oublier.

— Le type qui a violé sa femme devant l'un de ses investisseurs avant de lui proposer de l'imiter ? La victime a ensuite tout raconté à sa meilleure amie qui a contacté la police, c'est ça ?

Phil hocha la tête.

— Et on n'a pas réussi à convaincre la femme de déposer plainte parce qu'elle avait trop peur de sa réaction. On a commencé à le surveiller de près, sans succès. On a passé en revue les éléments habituels, règlement de la vignette automobile, assurance, redevance audiovisuelle… et ça n'a abouti à rien parce que tout ça est pris en charge très efficacement par son assistante. Par contre, on a entendu dire qu'il touchait des pots-de-vin. Mais on ne trouvait personne pour nous le confirmer et on n'arrivait pas à trouver de traces de transactions en liquide, comme c'est généralement le cas. Et puis Tommy a eu une idée lumineuse.

— Ah bon ? Je ne pensais même pas qu'il était capable d'avoir une idée tout court.

Phil fit une grimace.

— Tu penses que tous ceux qui soutiennent les Rangers sont stupides…

— Et donc… ?

— Et donc pour une fois, il a réussi à mettre à profit ses connaissances approfondies de la deuxième division de football pour élaborer une théorie intéressante.

Karen fit mine d'être ébahie.

— Je suis tout ouïe.

— Notre cible détient de grosses parts dans une équipe de foot de première division. La saison dernière, le nombre de spectateurs moyen d'un match à domicile dépassait à peine les mille cinq cents personnes. Mais cette saison, ils ont déclaré des ventes de billets atteignant presque les trois mille spectateurs à chaque fois. Et crois-moi, ce n'est pas grâce à la qualité des matchs. Sur les photos qu'on a pu examiner en ligne, on ne voit pas plus de supporteurs qu'avant dans les gradins.

— Je ne suis pas sûre de te suivre.

— Des clients fantômes, Karen. De nombreux spectateurs paient en liquide à l'entrée le jour J. Quinze livres par tête. Si tu ajoutes un millier de personnes virtuelles à tes recettes, tu blanchis quinze mille livres en un rien de temps. Tu légitimes de l'argent sale. Multiplie ça par vingt matchs à domicile et tu te retrouves avec trois cent mille livres en une seule saison.

Karen émit un petit sifflement.

— Impressionnant ! Pots-de-vin, corruption, fraude… C'est super, Phil. Mais comment est-ce que tu vas le prouver ?

— Tommy a réussi à monter une équipe samedi. Des policiers en uniforme attirés par une mission en civils. À chaque portique d'entrée, on a donc posté un gars muni d'un petit compteur pour comptabiliser chaque client payant à l'entrée. Il se peut que le résultat ne soit pas absolument exact, mais les gars de Tommy ont recensé mille quatre cent soixante-sept personnes. Le nombre de spectateurs officiel pour ce match est de trois mille quarante-trois.

Karen fut ravie de l'entendre.

— Je comprends que tu aies eu envie de fêter ça.

— Tu m'étonnes. C'est un sale type, un violent. Ça va nous faire très plaisir de le coincer. Et toi, comment ça va ?

Elle lui expliqua où elle en était dans son enquête.

— On doit donc poireauter ici toute la journée en attendant que Maggie Blake revienne de Glasgow. C'est très frustrant.

— Mais au moins tu as appris quelques petites choses sur Petrović.

— C'est vrai. J'ai fait des recherches Google sur lui hier soir et son nom apparaît dans deux longs articles traitant de la Bosnie et du Kosovo. Mais on n'apprend pas grand-chose. S'il s'agit vraiment de lui, je vais devoir trouver un interlocuteur qui connaît très bien les guerres des Balkans.

— En attendant, tu peux toujours essayer de découvrir qui était au sommet de la John Drummond avec lui.

Karen fronça les sourcils.

— Tu crois ?

— L'escalade, c'est un petit milieu. Tout le monde se connaît, j'imagine, non ? S'il avait des camarades à Oxford qui partageaient sa passion, il y a des chances qu'ils soient toujours dans le coin. Il existe peut-être un club ou quelque chose comme ça ?

— Par ici ? Je n'ai pas aperçu la moindre colline. Il n'y a rien à escalader.

— À part les bâtiments...

Son petit air suffisant était exaspérant.

— Ils n'ont certainement pas un club pour ça, vu que c'est illégal.

— C'est vrai, mais je suis sûr qu'ils ont un vrai club qui organise des sorties et des excursions. Je parie que certains d'entre eux sont fans de trucs extrêmes comme escalader des façades.

Karen fit la moue.

— Ça m'énerve quand tu as raison. Je vais plancher là-dessus dès que j'aurai pris une douche.

— Coquine... J'adore te parler sur Skype avant que tu sois propre et habillée.

Il lui sourit.

— Je porte un tee-shirt. En plus, on peut tout juste discerner une silhouette humaine par webcam, alors de là à voir si je suis coiffée et si j'ai les dents propres...

— Tu rentres à la maison ce soir ?

— J'espère. Ça va dépendre de l'heure à laquelle Maggie Blake va revenir.

— D'accord. Envoie-moi un texto quand tu en sauras plus. Tu me manques, Karen.

— Toi aussi. À plus tard, chéri.

Ils s'envoyèrent des baisers avant de raccrocher. Comme toujours, Karen se sentait de bien meilleure humeur après avoir parlé avec Phil. Surtout qu'elle avait maintenant une piste concrète à suivre.

Quinze minutes plus tard, elle scrutait son écran. Il existait un club d'escalade universitaire, mais elle estima que ce serait une perte de temps. Ceux qui étaient étudiants à l'époque où Petrović vivait à Oxford étaient partis depuis longtemps. Il y avait un mur d'escalade à Brookes University ; peut-être que le personnel connaissait bien le milieu. Elle imaginait qu'un mur d'escalade pouvait constituer un bon entraînement pour quiconque avait envie de s'attaquer à des bâtiments. Sa troisième option était un club local qui accueillait tout le monde, de l'amateur au grimpeur confirmé. C'est à cette porte qu'elle irait frapper en premier.

Quand elle arriva dans la salle de petit déjeuner, Jason était en train de dévorer une pile de viennoiseries.

— Bonjour, marmonna-t-il. Bien dormi ?

— J'étais en train de travailler, Jason, lui répondit-elle en essayant de ne pas s'énerver dès le matin vu qu'ils allaient passer le plus clair de la journée ensemble.

Elle se servit de la salade de fruits, prit un yaourt et un grand latte à la machine à café. Elle aurait préféré ce que Jason avait dans son assiette, mais elle commençait à prendre l'avantage dans le combat contre ses mauvaises habitudes alimentaires. Si elle devait craquer, elle préférait céder à quelque chose de meilleur que des Coco Pops et des viennoiseries industrielles.

— On va aller interroger quelqu'un qui s'y connaît en escalade, dit-elle en appréciant l'idée de manger quelque chose de sain davantage que le goût du fruit lui-même.

— Dans le coin ? Il n'y a rien à escalader. On n'a pas vu une seule colline depuis Sheffield, répliqua-t-il en répétant sans le savoir les paroles qu'elle avait prononcées plus tôt.

— Mais il y a des bâtiments. Et ces dingues doivent bien s'entraîner quelque part. J'ai déjà contacté le responsable du club d'escalade local et il m'a proposé de rencontrer deux de ses gars dans un quartier de l'est d'Oxford ce matin.

Elle ne pouvait pas s'empêcher de ressentir une pointe de satisfaction. Grâce aux bonnes idées de Phil et ses talents de communicatrice, la journée ne serait peut-être pas perdue, finalement.

Ils n'eurent aucun mal à identifier les deux hommes qu'ils devaient retrouver dans le café végétarien de Cowley Road. Le premier portait un cycliste en Lycra et un tee-shirt moulant vert fluo dans une matière qui semblait bien plus innovante que l'intégralité de la garde-robe de Karen. Il avait les cheveux courts et son visage osseux ne montrait pas la moindre trace de pilosité. L'autre portait ce genre de pantalons pourvu d'un zip au niveau des genoux afin de pouvoir profiter des trois jours d'été annuels qu'offrait l'Angleterre, ainsi qu'une chemise à carreaux légère munie de nombreuses fermetures Éclair et poches. Ses cheveux hirsutes étaient mal coupés et il avait une grosse barbe qui ne semblait pas avoir été taillée depuis des années. Ils avaient chacun un petit sac à dos à leurs pieds, avec une bouteille d'eau dans une poche latérale.

Karen avança vers la table devant la vitrine, Jason sur ses talons.

— John Thwaite et Robbie Smith ? demanda-t-elle en leur adressant le sourire d'usage.

Ils paraissaient avoir le même âge qu'elle. Suffisamment vieux pour avoir connu Dimitar Petrović à l'époque.

Le cycliste hocha la tête.

— Moi c'est John et lui, c'est Robbie. Vous êtes de la police, c'est ça ?

Il avait un accent du nord qui semblait tout droit sorti de la série *Coronation Street*.

Karen fit les présentations, commanda un chaï pour elle et un thé pour Jason qui eut l'air légèrement surpris.

— Merci d'avoir pris le temps de me parler, dit-elle.

— Aucun problème. On travaille le soir dans les labos de l'hôpital. J'ai juste écourté un peu ma balade à vélo. Pas de souci, répondit John.

Il affichait une affabilité que Karen connaissait bien. Pour certains, l'idée d'être impliqué dans une affaire aussi inédite qu'une enquête pour meurtre était plus excitante que n'importe quelle autre expérience. Même quand la victime était proche d'eux. Ça la mettait toujours un peu mal à l'aise.

Robbie semblait moins avenant et les observait, ses épais sourcils froncés.

— Je ne peux pas rester longtemps, annonça-t-il avec un accent du sud que Karen ne pouvait pas identifier plus précisément. J'ai un rendez-vous chez le dentiste à midi.

— Merci d'être venus. Si je comprends bien, vous avez été tous les deux des membres actifs du club d'escalade pendant une dizaine d'années, c'est ça ?

— J'ai rejoint le club il y a onze ans, répondit John. Et Robbie est arrivé peu après, pendant l'hiver. On est tous les deux des grimpeurs passionnés, alors on a fait pas mal de sorties ensemble. La chaîne de Torridon, les Cuillins, les pics d'Assynt, chez vous. Vous les connaissez, au moins ?

Quel connard prétentieux.

— Je préfère marcher, répondit Karen. La West Highland Way, la John Muir Way, la Cape Wrath Trail.

C'était un mensonge mais elle s'en fichait. Elle n'allait pas se laisser prendre de haut par un tocard qui se rasait probablement les jambes plus souvent et plus consciencieusement qu'elle.

— Il y a de super randos par là-bas, intervint Robbie. J'ai fait la Cape Wrath il y a quelques années. J'ai trouvé ça spectaculaire.

— Mais vous n'avez pas demandé à nous voir pour qu'on échange nos bonnes adresses de randonnées, reprit John. En quoi on peut vous être utiles, commandant ?

— Nous essayons de contacter un certain Dimitar Petrović. Je me demandais si vous le connaissiez, expliqua Karen aux deux hommes qui paraissaient sur leurs gardes. Il était général dans l'armée croate et est venu ici à la fin des guerres dans les Balkans. On m'a dit qu'il aimait beaucoup l'escalade. Un mètre quatre-vingt, cheveux noirs. Ses amis l'appelaient Mitja.

Le visage de Robbie s'éclaira.

— Ah, vous voulez dire Tito ! Elle parle de Tito, Johnno.

Il sourit et son visage se transforma. Il paraissait avoir dix ans de moins et être mille fois plus heureux.

— On ne s'embête pas à s'appeler par nos vrais noms quand on est en excursion. John, je connais son nom parce qu'on travaille ensemble, c'est tout. Ça paraît un peu dingue, je sais, mais quand on grimpe, on est totalement absorbé par ce qu'on fait. Le type que vous cherchez, on l'a surnommé Tito quand il nous a dit qu'il venait d'ex-Yougoslavie.

— Vous le connaissiez bien ?

— Tito ? J'ai pas pensé à lui depuis des lustres. C'était un bon grimpeur, commenta John avec de l'admiration dans la voix. Il grimpait déjà avec d'autres membres du club quand je suis arrivé, même si je n'ai jamais vraiment bien su s'il était lui-même membre ou pas.

— Il y a un truc que j'ai remarqué, parce que c'était bizarre vu qu'il était étranger, c'est qu'il ne participait jamais aux excursions dans d'autres pays, ajouta Robbie. On est allés dans les Alpes, les Dolomites et les Pyrénées les premières années, mais Tito ne venait qu'aux sorties au Royaume-Uni.

— Tu sais, ça ne m'avait jamais frappé, mais tu as raison, renchérit John.

— Est-ce qu'il y avait quelqu'un en particulier avec qui il grimpait ? demanda Karen.

Ils échangèrent un regard en secouant la tête.

— Il grimpait avec n'importe qui. Ça ne le dérangeait pas. Il était plus patient que moi avec les gens qui avaient un moins bon niveau.

Donc pas de partenaire de prédilection. Mince alors.

— Pendant vos excursions en Écosse et ailleurs, j'imagine que vous dormiez dans des gîtes ou sous la tente ?

Robbie hocha la tête.

— La plupart du temps. Mais parfois on se contentait de dormir dehors dans un sac de couchage, si le temps le permettait.

— Quand vous étiez tous ensemble le soir, pour manger, boire, discuter, qu'est-ce que Tito vous racontait ?

Cette fois-ci, le regard qu'ils échangèrent exprimait une surprise sincère.

— Pas grand-chose, répondit John. Rien de personnel. Il vivait avec sa copine, mais en dehors de ça, on ne connaissait rien de sa vie.

Robbie tira sur sa barbe.

— Il ne participait pas beaucoup à la conversation. On aurait dit qu'il venait surtout pour l'escalade. Le reste – et nous avec –, il pouvait s'en passer. Quand il a arrêté de venir, il m'a fallu un moment avant de m'en rendre compte, je crois. Il ne parlait jamais beaucoup et se contentait de grimper. Il y avait d'autres gens tout aussi doués que lui pour déterminer les meilleurs chemins à prendre.

— C'est vrai. J'ai été surpris un jour quand j'ai constaté que ça faisait plus d'un an qu'on ne l'avait pas vu, ajouta John.

— Est-ce que vous savez s'il s'est brouillé avec quelqu'un ?

Ils se regardèrent, interloqués.

— Pas à ma connaissance, dit John.

— Aucun désaccord pendant une excursion, pas de dispute ?

Robbie se gratta l'aisselle tout en réfléchissant.

— C'était pas son genre. Il ne se disputait jamais avec personne. Il y a des gens qui cherchent toujours la petite bête. Mais Tito n'était pas comme ça. Il aimait le calme et laissait les gens en paix. Peut-être qu'il préférait ça, après tout ce temps passé dans l'armée.

Passons aux choses délicates.

— Je vais vous interroger sur quelque chose que certains considèrent comme illégal. Je vous jure que ce ne sont pas ces menues infractions qui m'intéressent. Je cherche avant tout à expliquer certains éléments incompréhensibles.

John se mit à s'agiter sur sa chaise.

— Est-ce que c'est au sujet de ce corps qu'ils ont trouvé sur un toit en Écosse ?

Il donna un petit coup de coude à Robbie.

— Tu te rappelles ? Je t'en ai parlé à la cantine hier. Un squelette sur le toit d'un bâtiment qui a été fermé pendant vingt ans, dit-il en souriant à Karen. Vous croyez que c'est lui ? Vous pensez que c'est Tito ?

— Je vais être honnête avec vous. À l'heure qu'il est, je n'en sais rien. Mais son nom est apparu. Alors *quid* de la grimpe urbaine ? On sait que ça se pratique. On sait que c'est un secret bien gardé parce que les gens ne veulent pas s'attirer d'ennuis. Mais est-ce que Tito pratiquait ce genre d'activités quand il était à Oxford ? Parce que franchement, il n'y a rien d'autre à escalader dans le coin.

Robbie fixait le sol des yeux. John eut l'air paniqué puis haussa les épaules.

— Bon, qu'est-ce que ça peut bien faire... Oui, ce genre de choses se pratique. Et oui, Tito y participait. On en a parlé un jour pendant une excursion dans le Peak District et il a dit qu'il l'avait fait plusieurs fois.

— Seul ? Ou avec d'autres membres du club ?

Karen essayait de cacher son impatience.

Robbie leva les yeux.

— Il n'a pas voulu nous dire avec qui il y allait. Juste que c'était quelqu'un qu'il connaissait du temps où il habitait en Yougoslavie.

Je me refusais à attendre quoi que ce soit de Mitja. Toute la journée qui a suivi notre dîner chez Proto, je n'ai cessé de rêvasser comme une adolescente en repensant au beau colonel, mais j'ai fini par me ressaisir. Après tout, j'avais vingt-six ans et j'étais trop lucide pour me laisser séduire par le charme évident d'un homme intelligent et attirant qui n'avait certainement que l'embarras du choix pour trouver une femme avec qui faire autre chose que discuter du néocolonialisme, du féminisme et de la guerre froide. Nous avions passé une très bonne soirée, mais ça s'arrêtait là.

J'ai donc été réellement surprise de trouver, à la sortie d'une journée de séminaire au Centre interuniversitaire, une Mercedes garée dans la rue sous les longs palmiers. La porte arrière s'est ouverte et Mitja s'est extrait du siège, vêtu de son uniforme.

— J'ai une heure devant moi, m'a-t-il annoncé. J'ai pensé qu'on pouvait marcher jusqu'à la vieille ville pour boire un verre, si vous avez du temps.

Évidemment, j'avais du temps. Même si j'étais un peu mal à l'aise de me promener aux côtés d'un officier en uniforme. Nous nous sommes dirigés vers la porte Pile en reprenant la conversation là où nous l'avions laissée la veille.

— Est-ce que vous avez des nouvelles de Vukovar?

— Rien de neuf, a-t-il soupiré. Je suis plus inquiet par ce qui se passe au Monténégro.

C'était la première fois qu'il mentionnait le Monténégro. À seulement quelques kilomètres plus à l'est, les événements de ce pays pouvaient avoir davantage d'impact sur moi à Dubrovnik que ceux de Vukovar à la frontière est du pays.

— Que se passe-t-il?

— D'un jour à l'autre, on va entendre l'Armée populaire yougoslave et ces fantoches qui gouvernent le Monténégro dire que Dubrovnik menace leur intégrité territoriale. Ils veulent nous «neutraliser» pour éviter des confrontations ethniques; c'est leur façon de dire qu'ils cherchent à nous détruire. Ils prétendent que nous devrions faire partie de leur pays de toute façon, que cette étroite bande littorale n'appartient à la Croatie que parce que de stupides cartographes bolcheviques ont fait une erreur de tracé, a-t-il expliqué avant de pousser un gros soupir. Comme si nous avions des points communs avec ces Serbes meurtriers du Monténégro.

— C'est inquiétant.

— C'est juste de la propagande. Ils racontent que nous avons une armée de mercenaires kurdes prêts à les envahir par les bouches de Kotor, a-t-il poursuivi avec un sourire sardonique. Même les plus bêtes des Serbes monténégrins savent que c'est faux. Qui ferait appel à des mercenaires kurdes, bon sang? Si j'avais l'intention d'envahir le Monténégro, je prendrais l'armée croate en renfort.

— Et est-ce que vous allez envahir le Monténégro?

J'essayais de garder un ton assez léger.

Il a éclaté de rire, le regard malicieux.

— Non, Maggie. Je préférerais faire d'autres choses ce soir qu'envahir le Monténégro.

Nous approchions de la porte Pile, le bastion en pierre massif qui protège Dubrovnik à l'ouest. Il pointa du doigt la vieille statue de saint Blaise dans sa niche, au-dessus de la porte.

— Vous voyez sous le saint le bas-relief avec trois têtes proches les unes des autres? Un homme flanqué de deux femmes?

— Oui, et alors?

— Vous connaissez leur histoire?

J'ai secoué la tête. Je connaissais à peine les monuments principaux de la vieille ville, alors les statues n'en parlons pas.

— Non. Qui est-ce?

— La légende raconte que ce sont deux religieuses et un prêtre qui sont tombés amoureux. L'amour interdit, à tous les niveaux. Apparemment, ils avaient plus envie de coucher ensemble que de s'acquitter de leurs tâches religieuses. On a gravé leurs images dans la pierre pour les humilier.

J'ai trouvé ça drôle:

— L'ancêtre de la presse tabloïde. On met les coupables en première page pour leur faire honte.

— Peut-être. Mais j'aime bien penser que notre peuple comprend et célèbre l'amour sous toutes ses formes.

J'ai senti un frisson le long de ma nuque.

— C'est-à-dire? La Croatie serait l'incarnation de la fluidité dont parle Foucault?

— Pourquoi pas? Ce n'est pas parce qu'on n'est plus communistes qu'on devient automatiquement bourgeois à tous les points de vue.

Il m'a pris la main. Je sais que c'est extrêmement cliché, mais j'ai vraiment ressenti comme une décharge électrique.

— Il existe d'autres façons de vivre, vous ne pensez pas? En tant que féministe?

Chacun de nous se croit unique quand il tombe amoureux. En vérité, on tombe tous de la même façon. Que cela prenne des heures, des jours ou des semaines, on passe tous par une sorte d'émerveillement et d'urgence, et on se persuade que personne d'autre auparavant n'a vécu cela aussi intensément. On se dit que si tout le monde ressentait ça, la course de l'univers serait suspendue par le bonheur.

C'est ce qui s'est passé entre Mitja et moi. Le lendemain matin, j'aurais été incapable de retracer notre route depuis la porte Pile jusqu'à la chambre d'hôtel de la vieille ville ; après toutes ces années, c'est encore plus flou. Tout ce dont je me souviens, c'est de la porte qui se ferme et du désir de nos corps. La brève panique quand je me suis demandé si me voir nue n'allait pas tuer son envie, si nous allions être à l'aise ensemble ou pas, si ce n'était pas simplement une réaction insensée à la menace de la guerre. Puis le tumulte de nos désirs mêlés.

Il y a une chose dont je suis sûre. Dès la première fois, le sexe a été fantastique. J'avais déjà pas mal d'expérience quand j'ai rencontré Mitja. J'aimais le sexe et j'avais eu de la chance avec mes amants. Mais tout ça n'était rien en comparaison. La qualité de notre relation physique a cimenté tout le reste. Peut-être nos échanges intellectuels, notre sens de l'humour partagé, le plaisir que nous prenions à discuter ensemble ont-ils donné un coup de pouce à nos relations sexuelles. Quoi qu'il en soit, ça fonctionnait.

Et ça n'a jamais cessé de fonctionner. De ces premières semaines où nous nous jetions l'un sur l'autre comme des loups affamés jusqu'à la veille de son départ soudain, faire l'amour nous permettait de rester sur la même longueur d'onde et de guérir tout ce qui n'allait pas dans notre monde. Je crois que cette tendresse ininterrompue, cette passion perpétuelle explique qu'il soit parti comme il l'a fait. S'il avait essayé de m'en parler, de m'expliquer pourquoi il devait me quitter, je l'aurais attiré au lit et nous aurions passé une nuit de plus ensemble, puis une journée, et il n'aurait plus voulu s'en aller.

Mais j'y reviendrai.

Cette nuit-là a changé la face du monde pour nous deux. En réalité, nous n'aurions pas pu choisir pire moment ni pire endroit pour tomber amoureux. Le lendemain matin, le 16 septembre 1991, l'Armée populaire yougoslave a mobilisé le second corps de Titograd au Monténégro, soi-disant à cause de la menace incarnée par la Croatie. J'étais au travail quand j'ai entendu la nouvelle; j'avais passé la journée sur un petit nuage, et je suis tombée de haut. Tout le monde savait ce qui allait se passer désormais. Plus personne ne pouvait se mettre la tête dans le sable.

La décision la plus rationnelle aurait été de prendre un bus immédiatement. C'est ce qu'ont fait la plupart des gens sensés. Je l'aurais fait si la mobilisation avait été annoncée quelques jours plus tôt. Mais je n'envisageais plus de partir. Quitter Dubrovnik revenait à tourner le dos au bonheur.

Je repense à ce choix aujourd'hui, et à ses conséquences. J'ai vu l'horreur et la difficulté, le courage et la catastrophe, la dévastation et l'audace. J'ai expérimenté des choses dont je ne peux toujours pas parler avec sérénité. Mais même si j'avais pu prédire tout cela, je serais restée, je le sais. Et je ne le regrette pas.

19

Maggie avait été nerveuse toute la journée. En s'arrêtant prendre un café sur le chemin de l'université, elle s'était sentie surveillée. Elle entendit des pas dans son dos quand elle gravit les marches d'Ashton Lane. Elle n'avait jamais examiné le public d'un séminaire aussi attentivement, s'arrêtant sur chaque homme présent afin de déterminer s'il aurait pu être l'un de ses deux agresseurs.

Dès qu'elle était revenue à son hôtel la veille au soir, elle avait ordonné à la réception de dire qu'elle était absente si on la demandait au téléphone ou en personne. Si l'université qui l'invitait appelait pour s'assurer qu'elle était bien arrivée, tant pis pour eux. Elle avait accroché la pancarte « Ne pas déranger » sur sa porte, tiré la chaîne et verrouillé à double tour. Par-dessus le marché, elle cala la chaise sous la poignée de porte. Elle ne savait pas si c'était très efficace, mais c'était ce que faisaient les gens dans les livres et les films. Ça ne pouvait pas faire de mal.

Une fois qu'elle fut certaine d'être en sécurité, elle ouvrit son ordinateur portable et tâcha de se concentrer sur ses notes pour le séminaire du lendemain matin. Elle avait besoin de se changer les idées. Ses années d'expérience dans les Balkans lui avaient appris qu'il était inutile de ruminer cet incident. Il fallait tourner la page et se concentrer sur autre chose, sans quoi elle allait devenir folle. Elle avait vu des journalistes perdre la tête plus d'une fois. Des jeunes sans expérience débarquant sur un théâtre militaire, bien décidés à se faire un nom. Sans aucune ressource intérieure sur laquelle compter quand ils se retrouvaient en face à face avec la mort. Ils prenaient la poudre d'escampette au plus vite, mus par un désir soudain de se reconvertir en chroniqueur musical.

Le meilleur moyen de tenir le cap, c'était de s'entourer de gens qui avaient vécu la même chose. Elle avait eu de la chance. Elle avait eu Mitja. Mais même s'il n'avait pas été là, elle aurait pu compter sur Tessa. En dehors de ça, elle avait ses collègues ou le personnel de l'OTAN avec qui elle pouvait aller boire un verre. Elle ne s'était jamais sentie seule avec ses démons. Cette agression sous le pont, en revanche, c'était autre chose. C'était arrivé par surprise et elle ignorait ce que cela signifiait. Sinon que Tessa l'avait avertie que certaines personnes s'intéressaient à Mitja.

Le travail ne parvint pas à lui changer les idées. Elle finit la soirée au lit, en sous-vêtements et tee-shirt à regarder des bêtises à la télé jusqu'à ce que le sommeil finisse par avoir raison d'elle au petit matin. Quand elle se réveilla, l'émission matinale de la BBC interviewait un compositeur classique au sujet d'une collaboration avec un auteur de romans policiers. Cela paraissait aussi surréel que la rencontre avec ces deux hommes sous le pont.

Après s'être douchée et habillée, elle sentit qu'elle avait pris un peu de distance avec l'épisode survenu la veille. Mais ça ne signifiait pas qu'elle l'avait oublié, et elle demeura vigilante tout au long du petit déjeuner ainsi que pendant le bref trajet en taxi qui la menait à l'université.

Après le séminaire, il y eut le déjeuner. Elle savait qu'elle se montrait distraite au point de paraître impolie, mais elle ne pouvait pas le contrôler. Elle quitta la table dès qu'elle le put et se précipita presque à l'extérieur, inspirant l'air frais comme s'il pouvait lui apporter une quelconque protection. Elle héla un taxi avant de se raviser subitement et descendit de voiture pour se laisser happer par le flot des passants qui faisaient du shopping à l'heure du déjeuner. Au bout d'une centaine de mètres, quand elle fut certaine que personne ne la suivait, elle arrêta un autre taxi pour la déposer à la gare.

Alors que son train filait vers le sud en traversant le fleuve sur le pont voisin de celui qui avait abrité ses agresseurs, son niveau d'angoisse redevint plus gérable. Elle était assise au fond du wagon d'où elle avait une vue sur toute la voiture et pouvait contrôler d'un simple mouvement de tête qui entrait derrière elle. Malgré tout, elle n'arrivait pas réellement à se détendre. Chaque fois que le train s'arrêtait, elle était sur ses gardes.

Quand son taxi la déposa enfin devant les grilles de St Scholastica's, elle se sentit enfin en sécurité. Il lui tardait de se retrouver chez elle, mais elle fit machinalement un détour par la loge. Elle salua le concierge par-dessus son épaule tandis qu'elle vérifiait son casier. En plus du courrier habituel, il y avait une enveloppe bleue avec son nom rédigé d'une écriture familière, clairement déposée là en personne. Vu les événements récents, un message de Dorothea était forcément urgent.

Elle la décacheta en glissant son pouce dans l'ouverture. Mais avant qu'elle ne puisse en découvrir le contenu, une voix résonna derrière elle :

— Professeur Blake ? Est-ce que je pourrais vous parler, s'il vous plaît ?

Maggie se retourna tandis que son esprit enregistrait l'information ; une voix féminine, un accent de la côte est, encore une étrangère. Elle examina attentivement la femme trapue de taille moyenne, décoiffée et vêtue d'un tailleur légèrement froissé. Derrière elle se tenait un homme beaucoup plus jeune à l'air préoccupé et dont le costume était tout aussi fripé.

— Qui êtes-vous ? lâcha-t-elle sur un ton légèrement coupable, même à ses propres oreilles.

— Je suis désolé, professeur, j'allais justement vous avertir qu'ils vous cherchaient, intervint le concierge.

— Qui ça ? répéta Maggie.

— Je suis le commandant Karen Pirie, de la police écossaise. Et voici l'inspecteur Murray. Nous aimerions vous parler, annonça-t-elle avant de jeter un coup d'œil au concierge. En privé.

— La police écossaise ? Est-ce que c'est au sujet de mes parents ?

Maggie n'y croyait pas elle-même. S'il leur était arrivé quelque chose, un policier du coin serait venu lui annoncer la nouvelle. Mais c'était une question qui permettait de gagner du temps. Elle n'était pas intimidée par l'identité de ses interlocuteurs. Elle se rappelait ce que Tessa lui avait dit : les gens qui s'intéressaient à Mitja travaillaient pour le gouvernement. Elle ne voyait pas d'autre raison expliquant la visite de la police.

— Je ne sais rien de vos parents, professeur. Ce n'est pas pour ça que je suis ici.

— Alors de quoi s'agit-il ?

Karen Pirie sourit. Maggie trouva ce sourire trop hésitant pour être rassurant.

— Je préférerais vous expliquer ça en privé. Avez-vous un bureau où nous pourrions discuter ?

Maggie envisagea les différentes options qui s'offraient à elle. Elle pouvait freiner des quatre fers et insister pour qu'on lui donne des explications ici et maintenant, mais la loyauté des concierges n'avait d'égale que leur indiscrétion. Par ailleurs, cette femme n'avait pas l'air du genre à lâcher le morceau facilement. Elle pouvait les emmener dans la salle des professeurs, mais à cette heure de la soirée, ils n'auraient pas davantage de tranquillité. Cela ne lui laissait que deux possibilités : les envoyer paître ou bien les inviter chez elle.

— Pourquoi est-ce que je voudrais vous parler ? tenta-t-elle.

Karen pinça brièvement les lèvres.

— Pourquoi refuseriez-vous ? Professeur, ça fait vingt-quatre heures que je suis ici parce que j'ai besoin de votre aide. Rien de plus. Je ne vois pas ce qui pourrait vous poser problème. Vraiment.

Elle tourna les paumes vers le ciel pour signifier son honnêteté.

— Et si je refuse ?

Karen laissa retomber ses mains.

— Alors nous partirons. J'irai trouver les réponses à mes questions ailleurs. Ce ne sera pas aussi simple, mais je les obtiendrai, ces réponses. Et je peux vous garantir qu'à ce moment-là, elles feront très mal. Je ne vous menace pas. J'essaie de vous faire une faveur.

Cette fois, Maggie lut de la compassion dans les yeux de son interlocutrice.

— Venez dans mon appartement, finit-elle par dire en soupirant sans être persuadée que c'était la meilleure chose à faire.

— Est-ce que je dois avertir le président ? demanda le concierge quand ils franchirent la porte menant à la faculté.

Maggie jeta un coup d'œil hautain par-dessus son épaule.

— Pas tant que je ne suis pas en état d'arrestation, Steve.

Ils la suivirent en silence dans l'allée menant à Magnusson Hall, un bâtiment victorien intimidant en brique rouge et jaune qui avait jadis abrité un asile.

— C'est au dernier étage, dit-elle en gravissant un escalier en bois travaillé. Pas d'ascenseur, malheureusement.

C'était un mensonge. Afin de se conformer aux normes de sécurité sur l'accès handicapés, l'université avait installé un ascenseur à l'arrière du bâtiment. Mais Maggie avait envie d'être mesquine. En général, elle empruntait l'escalier. S'ils voulaient lui parler, ils devraient se plier à ses habitudes.

Quand ils gagnèrent le dernier étage, Karen avait les joues roses et le souffle court. Maggie s'en réjouit un instant ; son pouls à elle s'était à peine accéléré. Après avoir déverrouillé la porte, elle les conduisit dans un couloir menant à la pièce où elle recevait ses étudiants, puis indiqua deux fauteuils disposés en face du canapé où elle aimait s'asseoir. Elle déposa son sac à dos au pied du canapé puis se jucha sur l'accoudoir, coudes sur les genoux, buste en avant.

— Alors dites-moi.

— J'aimerais vous parler d'un événement survenu il y a treize ans, dit Karen. Vous avez ouvert un compte en banque à la Forth and Clyde Bank. C'était un compte commun, avec un homme du nom de Dimitar Petrović.

Maggie sentit sa poitrine se serrer comme si elle subissait une forte compression.

— Qui vous dit que j'ai fait ça ?

Elle fut étonnée du ton sec de sa propre réplique.

Karen soupira.

— Nous le savons. C'est dans les archives de la banque. Pouvez-vous m'expliquer pourquoi vous avez créé ce compte ? Quelle était la nature de votre relation avec Dimitar Petrović ?

Maggie bondit sur ses pieds.

— Bon sang, j'aurais dû m'en douter. Vous autres, vous êtes tous complices.

Elle sortit son téléphone de la poche de son jean et tapota l'écran.

— Je ne vous dirai rien sans la présence d'un avocat.

Malgré son agitation, elle voyait bien que Karen paraissait interloquée.

— Ne faites pas l'innocente avec moi. J'appelle mon avocate et je ne dirai plus un mot jusqu'à ce qu'elle arrive.

20

Être déstabilisé faisait partie du métier de flic, Karen le savait. Mais ça ne signifiait pas qu'elle avait appris à l'accepter joyeusement. Elle avait toujours l'impression de n'être pas assez préparée. Une femme avertie en vaut deux, comme on dit. Alors quand Maggie Blake mentionna son avocat, elle s'en voulut de ne pas avoir anticipé cette réaction. Ils étaient venus ici lui annoncer une très mauvaise nouvelle. Habituellement, elle se fiait à son expérience et tentait de faire preuve de compassion tout en réussissant à soutirer les informations nécessaires. Une fois, la situation avait dégénéré, mais c'était parce qu'elle devait annoncer la mauvaise nouvelle à la mère d'un dealer notoire qui semblait convaincue que la police – et non le mode de vie choisi par son fils – était responsable de la mort de celui-ci. Une aimable femme de la classe moyenne sans rien à se reprocher n'avait aucune raison de réagir au quart de tour et de réclamer un avocat.

Sauf si, bien sûr, elle avait quelque chose à se reprocher.

Karen s'assit tandis que Maggie passait son coup de téléphone. À une certaine Tessa, apparemment.

— La police est ici, expliqua Maggie qui se tenait voûtée au-dessus de l'appareil comme pour se protéger. Oui, ici.

Dans mon bureau… Ils n'ont pas dit grand-chose, mais ça concerne Mitja… Non…

Elle passa une main dans ses cheveux en approchant de la fenêtre, leur tournant le dos. En passant devant son bureau, elle tendit la main pour saisir une photo encadrée puis la retourna face contre table sans une seconde d'hésitation.

— Est-ce que tu peux venir tout de suite ? Je ne répondrai à aucune question sans témoin. Et sans conseil..

Karen vit les épaules de Maggie se détendre. Elle avait l'impression que Tessa n'était pas seulement une avocate mais aussi une amie. Si Karen ne se trompait pas sur l'identité du squelette de la John Drummond, mieux valait que Maggie ait une amie à ses côtés. Même si celle-ci était avocate.

— Super, merci.

Maggie prit une profonde inspiration avant de se retourner vers eux.

— Mon avocate arrive. Si ça ne vous ennuie pas, nous allons l'attendre. Est-ce que vous voulez boire quelque chose ? Thé, café ? Quelque chose de plus fort ?

Karen secoua la tête. Elle ne voulait pas que Maggie quitte la pièce. Il n'y avait pas vraiment d'amabilité entre elles, mais pas d'hostilité non plus.

— Votre accent me fait penser que vous venez du même coin que moi, dit-elle.

C'était de la triche. Elle avait lu la biographie du professeur sur Internet et découvert qu'elle était allée à l'école Bell Baxter, en plein cœur de la région de Fife, à moins de vingt kilomètres de là où vivait Karen.

— Je suis de Kirkcaldy, ajouta-t-elle.

Maggie eut l'air sceptique.

— C'est ce qu'ils vous enseignent dans la police ? À miser sur la camaraderie pour faire tomber les barrières ?

Karen poussa un soupir.

— Je faisais simplement la conversation en attendant votre amie Tessa. Si vous préférez rester assise là en silence, c'est comme vous voulez. L'inspecteur Murray et moi allons sortir nos téléphones et jouer à Angry Birds pour passer le temps si ça ne vous ennuie pas.

Maggie ferma brièvement les yeux.

— Je suis désolée. Je ne voulais pas être impolie. Je ne suis pas très à l'aise, c'est tout.

— Je comprends.

Karen lui adressa ce sourire dont Phil disait qu'il transformait l'ogre en ange.

— Je n'essaie pas de vous piéger. Juste d'évoquer nos origines communes. Parce que moi aussi je suis loin de chez moi.

Il fallait se rendre à l'évidence : c'était leur seul point commun. Maggie était très élégante, elle avait du style, des cheveux châtains lisses parfaitement coiffés, un maquillage discret mais efficace, une tenue mettant en valeur ses formes et sa silhouette mince. Aux yeux de Karen, elle ressemblait à ces femmes d'affaires raffinées qu'on voyait toujours dans les séries de BBC4. Ce qui la distinguait des autres, c'était ses yeux : bleus comme des jacinthes, francs et entourés de rides creusées par son rire. Ces yeux faisaient dire à Karen qu'en d'autres circonstances elles auraient pu passer une bonne soirée ensemble autour d'un verre.

Maggie hocha la tête avec lassitude.

— J'ai grandi dans le Howe of Fife. Aux abords de Ceres.

Exploitation agricole, donc. Range Rover et bottes en caoutchouc vertes.

— Pas le même milieu que le mien.

Comme si elle avait lu dans les pensées de Karen, Maggie ajouta :

— Mon père était ouvrier agricole.

Aïe, tu t'es plantée, Karen. Elle te ressemble plus que tu ne le croyais.

— Le mien travaillait chez Nairns. Dans le revêtement de sol, en lino puis en vinyle.

— C'est amusant de voir que le lino revient à la mode.

— Oui. C'est bon pour l'environnement. Sauf si vous vivez à côté de l'usine ou si vous adorez l'odeur de l'huile de lin.

Les deux femmes se mirent à rire. *La glace est brisée. Mission accomplie.*

— Vous êtes loin de chez vous, constata Karen.

— C'est le moins qu'on puisse dire. Quand j'étais plus jeune, dans mon domaine de recherche, tout se passait au sud, donc je n'avais pas le choix.

— Vous envisagez parfois de revenir en Écosse ? Surtout en ce moment avec le référendum…

— Je suis chez moi ici, maintenant. Je ne retourne là-bas que deux fois par an pour rendre visite à mes parents. Mes amis sont ici, mes collègues aussi.

— Vous n'avez pas l'impression de vivre en exil ?

Karen, qui n'avait pas encore choisi son camp pour le vote, n'en demeurait pas moins persuadée qu'elle se sentirait comme une étrangère si elle vivait en Angleterre.

Maggie haussa les épaules.

— J'essaie de vivre comme une citoyenne du monde. J'ai vu les dégâts que peut causer le nationalisme le plus primaire et je ne veux pas y participer.

— Je comprends. J'imagine qu'en parlant de nationalisme, vous pensez aux Balkans ?

En un instant, Maggie fut de nouveau sur la défensive. Elle enfonça les mains dans les poches de son jean et s'appuya contre le bureau.

— Pourquoi dites-vous ça ?

Karen ressortit son sourire amical.

— J'ai effectué quelques petites recherches sur Google, bien sûr. Votre livre sur la géopolitique des Balkans est apparemment une référence dans ce domaine, expliqua-t-elle avant de hausser les épaules. Je ne sais même pas ce que ça signifie, « géopolitique », mais j'imagine que vous avez passé un peu de temps là-bas pour vous faire une idée du sujet.

— C'est vrai. C'est une région du monde qui vous fait changer de perspectives. Et qui a certainement changé les miennes.

Karen avait très envie de l'interroger sur Petrović, mais elle se força au silence.

— C'est assez différent de votre région natale.

Maggie sourit.

— Oui et non. Le sectarisme exacerbé qui infecte certaines parties de l'Écosse n'est pas sans ressembler aux querelles religieuses qui divisent les communautés des Balkans.

— Vous voulez dire les Rangers et les Celtic ? Protestants contre catholiques ?

— Exactement. Comme dans les Balkans, chaque camp partage la même proportion de mélange ethnique. C'est comme si leur haine de ce qu'ils perçoivent comme « différent » se devait d'être deux fois plus féroce afin de pouvoir affirmer leur légitimité. C'est de la folie pure. Et ça dure depuis des siècles. Mais avec la nouvelle génération, il semble y avoir enfin une toute petite lueur d'espoir.

— En Écosse ?

— Pour l'Écosse, je ne sais pas. Je parlais des Balkans. C'est grâce à Internet. Par le passé, chaque communauté essayait de se couper de ceux qu'ils considéraient comme « les autres ». On apprenait aux jeunes à diaboliser les étrangers. Ils ne communiquaient pas avec eux, ils n'avaient pas l'occasion de découvrir tous les points communs qui les rapprochaient.

— Donc quand la Yougoslavie a explosé, chacun est retourné à ses vieilles habitudes ?

— Exactement. Si bien que quand la guerre civile a éclaté, ils n'ont pas eu de mal à imaginer que l'ennemi était un moins que rien. Cela légitimait les viols, les tortures et les massacres, parce que c'était de la vermine qu'il fallait exterminer.

Maggie s'écarta du bureau, habitée par son sujet, s'exprimant de façon véhémente et en agitant les mains. Karen se dit qu'elle devait être convaincante devant un amphithéâtre. Intelligente, dynamique, passionnée.

— Et vous pensez que ça commence à changer ?

— Je pense qu'il y a des raisons d'être optimiste, tout en restant prudent. Cette génération, les enfants de l'après-guerre, ceux qui entrent aujourd'hui dans l'adolescence, ils grandissent dans un monde différent. Grâce à Twitter, Facebook et tous les autres réseaux sociaux, ils rencontrent en ligne des jeunes d'autres communautés et ils découvrent qu'ils ont beaucoup de choses en commun.

— Ah bon ? J'aurais dit que l'anonymat d'Internet leur donnait surtout l'occasion d'attaquer n'importe qui, commenta Karen. C'est ce qu'on constate le plus souvent, dans mon métier.

— Je ne dis pas que ça ne se produit pas. Mais pour la plupart, ils se rendent compte qu'ils ont les mêmes préoccupations que leurs supposés ennemis. Ils ne veulent pas passer leur vie à répéter les éternels cycles de violence et de vengeance, expliqua Maggie en indiquant son bureau où trônaient divers gadgets numériques. Ils veulent un avenir économique qui inclue des consoles de jeux, de la musique en streaming et la vente de vêtements en ligne. Pas une vie de réfugiés avec toutes leurs affaires emballées dans un vieux drap et chargées sur une charrette tirée par des bœufs.

— C'est ironique qu'il ait fallu attendre le vingt et unième siècle et son matérialisme pour modifier l'ordre de leurs priorités. Le communisme n'y est pas parvenu, mais offrez-leur une Xbox et, tout à coup, le passé n'a plus d'importance, dit Karen.

— C'est un mélange entre ces aspirations et le fait qu'ils prennent conscience du peu de différences qui les opposent en réalité. Cela peut les amener à tourner le dos au passé et à un millénaire de guerres et de conflits dans la région. Sans compter que ces territoires ont perdu leur rôle de zone tampon entre l'Empire ottoman et l'Empire austro-hongrois.

Elle s'arrêta d'un coup comme si elle venait de se rappeler à qui elle s'adressait.

— Intéressant, rebondit Karen. Peut-être qu'on parviendra à ça aussi en Écosse.

— Essayez d'éradiquer la ségrégation scolaire sur la base de la religion, dit Maggie. C'est plus dur de discriminer les gens si on n'arrive pas à identifier leur religion uniquement à partir du nom de leur école.

Karen lâcha un petit rire ironique.

— Vous n'avez pas tort. Bizarrement, personne au sein du lobby pro-indépendance n'a avancé ce genre d'arguments.

Avant qu'elles ne puissent approfondir la question nébuleuse du sectarisme et alors que Maggie s'apprêtait à répliquer, une sonnerie grave résonna.

— C'est sûrement Tessa.

Elle les laissa un instant pour aller accueillir son avocate.

— Il y a quelque chose de louche, chef, murmura Jason tandis que de l'entrée leur parvenait la rumeur indiscernable de paroles prononcées à voix basse.

— Oui, mais louche n'est pas toujours synonyme d'illégal.

Karen se leva, prête à affronter son adversaire. Elle avait beau faire des efforts, elle ne pouvait pas concevoir les avocats autrement.

La femme grande et mince qui précédait Maggie avait l'assurance des meilleurs plaideurs de sa catégorie. Ses cheveux noirs aux mèches argentées étaient attachés en une queue-de-cheval souple ; sa peau pâle et ses traits doux lui donnaient un air sérieux, intelligent et compatissant tout à la fois. Elle portait des vêtements décontractés, pantalon en lin et pull bleu foncé, mais c'était le genre de look informel qui avait un coût.

— Je suis Tessa Minogue, annonça-t-elle. Je suis avocate des droits de l'homme, en réalité. Mais je suis ici pour représenter Maggie. Si je n'aime pas le genre de questions que vous posez, j'interviendrai.

Elle ne s'embarrassa pas d'un sourire. Elle s'assit sur le canapé, à l'extrémité opposée de celle choisie par Maggie plus tôt, prouvant qu'elle connaissait bien les lieux et leur occupant.

Karen se présenta alors que Maggie se réinstallait sur l'accoudoir du siège, mains serrées entre les genoux.

— Nous sommes ici pour demander votre aide, expliqua le commandant. Rien de plus.

— Je n'essaie pas de vous mettre des bâtons dans les roues, dit Maggie.

— Nous avons tous le droit de protéger nos propres intérêts, affirma Tessa.

Les avocats et leur satanée supériorité...

— On peut peut-être commencer ? proposa Karen.

Les deux autres femmes hochèrent la tête. Elle ouvrit son carnet. Il fallait désormais se montrer très précise.

— Il y a treize ans, vous avez ouvert un compte en banque commun avec Dimitar Petrović. Pendant six ans environ, vous l'avez tous les deux utilisé. Vous avez versé une somme mensuelle sur ce compte à intervalles réguliers. La plupart des retraits étaient effectués en liquide avec sa carte à lui. Puis, il y a huit ans, il a cessé de l'utiliser. Vous avez continué d'y verser quatre cents livres par mois mais vous n'utilisez pas cet argent, exposa-t-elle avant de lever les yeux. Quelle était la nature de votre relation avec Dimitar Petrović ?

Maggie jeta un coup d'œil à Tessa qui acquiesça.

— C'était mon compagnon.

— Nous avons eu du mal à trouver des renseignements officiels à son sujet. Pouvez-vous nous en expliquer la raison ?

— Pourquoi le général Petrović vous intéresse-t-il autant ? interrompit Tessa.

— Chaque chose en son temps, maître Minogue. Professeur ?

— Si vous ne trouvez rien sur lui, c'est parce qu'il n'est pas britannique, répondit Maggie d'un air las. Il était général dans l'armée croate. C'était un spécialiste du renseignement. Plus tard, pendant le conflit en Bosnie, il a travaillé avec l'OTAN puis avec l'ONU pendant la guerre au Kosovo.

— C'est là que vous vous êtes rencontrés ?

Maggie hocha la tête.

— Je faisais cours à Dubrovnik quand la guerre a éclaté en Croatie. C'est là que j'ai rencontré Mitja, expliqua-t-elle avant de faire un signe de tête vers son avocate. Et Tessa, également.

— Nous avons tous passé beaucoup de temps ensemble pendant le siège de Dubrovnik, enchaîna Tessa. Se trouver sous les bombes, ça crée des liens forts.

— Je peux imaginer. Donc vous étiez amis, tous les trois ?

— Mitja et moi étions en couple, répondit Maggie. Et Tessa était notre amie à tous les deux.

— Il vous a rejointe ici à la fin de la guerre ?

— Oui.

— Et que faisait-il pour gagner sa vie ?

— Il était consultant en sécurité. Il donnait des cours de temps en temps. Sur la guerre et la paix, ce genre de choses. Mais je ne comprends pas pourquoi ça vous intéresse. On respectait scrupuleusement la loi.

Maggie retrouvait son assurance et retournait ses questions à Karen.

Cette dernière le sentit et décida donc de se montrer plus incisive.

— Que s'est-il passé il y a huit ans ?

— Comment ça ?

— Il a cessé d'utiliser ce compte en banque. Pourquoi ?

Maggie lança à Tessa un regard implorant. L'avocate croisa les jambes et de sa main droite soutint son coude gauche.

— Le général Petrović est parti.

— Il vous a quittée ? demanda Karen à Maggie.

— Il est parti, répéta Tessa.

— J'imagine qu'il est retourné en Croatie, expliqua Maggie.

Karen remarqua que chaque mot lui avait coûté.

— Mais vous n'en êtes pas certaine ? Il ne vous a pas dit où il allait ?

Maggie serra ses bras contre sa poitrine.

— Il ne m'a pas dit qu'il partait tout court. Il a simplement disparu, d'accord ?

Elle s'interrompit. Karen patienta. Elle était douée pour patienter pendant les interrogatoires.

— Je savais que la Croatie lui manquait. Il parlait beaucoup du travail de reconstruction en cours. Parfois, il semblait assez mélancolique. Nostalgique. Mais quand je lui ai proposé qu'on s'y rende, il m'a répondu qu'il ne voulait pas être un touriste dans son propre pays, soupira-t-elle. J'imagine que l'attrait du pays natal était finalement plus fort que celui qui le retenait ici. J'ai continué à alimenter le compte au cas où il en aurait besoin. Ça peut paraître pathétique, mais je savais que les choses ne seraient pas simples pour lui en Croatie. Rien n'est jamais simple dans les Balkans, ajouta-t-elle avec un rire amer. J'espérais aussi qu'en continuant à alimenter le compte, il comprendrait qu'il pourrait revenir quand il le souhaitait.

— Vous n'avez eu aucune nouvelle de lui depuis son départ ? Il ne vous a pas contactée ?

Maggie scruta le tapis usé par terre.

— Non. Pas la moindre nouvelle.

— Et vous, Tessa ? Est-ce qu'il vous a contactée ?

— Bien sûr que non. Pourquoi est-ce qu'il m'aurait appelée moi et pas Maggie ?

Karen pouvait penser à au moins une explication, mais ce n'était probablement pas le moment d'accuser l'avocate de coucher avec le compagnon de sa meilleure amie.

— Je me posais seulement la question, répondit-elle doucement. Professeur, quand il est parti, est-ce qu'il vous a avertie qu'il s'absentait ? Qu'il partait pour quelques jours ? Comment l'a-t-il formulé ?

— Ça ne s'est pas passé comme ça. Je suis partie le 3 septembre au matin, il y a huit ans, pour assister à une

221

conférence à Genève. Mitja m'a dit qu'il irait peut-être faire de l'escalade en Écosse pendant mon absence. Quand je suis rentrée, il était parti. Il n'avait quasiment rien emmené, ce qui m'a laissé penser qu'il était parti grimper, puisqu'il en avait parlé. Mais il n'est pas revenu.

— Les gens avec qui il avait l'habitude de grimper ne l'avaient pas vu ni eu de ses nouvelles, intervint Tessa. On a vérifié.

Cela collait avec les déclarations de John Thwaite et Robbie Smith.

— A-t-il jamais mentionné la grimpe urbaine ? L'escalade des façades ?

— Il l'avait pratiquée quelques fois, mais il ne m'en a pas beaucoup parlé parce que c'était illégal et qu'il ne voulait pas me créer d'ennuis s'il se faisait attraper.

— Est-ce qu'il a évoqué un vieil ami des Balkans avec qui il aurait pratiqué ce genre de choses ?

Maggie secoua la tête.

— Tous ses amis grimpeurs de Croatie sont restés là-bas, à ma connaissance.

— En dehors de nous, ajouta Tessa. On était un petit groupe à faire de la randonnée quand on était dans les Balkans, pendant le conflit. Il y avait quelques coins où l'on pouvait se promener pour se vider la tête. On a continué à aller marcher tous les trois une fois que Mitja s'est installé ici. À Snowdonia et dans les Black Mountains, essentiellement. Mais on ne s'y est rendus avec personne d'autre de cette époque-là. Quel est le rapport avec cette affaire ?

— Est-ce qu'il y avait une personne en particulier, liée à sa vie dans les Balkans, qu'il voyait souvent ici ?

Maggie fronça les sourcils.

— De temps en temps, untel venait en visite diplomatique. Ou pour une formation militaire. Ils se voyaient pour boire un verre ou il l'invitait à dîner à la maison. Mais il ne recherchait jamais leur compagnie. On avait notre propre vie sociale.

— Mitja n'était pas quelqu'un qui s'accrochait au passé, expliqua Tessa. Il vivait ici et maintenant. Mais je vous le demande une nouvelle fois, commandant : pourquoi toutes ces questions ?

Le moment délicat était arrivé.

— Donc vous n'avez, ni l'une ni l'autre, vu ou eu aucune nouvelle de Dimitar Petrović depuis septembre 2007 ?

Les deux femmes secouèrent la tête.

— Non, répondit Tessa.

Karen baissa la voix.

— Je suis désolée, mais je crois avoir de très mauvaises nouvelles à vous annoncer. Il y a quelques jours, le squelette d'un homme a été retrouvé sur le toit d'un bâtiment d'Édimbourg. Nous avons des raisons de croire qu'il s'agit de Dimitar Petrović.

Maggie resta bouche bée, les yeux écarquillés.

— Non. Il doit y avoir une erreur. S'il était mort, je le saurais. Je l'aurais su.

Sa voix était assurée, pleine de déni.

Tessa se redressa, décroisa les jambes et se décala sur le canapé afin de pouvoir passer un bras autour des épaules de son amie.

— Ça ne peut pas être Mitja. C'est impossible. Comment cet homme est-il mort ? Une chute ?

— Ce n'est pas aussi simple, malheureusement. Il a été assassiné.

21

C'était comme si la réponse de Karen donnait subitement sens à une absurdité. Pour Maggie Blake, un meurtre paraissait plus plausible qu'une mort naturelle. Elle se mit à pleurer et gémir à voix basse, comme si une douleur terrible faisait son chemin en elle. Karen qui, parce qu'elle était une femme, avait eu à annoncer ce genre de nouvelles un trop grand nombre de fois, suspendit pour un moment ses questions et s'abstint de toute compassion. Elle savait qu'il valait toujours mieux laisser passer la première vague de chagrin.

Tessa, quant à elle, essayait de garder ses esprits.

— Il ne peut pas être mort. C'est impossible. S'il est mort, alors qui…

— Arrête ! explosa Maggie en se tournant vers elle.

Karen crut qu'elle allait gifler son amie.

— Je te l'ai dit. Je t'ai dit qu'il n'aurait jamais pu…

Tessa lui attrapa le bras.

— Pas maintenant. Nous ferons notre deuil en privé.

Elle insista sur ces deux derniers mots en glissant un regard en coin vers Karen.

— Je suis vraiment désolée, dit cette dernière.

Maggie posa les mains de chaque côté de sa tête en s'agrippant les cheveux comme si elle voulait les arracher.

— Vous êtes sûre que c'est lui ?

— Nous ne pouvons pas en être sûrs à cent pour cent à ce stade. Il n'avait pas de pièce d'identité sur lui. Mais on l'a trouvé en possession d'une clé d'hôtel dont la bande magnétique contenait des traces de sa carte bancaire. Quand nous avons enquêté là-dessus, nous sommes tombés sur votre compte commun. Dans la mesure où le général Petrović n'a pas utilisé le compte depuis huit ans et que vous ne l'avez pas vu ni eu de ses nouvelles pendant tout ce temps… Je suis désolée, mais c'est difficile d'envisager une autre hypothèse.

— À moins qu'il ait tué cette personne avant de s'enfuir, intervint Jason. Vu qu'il était soldat, il a pu faire ça, non ? N'importe qui aurait pu prendre sa carte magnétique, après tout. Il l'a peut-être même déposée là lui-même pour brouiller les pistes.

Karen lui jeta un regard incrédule. Parfois elle se demandait comment Jason avait réussi à survivre aussi longtemps. Est-ce qu'il pensait sérieusement que Maggie Blake serait rassurée d'apprendre que l'homme qui l'avait abandonnée était un assassin plutôt qu'une victime de meurtre ?

— Il n'a pas tort, fit remarquer Tessa. Peut-être que Mitja n'a pas appuyé sur la détente mais qu'il était présent quand ça s'est produit. Après ce qu'il avait traversé, il aurait eu de bonnes raisons de disparaître de la circulation. Si c'était sa parole contre celle d'un Anglais, par exemple. Ou s'il craignait que le tueur ne s'en prenne à lui. Franchement, commandant, vos éléments ne sont pas concluants. Tout cela est très mince.

Maggie s'affala contre l'accoudoir du canapé.

— Je ne comprends pas. Est-ce que c'est lui ou non ? C'est tout ce qui m'importe.

— C'est ce que nous cherchons à établir, répondit Karen. Je suis vraiment désolée, professeur Blake, je pense qu'il faut vous préparer au pire, mais nous devons nous assurer de son identité. Quel âge avait le général Petrović quand il est parti ?

Maggie parut interloquée.

— Il avait fêté ses quarante-sept ans le dix-sept août. Quelques semaines seulement avant son départ. Pourquoi ? Qu'est-ce que ça prouve ?

— D'après notre médecin légiste, le squelette qu'on a retrouvé aurait entre quarante-quatre et quarante-sept ans.

— Mais ça ne veut rien dire. Ça ne réduit pas les possibilités.

Maggie avait un ton de défi, mais son regard traduisait bien autre chose.

Inutile pour Karen de lui signaler que ça ne permettait pas d'exclure le général de la liste des candidats potentiels.

— Est-ce que vous pouvez me dire s'il avait eu des fractures quelque part ?

Maggie fronça les sourcils.

— Pas quand on était ensemble.

— Il n'a jamais mentionné des accidents survenus dans le passé ?

On ne racontait pas forcément tout son passé médical à son compagnon. Mais d'après River, cette fracture avait été grave. Un élément important dans la vie de la victime, probablement.

— Il avait une cicatrice sur la cuisse gauche. Il m'a dit qu'il avait eu un accident quand il était étudiant. Un imbécile au volant d'un camion de livraison l'avait renversé alors qu'il circulait à vélo. Je crois qu'il avait eu la jambe cassée, mais je ne me rappelle pas les détails. C'est important ?

Elle semblait de nouveau au bord des larmes.

— C'est un détail qui pourrait nous être utile. Nous savons que la victime s'est un jour cassé le fémur gauche. Évidemment ça ne prouve rien, mais ça paraît coller avec vos souvenirs.

— Et l'ADN ? C'est le meilleur moyen d'identifier quelqu'un de nos jours, non ? intervint Tessa en fixant Karen des yeux.

— Nous avons pu prélever de l'ADN sur le squelette, mais pour l'instant, nous n'avons rien à quoi le comparer. Est-ce que vous auriez les coordonnées d'un membre de la famille du général Petrović ?

Maggie secoua lentement la tête.

— Je ne les ai jamais rencontrés. Il y a tellement de gens qui ont perdu la trace de leur famille pendant les guerres des Balkans. Certains sont morts. D'autres se sont réfugiés chez des parents éloignés dans des pays étrangers. D'autres encore ont été déplacés. Tout ce que je sais, c'est qu'il était fils unique. Je ne connais même pas le nom de son village, dit-elle en se couvrant le visage avant de sangloter. Ça ne paraissait pas important. On était tournés vers l'avenir, pas le passé. C'est ce qu'il répétait tout le temps.

Il y eut un silence gênant, uniquement brisé par Maggie qui se moucha. Tessa lui serra la main fermement. Puis Jason reprit la parole :

— Et pour les documents officiels ? Il n'a jamais eu à fournir le nom d'un proche pour l'administration ?

Maggie regarda Tessa en coin.

— C'était mon nom qu'il donnait dans ces cas-là.

— Mais vous n'étiez pas officiellement unis, fit remarquer Tessa.

— Si, officiellement. Je suis désolée, Tess. J'aurais dû te le dire, mais on ne voulait pas en faire toute une histoire. C'était pour lui simplifier la vie ici.

Tessa se raidit, le visage fermé.

— Vous vous êtes mariés ? Quand ?

— Quelques semaines après qu'il s'est installé ici pour de bon. Tu te rappelles qu'on a loué un cottage en Irlande ? C'est là qu'on s'est mariés. Une de ses connaissances aux Nations unies s'est occupée des papiers.

Elle renifla puis fit tourner une bague en argent qu'elle portait au majeur de la main droite.

— Bon sang, Maggie ! Pourquoi tu ne m'as rien dit ? Je croyais qu'on n'avait pas de secrets l'une pour l'autre.

— On n'en a parlé à personne. On ne voulait pas attirer l'attention. On voulait que ça reste entre nous, c'est tout, expliqua-t-elle en frissonnant. Aujourd'hui, ça m'apparaît aussi comme une trahison. Je n'ai jamais vraiment pu faire mon deuil quand il est parti. J'ai dû faire semblant de l'accepter : les hommes vous quittent, c'est la vie. Mais ce n'était pas aussi anodin. On était mariés. On prenait ça au sérieux. Alors quand il est parti, j'ai eu l'impression qu'il revenait sur ce serment qu'on s'était fait et j'en ai beaucoup souffert.

Tessa mit son bras autour de l'épaule de Maggie et la serra contre elle.

— Ma pauvre, dit-elle en lui caressant les cheveux d'un air inquiet et peiné.

Tout le monde a des secrets, songea Karen. Des secrets et des mensonges. Il n'en demeurait pas moins qu'elle devait faire son travail.

— Il nous reste à trouver un moyen de l'identifier formellement, dit-elle. Il est inutile de spéculer sur ce qui s'est passé sur ce toit tant qu'on ne sait pas s'il s'agit du général Petrović ou de quelqu'un d'autre. Si nous ne pouvons pas contacter de membre de sa famille, nous allons devoir procéder autrement. Est-ce que vous avez un objet qui lui aurait appartenu et qui pourrait encore porter son ADN ? Une brosse à cheveux ? Une brosse à dents ? Quelque chose comme ça ?

Maggie eut l'air pensive.

— Il n'utilisait pas de brosse à cheveux. Il se contentait de se coiffer avec les doigts, répondit-elle en esquissant un vague sourire alors que ce souvenir se rappelait à elle. J'ai jeté l'embout de sa brosse à dents électrique quelques années après son départ. Il était couvert de poussière et tout sale. Je me suis dit que s'il revenait, je lui en rachèterais un.

— C'est logique, nota Karen. Vous n'avez pas autre chose ? Des vêtements qu'il portait, par exemple ?

Elle réfléchit longuement avant de se lever en chancelant.

— Son rasoir électrique. Il est dans le tiroir de la salle de bains, là où il l'a laissé. Je ne l'ai jamais nettoyé.

Elle se dirigea vers la porte.

— Jason, emballe-le dans un sac hermétique, lui ordonna Karen.

Il se leva et emboîta le pas à Maggie en tâtant ses poches à la recherche d'un sachet en plastique. Tessa regarda Karen droit dans les yeux et lui dit :

— Vous êtes quasiment sûre que c'est lui, n'est-ce pas ?

— Je fais ce métier depuis longtemps, et l'expérience m'a montré que l'explication la plus simple s'avère souvent la plus juste. L'inspecteur Murray imagine toujours des scénarios romanesques où des gens fuient leur vie pour éviter d'être accusés d'un crime qu'ils n'ont pas commis. Les gens fuient, c'est vrai. Mais nous sommes des créatures sociales. Pour la plupart d'entre nous, c'est impossible de disparaître tout bonnement de la vie de nos proches. On le voit très souvent dans le cadre du programme de protection des témoins. Ceux qui ont disparu reviennent pour les quatre-vingts ans de leur grand-mère. Ou pour le match de leur équipe de foot préférée dans la finale du championnat. Ou pour la première communion de leur petite-fille. Ne l'oublions pas, ces gens-là savent que refaire surface va avoir des conséquences graves. Mais ils le font quand même. Avec ce que j'ai entendu au sujet de leur relation, j'imagine mal Dimitar Petrović abandonner la femme qu'il aimait sans lui envoyer ne serait-ce qu'une carte de vœux pour lui dire qu'il allait bien.

Tessa haussa une épaule.

— Il avait tout plaqué en Croatie, tout ce qu'il avait vécu avant Maggie. J'étais présente là-bas pendant le conflit. J'ai rencontré beaucoup de soldats avec qui il était ami. Mais je n'ai jamais rencontré personne qui l'ait connu avant Dubrovnik. Comme s'il avait coupé les ponts avec son passé pour pouvoir vivre avec Maggie. S'il l'avait fait une fois, il pouvait être capable de recommencer, non ?

— Je ne sais pas. Je ne l'ai jamais rencontré. Mais ça ne sert à rien de spéculer. Si on peut obtenir un échantillon de son ADN, on aura la réponse d'ici un jour ou deux, estima Karen avant de jauger son interlocutrice. Qu'est-ce que vous vous apprêtiez à dire quand Maggie vous a interrompue ?

Tessa cligna lentement des yeux.

— C'est étrange, je ne m'en souviens pas. Vous savez ce que c'est, le choc provoque de drôles de réactions et vous fait oublier ce que vous aviez sur le bout de la langue, répondit-elle en esquissant un sourire paresseux. Je ne pensais qu'à une chose : être là pour Maggie.

C'est ça, oui. C'était une bonne menteuse. Mais une menteuse tout de même. Ce qu'elle cachait n'avait peut-être rien à voir avec la mort de Dimitar Petrović. Ou peut-être que si. Tôt ou tard, elle trouverait un moyen de le savoir.

— Nous allons devoir retracer ses déplacements au moment de sa disparition, annonça-t-elle.

— Bonne chance, commandant. Est-ce que vous vous rappelez ce que vous faisiez tel jour il y a huit ans ?

Tessa semblait assez enjouée pour une femme qui venait d'apprendre la mort d'un de ses meilleurs amis. Peut-être n'était-elle pas si proche du général Petrović après tout. Ou peut-être était-elle trop proche. Le genre de proximité qui nécessitait d'être dissimulée.

— Je m'occupe des affaires non classées depuis un moment maintenant. Nous avons développé des techniques pour stimuler la mémoire des gens. En leur rappelant les gros titres des journaux de l'époque. Les chansons du hit-parade. Les programmes télé. Vous seriez étonnée de ce qui leur revient. Nous allons vous poser des questions aussi, vu que vous le connaissiez.

Avant que Tessa ne puisse répondre, Jason et Maggie revinrent. Il tenait à la main un sac hermétique sur lequel était écrite une description du rasoir qu'il contenait.

— Je l'ai, chef.

— Merci. Une dernière chose, professeur. Nous ne savons pas à quoi ressemblait le général Petrović. Je me demandais si vous pouviez nous donner une photo de lui. Ça pourrait nous être utile pour interroger des témoins potentiels.

Maggie porta une main à sa bouche. Tessa devança sa réponse :

— Je peux vous envoyer quelques photos par e-mail en rentrant, si vous voulez ?

Karen se leva.

— Ce serait parfait, merci. Nous vous contacterons dès que nous aurons le résultat. En attendant, professeur, ce serait bien que vous commenciez à écrire ce dont vous vous souvenez de la semaine précédant la disparition du général Petrović. Nous prendrons votre déposition en temps voulu, bien sûr, mais si vous écrivez vos souvenirs, ça facilitera les choses, dit-elle avant de sortir sa carte de visite. Voici mes coordonnées. N'hésitez pas à m'appeler si quoi que ce soit vous revient qui puisse nous aider à déterminer ce qui s'est passé sur ce toit. Et une fois de plus, je suis vraiment désolée d'avoir joué les oiseaux de mauvais augure.

Maggie avait l'air d'avoir pris dix ans de plus depuis le moment où Karen l'avait vue devant la loge du concierge. Elle poussa un gros soupir.

— Les gens disent qu'il vaut mieux savoir, non ? Pour pouvoir faire son deuil.

Karen hocha la tête.

— Je crois que oui.

Maggie afficha un air de mépris.

— C'est n'importe quoi. Savoir vous empêche d'espérer. C'est l'espoir qui m'a fait tenir ces huit dernières années. Comment est-ce que je vais avancer, maintenant ?

Au début, il semblait presque possible de croire que nous allions échapper à la guerre. Durant les quelques heures que Mitja parvenait à sacrifier pour moi, j'ai appris que l'Armée populaire yougoslave rencontrait un certain nombre de problèmes. Apparemment, tous leurs soldats n'étaient pas enclins à combattre leurs voisins immédiats. Les généraux brandissaient la menace de sévères représailles contre les déserteurs et les réservistes qui restaient sourds à la mobilisation. Les autorités fédérales de Belgrade, elles, continuaient de prétendre que leur ville ne serait pas attaquée.

Nous restions allongés dans le lit de notre chambre d'hôtel – nous nous voyions toujours à l'hôtel parce que je ne pouvais pas emmener Mitja chez Varya et lui ne pouvait me ramener à la caserne – serrés l'un contre l'autre, à évoquer une éventuelle guerre, une possible paix. Rien de très romantique, je le sais. Mais c'était ce qui nous réunissait. Se trouver au cœur des événements au moment où l'idéologie contaminait le réel était à la fois terrifiant et fascinant pour nous deux.

L'espoir d'échapper au conflit s'est éteint une semaine environ après la mobilisation. L'artillerie de l'Armée populaire yougoslave a pilonné les villages situés au sud-est de la ville. Il était clair qu'ils avaient prévu de commencer par l'extrémité sud de la Croatie et de remonter progressivement vers le nord. Melissa m'avait envoyé une série d'e-mails de plus en plus insistants me demandant de rentrer. J'imagine que mes refus systématiques ont dû la frustrer au plus haut point.

Ce soir-là, Mitja m'a dit :

— Il n'est pas trop tard pour quitter le pays, Maggie. Je peux faire en sorte que tu partes en toute sécurité.

Cette perspective n'avait pas l'air de le réjouir, mais je voyais bien qu'il était sérieux.

— Je ne peux pas m'en aller. J'ai pris ma décision. Je ne peux pas te laisser.

Il m'a serrée plus fort.

— Je comprends. Mais quand les combats auront commencé, on ne pourra plus être ensemble. Je suis soldat. S'il y a une guerre, je devrai aller là où on m'envoie. Obéir aux ordres.

— Je sais. Mais tu es dans le renseignement, non? Tu ne vas pas te retrouver sur la ligne de front. Tu vas rester ici à travailler. Et moi je serai là aussi. Les moments où tu réussiras à te libérer, je serai là.

— Ta vie ne devrait pas ressembler à ça.

Pour la première fois depuis notre rencontre, il avait de la colère dans la voix.

— Où est passé ton féminisme? a-t-il repris. Tu vas te transformer en femme soumise attendant que son homme daigne la retrouver?

J'étais abasourdie.

— Non, ce n'est pas ce que je voulais dire. Quoi qu'il se passe, je trouverai le moyen de me rendre utile. Je ne vais pas rester à la maison à faire de la broderie. Ce que je veux dire, c'est que maintenant que je t'ai trouvé, je ne vais pas m'en aller. Je me fiche de ce que ça coûte, Mitja, je...

Je me suis interrompue brutalement. Cela ne faisait que neuf jours, après tout. Jusqu'alors nous avions évité de nous dire «Je t'aime». J'aime ton corps, j'aime que tu fasses telle chose, j'aime être avec toi, nous nous étions dit tout ça, mais nous n'avions pas encore franchi ce pas décisif.

— Je sais, m'a-t-il dit en posant la tête sur mon épaule. Je ressens la même chose.

Je sentais son cœur battre contre ma main. Je n'avais prononcé ces mots que deux fois dans ma vie.

Je ne crois pas qu'on devrait dire ce qu'on ne pense pas, même si ça nous simplifie l'existence. Mais le moment était arrivé.

— Je t'aime, Mitja.

— Je t'aime aussi, Maggie. Et c'est pour ça que je veux que tu t'en ailles. Je ne peux pas te protéger ici. On a moins de cinq cents soldats à Dubrovnik. On ne peut pas défendre cinquante mille personnes, c'est impossible. Il faut que je puisse faire mon travail sans m'inquiéter pour toi.

— C'est dur. Mais ce n'est pas de ton ressort. Je reste ici, Mitja, un point c'est tout. Tu vas devoir t'habituer à avoir quelqu'un qui t'aime.

Il ne m'est pas venu à l'esprit à ce moment-là que je n'étais peut-être pas la seule à l'aimer. Nous n'avions pas beaucoup parlé de nos histoires d'amour ; nous avions été trop occupés à créer la nôtre. Mais plus tard, je n'ai pas pu m'empêcher de me demander si en me choisissant il n'avait pas coupé les ponts avec une femme, des enfants, un foyer. Il n'a jamais rien suggéré qui ait pu me le faire penser. Néanmoins, quand il est parti, je me suis dit que je m'étais peut-être voilé la face. Ça m'arrangeait bien de penser qu'il n'avait jamais vraiment aimé personne avant moi parce que c'était mon cas.

Nous nous sommes donc mutuellement juré fidélité quand les bombes ont commencé à tomber sur le sud de la Croatie. Deux jours plus tard, la marine yougoslave a mis en place le long blocus des accès maritimes menant à Dubrovnik. Nous allions bientôt être coupés du monde. Assiégés.

22

Le temps que Jason ramène Karen chez elle, il était minuit passé. Bien qu'il ait dû la raccompagner jusqu'à Kirkcaldy, il s'était montré remarquablement gai et avait décidé de tirer parti de la distance qui l'éloignait de son appartement d'Édimbourg pour passer la nuit chez ses parents et profiter du petit déjeuner de sa mère le lendemain matin.

— Comme ça, je pourrai vous récupérer demain de bonne heure et de bonne humeur, chef! lui lança-t-il alors qu'elle s'extirpait de la voiture.

Phil et River n'étaient pas encore couchés, affalés devant la télé, occupés à critiquer une rediffusion de *Se7en*. Quand elle entra, Phil était en train de défendre son point de vue.

— Et ça, c'est l'erreur fatale. On est censés croire que le tueur a mis tout ça en place il y a plus d'un an. Mais à l'époque, il n'aurait pas pu deviner que le policier qui allait le traquer aurait comme vice la colère, n'est-ce pas? Il aurait très bien pu être un gros flemmard qui se fichait de tout. Ou un drogué du boulot qui ne se préoccupait que de sa réputation et de son talent pour clore les enquêtes. Donc tout le système s'effondre et… oh, salut chérie. Vous avez fait vite.

Il tendit les bras vers elle pour avoir un câlin sans pour autant faire l'effort de se lever de son siège.

Cette attitude aurait pu irriter certaines femmes. Pas Karen. C'était comme ça entre eux : une affection confortable et détendue. Pas besoin de jouer un rôle pour elle ni pour River. Ce genre de soirée lui rappelait la chance qu'elle avait de connaître Phil. Alors qu'elle avait abandonné tout espoir et s'était résignée à ne compter que sur elle-même, Phil et elle s'étaient trouvés. Il l'aimait comme elle était ; il n'essayait pas de la changer. Il était suffisamment intelligent pour savoir qu'elle l'était plus que lui et assez sûr de lui pour que ça ne le dérange pas. Mais il était surtout fiable. L'idée de rentrer à la maison et de s'apercevoir qu'il avait disparu était inimaginable.

Karen ôta son manteau, s'assit sur l'accoudoir du fauteuil et massa l'épaule de Phil d'une main. D'une certaine façon, c'était ce qu'elle avait trouvé de plus triste dans sa rencontre avec Maggie Blake. Non pas que, huit ans plus tard, elle attende toujours le retour de l'homme de sa vie. Non, ce qui gênait Karen, c'était qu'elle semblait avoir accepté son départ sans un au revoir. Phil parlait souvent des femmes qu'il rencontrait à la brigade anticriminalité et de leur estime de soi dangereusement basse ; elles croyaient presque qu'elles méritaient d'être traitées comme des moins que rien. Aux yeux de Karen, Maggie Blake avait davantage de points communs avec ces femmes qu'elle aurait bien voulu l'admettre.

Phil passa le bras autour de sa taille.

— Bonne journée ?

— Intéressante. On a progressé, mais pas autant que je l'aurais souhaité.

Elle ramassa son sac qu'elle avait laissé tomber.

— Avant que j'oublie, River, j'ai un petit quelque chose pour t'amuser.

Elle sortit le rasoir sous scellé et le lui donna.

— Tu voudras bien signer pour que je n'aie pas d'ennuis avec ma chaîne de traçabilité ? Et j'ai aussi des photos à te faire suivre.

— Super. Je pourrai faire le test de Buck Buxton et les superposer sur une radio du crâne. La bonne vieille méthode d'identification du temps où on n'avait pas les tests d'ADN.

— Tu as passé une bonne journée ? lui demanda Karen.

River sourit.

— C'est toujours une joie de travailler dans un labo de Dundee. J'ai procédé à des tests supplémentaires qui ont confirmé ce que nous savions déjà au sujet de ton squelette. J'ai fait quelques recherches sur la plaque de métal et les vis de son fémur. Il s'agit d'un alliage qui a été utilisé dans les années quatre-vingt en Europe centrale, à l'ère soviétique. C'est-à-dire en Hongrie, Tchécoslovaquie, Yougoslavie, Roumanie, Bulgarie. Ces coins-là. C'est du bon boulot, ce qui signifie qu'il a eu de la chance ou bien que c'était quelqu'un d'important.

— Ou les deux, intervint Phil.

— Le type que je recherche avait une cicatrice sur la cuisse gauche, à la suite d'un accident de vélo quand il était étudiant. Il s'est peut-être cassé la jambe, le professeur n'en est pas sûre.

River hocha la tête.

— Si la fracture a été sérieuse au point de nécessiter une plaque, il est tout à fait possible que la peau ait été entaillée. Et s'il était étudiant, il se peut qu'il ait été soigné dans un hôpital universitaire, ce qui expliquerait la qualité du travail. Un professeur essayant d'épater ses étudiants. Il a eu de la chance, ton mort.

— Ouais, jusqu'à ce qu'il parvienne sur le toit de la John Drummond, soupira Karen.

Le générique du film commença à défiler et River s'étira sur son siège en bâillant.

— Je vais me coucher. Je regarderai ça demain matin à la première heure avant de reprendre la route. Mon service me réclame.

— Sans parler d'Ewan, commenta Karen.

— Oh, il est trop occupé à entraîner ses moins de douze ans au rugby pour remarquer mon absence, dit-elle en riant.

Ils savaient tous qu'elle ne le pensait pas.

Une fois seuls, Karen et Phil se lovèrent l'un contre l'autre sur le fauteuil pendant quelques minutes. Puis il la repoussa doucement.

— C'est l'heure d'aller au lit. J'ai une grosse journée demain. On va arrêter le promoteur immobilier violeur et blanchisseur d'argent. J'ai hâte.

Son sourire était sombre et son regard froid.

— Tant mieux. Est-ce que je t'ai déjà dit à quel point j'aimais que tu fasses ce boulot ?

Il l'attira dans ses bras.

— Oui. Et si tu me le prouvais ?

Quand elle arriva au bureau le lendemain matin, Karen était en manque de sommeil et de café. La réceptionniste lui annonça qu'elle avait des visiteurs et c'était la dernière chose qu'elle avait envie d'entendre.

— Qui est-ce ? demanda-t-elle. Jason, va me chercher un café allongé avec du lait, tu seras gentil.

La réceptionniste jeta un coup d'œil à sa liste.

— Des gens du ministère de la Justice.

— Quoi ? Vous voulez dire de Londres ?

— C'est ce que disaient leurs cartes. Alan Macanespie et Theo Proctor.

Ça ne paraissait pas être le genre de rendez-vous qui allait placer la journée sous de bons augures.

— Jamais entendu parler d'eux. Est-ce qu'ils ont dit ce qu'ils voulaient ?

— Non. Je les ai mis dans la salle d'interrogatoire numéro 2 au bout du couloir.

— Personne n'utilise jamais la salle numéro 1, remarqua Karen. Pourquoi donc ?

— En les mettant dans la 2, ça donne l'impression qu'il se passe ici beaucoup plus de choses qu'en réalité, expliqua la réceptionniste. Apparemment, on aime bien faire croire qu'on est occupés.

— C'est ça, la police écossaise, marmonna Karen dans sa barbe. Bon, je vais attendre que Jason me ramène mon café et puis on ira voir ce que nous veut le ministère de la Justice.

Quand Jason revint avec les cafés, elle lui indiqua le hall.

— Il y a deux types du ministère de la Justice de Londres qui veulent nous voir. Tu sais bien que je n'aime pas parier, mais ça a quelque chose à voir avec le général Petrović, j'en mettrais ma main à couper. Ce que je te demande de faire, Jason, c'est de garder le silence. D'accord ? Il s'agit pour nous de recueillir des informations, pas d'en donner sans s'en rendre compte. C'est bien compris ?

Il hocha solennellement la tête.

— Oui, chef. Vous pensez qu'ils cherchent quoi ?

— Il n'y a qu'une seule façon de le savoir.

Ils avaient atteint la salle d'interrogatoire. Karen entra sans frapper.

— Bonjour, messieurs, lança-t-elle sur un ton sec en remarquant qu'ils s'étaient déjà approprié les chaises face à la porte.

Enfantillages. Comme si elle avait besoin de ce genre de mesquineries pour asseoir son autorité. Elle posa son café sur la table, sortit son carnet puis laissa tomber son sac par terre avant de s'asseoir.

— Je suis le commandant Pirie, chef de l'unité des affaires historiques. Voici l'inspecteur Murray. Vos papiers d'identité, s'il vous plaît messieurs.

— On a signé à la réception, dit le brun à l'air renfrogné.

— En effet. Et la personne auprès de qui vous avez signé est réceptionniste, pas policier. Vous pourriez très bien vous faire passer pour quelqu'un d'autre en utilisant de faux papiers contrefaits dans un magasin de copies louche. Je vais donc les vérifier, si ça ne vous dérange pas.

Le rouquin secoua la tête en regardant son collègue puis sortit un portefeuille en cuir qu'il ouvrit pour prouver qu'il s'appelait Alan Macanespie, du ministère de la Justice. L'autre moitié du portefeuille révélait un pass du Tribunal pénal international pour l'ex-Yougoslavie.

— Vous êtes dans votre droit, commandant, dit-il.

Son collègue l'imita, l'air aigri. Theo Proctor. Karen prit la peine d'écrire leur nom sur son carnet.

— Alors, qu'est-ce qui vous amène ?

Macanespie posa ses coudes sur la table et écarta les mains dans un geste d'apaisement.

— C'est très simple, expliqua-t-il. Vous avez lancé une recherche dans la base de données concernant un individu auquel nous nous intéressons. Tout ce qu'on voudrait savoir, c'est la raison de cette recherche.

— Nous lançons beaucoup de recherches dans notre unité. De qui s'agit-il ?

Macanespie baissa la tête, montrant qu'il comprenait qu'elle n'était pas du genre à se laisser marcher sur les pieds.

— Dimitar Petrović.

— Et puis-je vous demander en quoi le général Petrović vous intéresse ?

Proctor lui lança un regard noir.

— Les noms parlent d'eux-mêmes. Tribunal pénal international pour l'ex-Yougoslavie. Petrović.

— Êtes-vous en train de me dire que Dimitar Petrović est recherché pour crimes de guerre ?

Karen essaya de faire comme si c'était une surprise totale pour elle.

— On ne peut rien vous révéler, répondit Proctor. Nous sommes ici pour vous demander ce que vous savez de Petrović et si vous savez où il se trouve.

Karen était agacée. Il y avait peu de choses qu'elle détestait autant que de petits bureaucrates essayant d'imposer leur volonté. Elle secoua la tête.

— Ce n'est pas comme ça que ça fonctionne. Tout d'abord, je ne crois pas que vous ayez la moindre légitimité ici. D'après le Scotland Act, nous disposons de notre propre système judiciaire. Même si nous coopérons bien volontiers, nous ne recevons pas d'ordres de votre ministère ni de ses fonctionnaires.

Elle ne savait pas du tout si c'était vrai, mais elle avait pris plaisir à le dire et ça sonnait bien. Elle sourit.

— Donc, une fois que vous m'aurez expliqué pourquoi vous vous intéressez à Petrović, j'envisagerai peut-être de vous dire ce que je sais. Pourquoi ne prenez-vous pas quelques minutes pour y réfléchir ?

Elle se leva et d'un geste exagéré saisit son café, son sac, son carnet.

Dehors, dans le couloir, Jason lui lança son habituel regard ahuri.

— Pourquoi vous ne voulez pas leur parler du squelette ? Une fois que le Dr Wilde nous aura confirmé son identité, ce sera partout sur Internet, non ?

— Oui, mais ça, ils n'en ont pas la moindre idée. Parce qu'ils ne savent pas ce que l'on sait. Et inversement, je ne sais pas ce qu'ils savent, mais dès que je leur dirai ce que nous savons, je perdrai l'avantage et je n'aurai plus de moyen de pression sur eux. Ils franchiront de nouveau le mur d'Hadrien et nous ne serons pas plus avancés. Tu comprends ?

Jason paraissait dubitatif.

— Je crois, oui. Mais s'ils ne veulent rien nous dire ?

— Alors on fera la même chose et on les renverra chez eux. Et ça ne leur plaira pas parce que leur chef devra contacter notre chef et il ne sera pas content.

— Et ensuite, notre chef vous passera un savon.

Karen afficha le genre de sourire qui donne envie de pleurer aux enfants.

— Je ne crois pas. Il ne peut pas nous reprocher de n'avoir pas compromis l'enquête.

Cinq minutes plus tard, elle pénétra de nouveau dans la salle d'interrogatoire. Macanespie et Proctor avaient l'air sombre.

— On vous dit ce qu'on sait si vous faites la même chose, annonça Macanespie.

— Je suis ravie de l'entendre. À vous l'honneur, vous êtes les invités.

Cette remarque valut à Karen un sourire crispé de la part de Macanespie et un autre regard noir de Proctor.

— Nous sommes en poste à La Haye, au tribunal pour les crimes de guerre. Honnêtement, les résultats sont mitigés. En partie parce que certains des acteurs majeurs ne se sont jamais présentés aux procès. Ils ont été assassinés avant qu'on puisse les arrêter. Ils étaient tous serbes. Et le suspect numéro un est le général Dimitar Petrović, qui a disparu de nos radars juste avant que les meurtres commencent.

Il se carra dans son siège et posa les mains sur son large ventre.

— Pourquoi ? Qu'est-ce qui fait de lui un suspect ?

Proctor poussa un soupir.

— Il n'avait cessé de déplorer le travail du tribunal. Il prétendait que ce qu'il fallait, c'était un véritable forum de vérité et de réconciliation, comme en Afrique du Sud. Nous avons décidé de vérifier ses activités après le premier meurtre, parce qu'il s'était plaint que cette première victime profitait de la vie en bafouant la mémoire des Croates massacrés. Il avait donné au tribunal des informations sur la localisation de cet individu et sa nouvelle identité. Mais il trouvait que ça traînait, qu'on ne faisait rien alors qu'en réalité on montait un dossier solide sur lui. Bref, quand on est allés voir de plus près ce que fabriquait Petrović, on a découvert qu'il avait disparu. Personne ne semblait savoir où il était ni ce qu'il faisait.

Macanespie acquiesça.

— Et après le deuxième meurtre, quelqu'un a suggéré que Petrović avait décidé de se faire justice lui-même. Il a une liste, apparemment. Pour l'instant, on pense qu'il a exécuté onze criminels de guerre potentiels.

Karen eut presque pitié de lui.

— C'est impossible.

Macanespie parut abasourdi.

— Que voulez-vous dire ?

— Qu'est-ce que vous savez à ce sujet ? demanda Proctor.

— J'en aurai la certitude d'ici vingt-quatre heures, mais je suis quasiment sûre que Dimitar Petrović n'est pas le loup solitaire des Balkans. Tout simplement parce qu'il est mort depuis huit ans.

— Mort ? répéta Macanespie.

— Cette hypothèse a dû vous traverser l'esprit, j'en suis sûre. Cela explique souvent pourquoi les gens disparaissent sans laisser de traces. Par ailleurs, les autres meurtres que vous avez découverts ont dû vous mettre la puce à l'oreille…

Karen n'arrivait pas à croire qu'ils n'aient pas envisagé cette option. Mais les deux hommes paraissaient embarrassés.

— Vous parlez d'« autres meurtres », reprit Macanespie. Vous êtes sûr qu'il a été assassiné, votre cadavre ?

Karen hocha la tête.

— D'une balle dans la tête.

— Voyez-vous, ça ne colle pas. Parmi les autres morts, aucun n'a été tué par balle. Ils ont tous été égorgés. Et ils étaient serbes. Toutes les autres victimes étaient serbes. Petrović, lui, est croate. Sans compter que ce n'est pas un criminel de guerre notoire, ajouta Proctor sur un ton sarcastique. Pourquoi penserions-nous qu'il a été victime du même tueur ?

— Je n'en sais rien, avoua Karen. Mais si c'est Petrović que vous cherchez, vous trouverez ce qui reste de lui à la morgue. J'imagine que vous ne savez pas qui aurait bien pu le tuer ? La première de vos victimes, par exemple ?

Macanespie fronça les sourcils avant de secouer la tête.

— Non. Petrović aurait pu être un témoin utile dans plusieurs procès, mais il n'était pas crucial. Il avait des ennemis, comme tous ceux qui ont joué un rôle dans ces conflits, mais je n'ai jamais entendu dire qu'il était en haut de la liste noire de qui que ce soit.

— Vous ne pouvez donc pas m'aider dans mon enquête ?

— Non, répondit fermement Proctor.

Macanespie fit glisser sur la table une carte de visite en direction de Karen.

— Mais si vous découvrez quelque chose qui peut nous aider dans la nôtre…

Karen repoussa sa chaise.

— Avec plaisir, dit-elle sur un ton qui indiquait tout l'inverse. Jason va vous raccompagner, messieurs. Moi, j'ai un meurtre à élucider.

23

Macanespie et Proctor grimpèrent la colline pour regagner leur hôtel. Édimbourg dissimulait des hauteurs inattendues, ce qui mettait Macanespie de mauvaise humeur et lui coupait le souffle.

— Putain, qu'est-ce qu'on fait maintenant ? demanda-t-il pour la troisième fois depuis qu'ils avaient quitté Karen Pirie.

Proctor lui répondit la même chose que les deux fois précédentes :

— Ce n'est pas notre problème, c'est celui de Cagney.

Cette réponse ne l'aidait pas. Macanespie était presque certain que Wilson Cagney était du genre à toujours récolter les lauriers sans assumer la responsabilité des échecs. Ils allaient se retrouver avec le dossier Petrović sur les bras, que ce dernier soit mort ou vif. Et pour l'instant, Proctor se révélait aussi utile qu'une bouée de sauvetage en béton.

De retour à l'hôtel, ils se postèrent devant l'ordinateur de Proctor et appelèrent leur chef via Skype. Cagney parut ennuyé, mais Macanespie attribua cette réaction au fait qu'ils l'avaient interrompu pendant une réunion susceptible d'être plus profitable pour sa carrière que deux avocats de seconde zone.

— Alors, qu'est-ce que ça a donné ? demanda Cagney en se penchant vers la caméra, son image grossie et déformée à l'écran. Pourquoi la police écossaise s'intéresse-t-elle à notre homme ?

— Parce qu'ils pensent avoir trouvé son cadavre, répondit Macanespie.

Cagney écarquilla les yeux un instant puis son visage se détendit.

— Extraordinaire. Où ça ?

— Ce n'est pas la question. Ce qui est important pour nous, ce n'est pas où mais quand.

Cagney fronça les sourcils.

— Que voulez-vous dire ?

— Ils ont retrouvé un squelette, expliqua Proctor avec lassitude. Sur un toit, à Édimbourg. D'après eux, il serait mort il y a huit ans. Il n'a pas disparu de la circulation pour se venger. S'il a disparu, c'est parce qu'on l'a tué.

— Tué ? Ils en sont sûrs ? Si c'est un squelette, comment peuvent-ils en avoir la certitude ?

Cagney avait l'air énervé à présent.

— Il a une blessure par balle à la tête, expliqua Macanespie.

— Ça ne colle pas avec le mode opératoire de nos assassinats. Nos victimes n'ont pas été attirées dans un guet-apens, elles ont été tuées au cours de leurs tâches quotidiennes. Par ailleurs, Petrović était croate, pas serbe, rappela Proctor.

Cagney se carra dans son siège, l'air pensif.

— Quelqu'un a donc tué Petrović avant que nos assassinats commencent, ce qui veut dire que sa mort n'a peut-être rien à voir avec les leurs. Il se peut que ce soit simplement une étrange coïncidence.

— Il y a une petite chance pour que le squelette ne soit pas le sien. Ils attendent les résultats ADN, ajouta Macanespie.

Cagney se redressa et balaya une poussière imaginaire sur son col.

— Quoi qu'il en soit, on devrait laisser les Écossais s'occuper de Petrović. Il ne nous concerne plus. On s'est trompé de suspect, voilà tout, dit-il en esquissant un petit sourire pincé. Et votre tâche vient de se compliquer.

— De quel côté on est censés chercher maintenant ? demanda Proctor sur un ton plaintif.

C'était, songea Macanespie, une démonstration fatale de faiblesse face à un homme tel que Cagney.

— Est-ce qu'il faut vraiment que je vous explique tout dans les moindres détails ? Il nous reste deux pistes à explorer. La première est interne. Vous devez trouver d'où vient la fuite. Quelqu'un avec un accès à ces dossiers et capable de désigner les victimes. Trouvez-moi une piste et voyez où elle vous mène. Il ne doit pas y avoir tant de gens que ça qui ont une telle latitude.

— Ce n'est pas aussi simple, protesta Macanespie. La plupart des avocats qui travaillent à Scheveningen sont informés des évolutions des enquêtes. Si on vous confie une mission, vous avez accès à toutes les informations ou presque.

— Alors faites une liste. Et passez-les tous en revue.

Proctor s'apprêtait à répliquer quand Cagney l'interrompit.

— Ensuite, il y a la piste externe. Vous devez parler aux policiers locaux qui ont enquêté sur les meurtres, là-bas. Pour certains, il existe peut-être des vidéos enregistrées par des caméras de surveillance. Est-ce que quelqu'un a assisté les policiers dans leur enquête à l'époque ?

— Tout le monde s'en fichait plus ou moins, à ce moment-là, répondit Macanespie d'une voix ferme. Le département des droits de l'homme s'en est offusqué, mais on sentait bien que ça n'allait pas non plus les empêcher de dormir. Les ordures que visait cet homme, personne ne doutait de leur culpabilité. Pas une seule seconde. On s'est un peu interrogés sur la solidité du dossier de l'accusation. Certains pensaient qu'il n'était pas assez rigoureux pour le procès. Mais les enquêteurs, eux, étaient sûrs de leur coup. Alors quand ces enflures ont fini à la morgue, tout le monde s'est dit : bon débarras.

Cagney marmonna entre ses dents puis lança :

— Et tout le monde a considéré que justice avait été rendue, n'est-ce pas ?

— Le tribunal a toujours fait de son mieux. Mais il est parfois limité par la procédure, expliqua Proctor d'une voix lasse. Quand on pose la question aux populations sur place, ils nous disent que ces gens-là s'en tirent trop souvent à bon compte. Trop de criminels de guerre n'ont tout simplement jamais été inculpés. Certaines de leurs victimes doivent emprunter jour après jour les mêmes rues que les bourreaux qui ont torturé leurs maris et violé leurs filles. Vous ne trouverez pas grand monde pour dire qu'ils ont obtenu justice.

Cagney poussa un soupir.

— Oui, c'est sûr... La fin du tribunal marque un nouveau départ pour les Balkans. Il est temps de tirer un trait et d'aller de l'avant. Comme je l'ai dit, ces meurtres doivent cesser et nous devons montrer que nous nous occupons de ceux qui confondent apparemment justice personnelle et impunité. Je veux qu'on crève cet abcès. Alors vous feriez mieux de retourner aux Pays-Bas pour mettre au point un plan d'action.

L'image de Cagney s'immobilisa un instant avant de disparaître. L'appel était terminé.

Macanespie regarda Proctor et haussa les épaules d'un air résigné.

— On dirait qu'on est foutus.

Karen n'avait jamais été complètement à l'aise avec ses supérieurs, même avant qu'elle envoie l'un d'eux en prison à vie pour meurtre. Quand on l'avait choisie pour diriger l'unité des affaires historiques, elle n'avait pas été fâchée de tourner le dos à son ancien chef de Fife. Mais quelques semaines plus tard, son nouveau supérieur avait été terrassé par une crise cardiaque puis remplacé par celui qu'elle avait cru laisser derrière elle. Le commissaire Simon Lees, sur-nommé sans affection « le macaron », croyait que sa vie serait beaucoup plus simple si seulement ses officiers obéis-saient aux règles. C'était une conviction qui l'avait placé dans une situation conflictuelle avec Karen depuis le pre-mier jour.

Non qu'elle se soit mis en tête de l'énerver. Quand il était arrivé de Glasgow, apparemment persuadé d'avoir été envoyé là par punition pour vivre et travailler avec des gens qui, une génération plus tôt, vivaient encore dans des grottes, elle n'avait pas été la seule à subir son attitude méprisante et hautaine. Cela avait eu le même effet qu'un aiguillon face à un taureau. Karen savait que ses collègues étaient performants. Ils ne jouaient peut-être pas les gros bras, mais n'en étaient pas moins au top. Donc quand il avait fallu rabattre le caquet de Simon Lees, elle avait été ravie de s'y coller. Elle avait trouvé des moyens subtils de le rabaisser, notamment en l'affublant d'un surnom rappe-lant une confiserie trop sucrée à la réputation complètement surfaite.

Il avait essayé de se venger en la mettant sur le banc de touche. Mais la réputation que l'intelligence et l'efficacité de Karen lui avaient value à Fife avait dépassé les murs de son ancienne unité, et on l'avait choisie pour mener une enquête médiatisée dont la réussite avait marqué les esprits. Karen, une femme qui n'avait pas du tout l'ambition d'être l'emblème de la police, était devenue la coqueluche des médias. Simon Lees avait fulminé pendant des semaines, déversant sur sa femme et ses enfants la mauvaise humeur qu'il ne pouvait diriger vers Karen.

La retrouver sous ses ordres constituait l'aspect le moins réjouissant de son nouveau poste. Mais cette fois, il était déterminé à ne pas la laisser prendre le dessus. Il ne lui avait pas lâché de lest, la gardant constamment à l'œil. Une fois par semaine au minimum, il la convoquait dans son bureau pour qu'elle le tienne au courant des dossiers en cours.

Cet après-midi-là, elle se présenta avec une demi-heure de retard. Comme d'habitude, son épaisse tignasse brune donnait l'impression qu'elle avait le même coiffeur que Denis la Malice. Son maquillage était minimaliste, son tailleur légèrement froissé, son pantalon un peu trop serré au niveau des hanches. Il avait toujours pensé qu'elle était lesbienne, ce qui ne posait plus aucun problème dans la police de nos jours, mais il avait récemment découvert qu'elle vivait avec son ancien lieutenant, Phil Parhatka. Elle avait dû lui ordonner de coucher avec elle, songea-t-il avec amertume.

— Je vous attendais plus tôt, dit-il en rangeant des papiers sur son bureau.

— Je faisais des recherches et je n'ai pas vu l'heure, expliqua-t-elle en haussant les épaules. Vous savez ce que c'est quand vous tombez sur un élément intéressant.

Elle s'assit sur le rebord d'un élégant buffet qu'il avait rapporté de la maison de sa grand-mère. Sa secrétaire le

cirait scrupuleusement. Lees était sûr que Pirie ne l'ignorait pas.

— Et quel est cet « élément intéressant » exactement ?
demanda-t-il en esquissant des guillemets avec les doigts.

— Les conflits dans les Balkans à la fin du siècle dernier,
répondit-elle avec aplomb. Croatie. Bosnie. Kosovo.

— Quel rapport avec nous ? Vous n'avez pas suffisamment de travail comme ça ?

— Ça fait partie de mon travail. On a trouvé un squelette sur le toit de l'école John Drummond. Le Dr Wilde...
vous vous souvenez d'elle ?

Lees fit de son mieux pour retenir un frisson. Encore
une de ces femmes insupportables. Elle avait débarqué dans
le service chaussée de bottes boueuses et vêtue d'une veste
huilée tellement ample qu'elle aurait pu dissimuler de petits
animaux dans ses poches, et elle avait aidé Karen Pirie à
saccager toute la procédure. À elles deux, elles lui avaient
sacrément compliqué la vie. Pour ne rien arranger, Pirie
avait réussi à résoudre l'affaire malgré un budget minimal ;
avant que ces deux-là n'y mettent leur nez, cette dernière
n'existait même pas.

— Je me souviens, répondit-il sur un ton hautain.

— D'après elle, le squelette est resté là pendant cinq à
dix ans. On a d'autres preuves indiquant qu'il s'agit d'un
général croate à la retraite qui était conseiller en sécurité
pour l'OTAN en Bosnie et agent de l'ONU au Kosovo. Il
a disparu de la circulation il y a huit ans.

— Qu'est-ce qu'il fiche sur un toit d'Édimbourg ?

Lees ne pouvait pas s'empêcher de se sentir outré. Pourquoi est-ce qu'on viendrait de Croatie se faire assassiner à
Édimbourg ?

— Je ne sais pas encore. Il habitait à Oxford quand il
a disparu. Avec une professeur de géographie. Elle a pensé

255

qu'il s'était fait la malle en Croatie pour retrouver une famille dont elle aurait ignoré l'existence.

— Mais pourquoi Édimbourg ?

— On pense qu'il était adepte de la grimpe urbaine. Qu'il est peut-être allé à Édimbourg spécialement pour faire l'ascension de la John Drummond.

— Faire l'ascension de la John Drummond ? Il ne s'agit pas d'un sommet, commandant. Que voulez-vous dire par là ?

Karen haussa les sourcils.

— Comme je l'ai dit, c'est de la grimpe urbaine. Qui se pratique sur les façades de bâtiments présentant un challenge, comme la John Drummond.

— Quoi, vous voulez dire qu'ils utilisent les bâtiments comme un mur d'escalade géant ?

Lees avait l'air de la soupçonner d'inventer des bobards.

— En gros, oui.

À ce moment-là, son téléphone sonna. Même si elle savait qu'il préférait qu'on éteigne son portable dans son bureau, elle dit :

— Il faut que je réponde.

Elle s'éloigna du buffet et lui tourna le dos.

— Tu as quelque chose pour moi ?

Il y eut une longue pause.

— Et il n'y a aucun doute ?

Une deuxième pause.

— Super. Merci. Je t'appelle plus tard.

Elle rangea son téléphone dans sa poche avant de se retourner vers Lees.

— J'ai la confirmation. Le squelette sur le toit est bien celui du général Dimitar Petrović. Est-ce que je vous ai dit qu'il avait une blessure par balle à la tête ?

— Non.

256

— Il est donc pour nous. Il faut que j'aille annoncer la nouvelle à sa compagne. Ou sa femme, plutôt. Elle l'avait épousé. Espérons pour elle qu'il n'avait pas déjà une femme dans son pays, dit-elle en se tournant déjà vers la porte. À l'évidence, j'aurais peut-être besoin de me rendre en Croatie. C'est probablement là que se trouvent ses ennemis.

— En Croatie ? Et avec quel budget ?

— Si je dois y aller, je prendrai un vol pas cher. Je ne pense pas que Jason aura besoin de m'accompagner. En attendant, j'ai besoin de trouver un spécialiste des Balkans. À Londres, j'imagine.

Elle leva une main pour faire taire la protestation qu'il n'avait pas encore formulée.

— Ne vous inquiétez pas, j'attendrai de trouver un billet de train bon marché.

Sur ce, avant qu'il ne puisse ajouter quoi que ce soit, elle quitta la pièce, le laissant seul avec sa frustration. C'était lui le chef. On lui devait le respect. Comment pouvait-elle continuer à avoir le dessus sur lui ? Tôt ou tard, il allait devoir lui rappeler qui était aux commandes.

Il attendait ce moment avec impatience.

24

Tessa ne reconnut pas le numéro, mais elle décrocha malgré tout. Il était toujours possible que quelqu'un se manifeste pour apporter de nouvelles informations sur un sujet que tel ou tel gouvernement aurait préféré passer sous silence. La voix qu'elle entendit au bout du fil ne lui était cependant pas inconnue. Elle identifia immédiatement Karen Pirie.

— Est-ce que vous avez du nouveau ? demanda-t-elle.

— J'ai bien peur que oui. Nous avons reçu les résultats ADN et il ne fait plus aucun doute que l'homme retrouvé sur le toit de la John Drummond est bien le général Petrović. Je suis désolée. Je sais que vous étiez proches.

— Oh mon Dieu, souffla Tessa.

— J'aurais préféré l'annoncer au professeur Blake en personne, bien entendu. Mais je me suis dit qu'il valait mieux que ça vienne de vous. Si vous ne voulez pas lui annoncer la nouvelle, je suis tout à fait disposée à lui téléphoner, mais ce serait peut-être mieux que vous soyez avec elle. On ne devrait pas être seul dans un moment pareil.

— Bien sûr, je vais lui dire.

Tessa n'était pas très sûre de ce qu'elle ressentait. Elle s'était attendue à cette annonce depuis sa rencontre avec

Karen, mais l'entendre se confirmer était une autre histoire. Au fond d'elle, elle avait toujours su que Mitja finirait par refaire surface. Ce qu'elle n'avait pas anticipé, c'est que son retour fût annoncé par une grosse Écossaise mal coiffée et hautaine. Mitja aurait sûrement espéré mieux que ça.

— Nous aurons besoin de prendre sa déposition, mais nos collègues de Thames Valley pourront s'en charger. Elle peut m'appeler à tout moment si elle en ressent le besoin.

— Est-ce qu'il va y avoir une enquête pour meurtre ? C'est vous qui vous en chargerez ?

— Oui. Mais comme les faits sont anciens et les preuves peu nombreuses, l'enquête sera limitée. Ce qui ne signifie pas que nous ne suivrons pas toutes les pistes ni que nous négligerons certaines hypothèses. À ce propos, je vais vous poser une question qui va vous sembler vraiment inappropriée.

Tessa émit un petit rire sardonique.

— Vous voulez savoir si je couchais avec lui ? C'est ça, n'est-ce pas ?

Elle entendait Karen respirer à l'autre bout du fil et l'imagina faire une grimace, se reprochant sa propre maladresse.

— Est-ce que c'était le cas ?

Tessa lâcha un éclat de rire rauque.

— Vous ne pourriez pas vous tromper davantage, commandant. Mitja Petrović ne m'attirait pas le moins de monde. Je suis lesbienne, voyez-vous. Vous pouvez poser la question à tous ceux qui me connaissent. Ce n'est pas un secret. Je n'avais aucune attirance sexuelle pour lui. Je l'aimais beaucoup et le fait qu'il rende mon amie heureuse renforçait cette estime à mes yeux. Mais Mitja et moi ? Jamais de la vie.

— Très bien. Il fallait que je pose la question. Vous êtes avocate, vous savez ce que c'est.

— Je ne suis pas offensée. Et je vous remercie de ne pas l'avoir fait devant Maggie. Mais je vais vous dire quelque chose. Si Mitja est parti, ce n'est pas parce qu'il couchait avec une autre. Il est tombé fou amoureux d'elle à Dubrovnik et il l'était toujours autant quand il a disparu. Je sais que les gens disent toujours ça après le départ de quelqu'un, mais il était vraiment très attaché. C'est pour ça que je n'ai jamais adhéré à l'idée de Maggie selon laquelle il avait levé le camp et l'avait abandonnée pour retrouver une vie qu'il avait laissée derrière lui.

— Alors qu'est-ce qui s'est passé, d'après vous ?

Tessa était restée éveillée jusqu'à l'aube à se demander ce qu'elle répondrait quand cette inévitable question surviendrait. Devait-elle évoquer les sombres théories qu'elle avait formulées à Maggie ? Ou devait-elle plutôt essayer de ne pas empirer les choses ? Elle avait fini par prendre une décision.

— Je ne savais pas quoi penser. Au début, j'ai cru qu'on l'avait forcé à reprendre du service et à accomplir des missions de renseignement secrètes. Mais quand les mois ont passé… Eh bien je me suis dit que les missions en question avaient dû très mal tourner. Qu'il était mort ou bien prisonnier au fond d'un cachot.

— Mais vous êtes avocate des droits de l'homme, non ? Vous n'avez pas des contacts susceptibles de vous renseigner sur ce genre de choses ?

— Me renseigner sur quoi ? Le nom de ceux qui sont retenus dans les prisons des talibans ? Ou qui sont à l'isolement dans un pays du Golfe, sans accès à un avocat ? Mon influence a ses limites, commandant. Je ne suis qu'un humble rouage de la mécanique du Tribunal pénal international. Bien sûr, j'ai enquêté discrètement dès que j'en ai eu la possibilité. Et évidemment, je n'ai jamais obtenu aucun résultat. Mais ça ne veut pas dire que je me trompais. J'ai continué à chercher parce que j'ignorais qu'il était mort sur le toit d'un bâtiment à Édimbourg.

Tessa regarda dans le vide par la fenêtre de son bureau, sans rien voir de la rue en bas ni des maisons en face.

— Est-ce que vous avez soumis votre théorie au professeur Blake ?

— Bien entendu. Elle n'y a pas cru. Elle était persuadée qu'il était rentré chez lui. Il s'avère qu'on se trompait toutes les deux. Maintenant, si vous n'avez pas d'autres questions, je vais vous laisser, me servir un verre d'alcool fort et aller annoncer à ma meilleure amie que son mari ne reviendra jamais.

Maggie aimait bien raccompagner ses étudiants de thèse jusqu'à la porte à la fin de leur rendez-vous. C'était le genre de chose que l'on faisait avec des amis ; cela rendait les entrevues moins formelles, selon elle. Quand elle ouvrit la porte pour faire sortir un brillant étudiant canadien dont les recherches portaient sur la géographie du shopping après l'avènement des centres commerciaux, elle ne s'attendait pas à trouver Tessa assise dans le couloir. Elle sut immédiatement que c'était mauvais signe.

Maggie ne releva pas les dernières remarques de son étudiant qui lui répéta les idées maîtresses de son chapitre suivant. Elle avait les yeux rivés sur Tessa, qui se leva d'un mouvement toujours aussi souple et gracieux malgré le passage des années. Silencieuse, Maggie recula d'un pas et fit signe à son amie d'entrer. Elle referma la porte avec une précaution infinie, comme si cela pouvait atténuer le choc des mauvaises nouvelles. Puis elle s'y adossa et attendit.

Tessa se tourna vers elle, sombre, les traits tirés.

— C'est lui, annonça-t-elle. Il n'y a aucun doute.

Maggie ferma les yeux et serra les poings. On avait beau anticiper ces moments-là, on n'y était jamais préparé. Elle eut soudain froid, comme si la pièce avait été climatisée. Un frisson la parcourut et la ramena à la réalité. Quand elle ouvrit les yeux, elle vit Tessa, bouche entrouverte, regard troublé, bras légèrement tendus comme si elle s'apprêtait à venir serrer Maggie contre elle sans pour autant oser le faire.

Maggie repoussa la porte et avança vers son amie, ce qui permit à Tessa de la prendre dans ses bras.

— Je suis vraiment désolée, dit cette dernière. Désolée pour tout. Tout ce que j'ai pu penser et dire, tout ce qui t'a fait de la peine. Je suis désolée.

— Je sais, murmura Maggie. Je sais.

Maggie était incapable de déterminer pendant combien de temps elles restèrent serrées l'une contre l'autre. Elle se dit qu'elle aurait sans doute dû pleurer, hurler ou déchirer ses vêtements en débitant des insanités pour exprimer son chagrin. Mais tout ce qu'elle ressentait, c'était cette froideur qui l'empêchait d'éprouver quoi que ce soit. Tessa finit par lui demander :

— Je te sers un verre ?

Maggie s'éloigna d'elle et soupira :

— Je ne sais pas ce que je veux. Ni ce que je ressens. J'ai toujours cru qu'il reviendrait un jour.

— Peut-être que si tu m'avais dit que vous étiez mariés, je n'aurais pas été aussi sceptique.

Tessa avança vers la fenêtre et admira la vue sur les toits.

— Est-ce que j'aurais dû te le dire avant ou après avoir couché avec toi ? rétorqua Maggie d'un ton sec et cinglant.

— Oh, tu es vraiment injuste, protesta Tessa en se retournant vers son amie. On s'est réconfortées mutuellement. On ne devrait pas se sentir coupables. Tu souffrais,

Maggie. Et il me manquait à moi aussi. On s'est donné de l'amour et du soutien au moment où on en avait besoin.

— Et puis je t'ai de nouveau fait souffrir quand je n'ai plus voulu de toi.

Tessa haussa les épaules.

— Ça n'a plus d'importance maintenant. Ce qui compte, c'est qu'on soit toujours là l'une pour l'autre.

— Mais Mitja, lui, n'est plus là, commenta Maggie d'une voix faible qui trahissait son état. Je t'avais dit que ce n'était pas un tueur. Je t'ai répété qu'il en était incapable.

Tessa fit une grimace.

— À ce moment-là, ça me paraissait crédible et toi, ça te paraissait crédible qu'il soit allé retrouver sa mystérieuse famille, comme dans une comédie romantique.

Maggie poussa un soupir.

— J'aurais préféré ce scénario. Je préférerais qu'il soit vivant, même loin de moi. Pendant toutes ces années il est resté là-bas, mort, alors qu'il aurait dû se trouver avec les gens qui l'aimaient, dit-elle d'une voix étranglée. Je donnerais tout pour que ta théorie soit la bonne, pour qu'il ait passé ces années à éliminer les ordures qui ont détruit son pays. Au moins il aurait été vivant. Il aurait senti le soleil, le vent et la pluie. Il était tellement vivant, Tess. Même quand les choses étaient difficiles, il avait cet esprit, cette énergie qui faisait que tout était possible.

— Je sais. J'ai du mal à y croire moi aussi.

— Qui aurait bien pu le tuer, Tess ?

— Quelqu'un qu'il avait connu par le passé. Il s'était fait beaucoup d'ennemis pendant la guerre.

Maggie secoua la tête.

— Non, ça n'a pas de sens. Si c'était le cas, il n'aurait pas été tué comme ça. Il connaissait ses ennemis. Il ne les aurait jamais laissés l'approcher. Qui aurait pu escalader un bâtiment avec lui avant de lui tirer une balle dans la tête ? Si on voulait sa mort, pourquoi ne pas lui tirer dessus dans la rue, tout simplement ? Pourquoi s'embêter à aller dans une ville étrangère partager quelque chose d'aussi intime que l'escalade libre et le tuer ?

— Donc tu penses que c'était quelqu'un en qui il avait confiance ? Quelqu'un qui venait des Balkans ?

— C'est la seule explication sensée. Pour faire de l'escalade libre avec quelqu'un, il faut lui faire confiance, non ?

— Oui, en effet, dit Tessa en fronçant les sourcils. Si c'était quelqu'un originaire des Balkans, les espions doivent être au courant qu'il était sur le territoire. Je pourrais demander à Theo Proctor, tu te rappelles, celui qui m'a appelée l'autre jour pour me dire qu'il suspectait Mitja ? Il pourrait peut-être vérifier si un individu originaire des Balkans était dans le coin ce week-end-là.

— Tu pourrais faire ça ? Tu crois qu'il te donnerait ces informations ?

Tessa haussa les épaules.

— Je peux toujours essayer. On est censés être tous dans le même camp.

Une minuscule lueur d'espoir s'alluma dans les yeux de Maggie.

— Il faut que je le sache, Tess. Il faut que je découvre qui lui a fait ça.

— Je sais, dit son amie en se dirigeant vers la cuisine. J'ai besoin de boire un verre, tu en veux un ?

— Lagavulin, répondit Maggie. J'ai envie d'un truc qui ait un goût de médicament. Quelque chose qui m'aidera à me sentir mieux.

Tout à coup, ses jambes flageolèrent et elle tituba jusqu'au canapé. Quand Tessa revint avec les boissons, elle s'assit à côté de son amie, leurs corps se frôlant en un moment complice de douleur partagée.

— On ne connaîtra peut-être jamais la réponse, dit Tessa. Il ne faut pas trop espérer.

Maggie but une gorgée de whisky et grimaça quand la saveur maltée emplit sa bouche.

— Quelqu'un l'a tué. Quelqu'un en qui il avait confiance. Il doit y avoir une raison. Je ne vais pas abandonner Mitja. Je vais trouver qui a fait ça, Tess. Je vais trouver qui lui a ôté la vie.

Il était clair dès le début que Dubrovnik était très mal protégée. La seule unité militaire régulière de la ville était un bataillon d'infanterie légère stationné dans le fort napoléonien du mont Saint-Serge, près de la maison de Varya. D'après Mitja, ce coin était susceptible d'être visé par les forces ennemies.

— Il faut que tu déménages, me répétait-il.

— Je ne peux pas les abandonner. Ils ont été très gentils avec moi depuis que je suis arrivée ici.

— Tous ceux qui en ont la possibilité s'en vont. Tu crois qu'ils t'emmèneront s'ils décident de fuir ? Crois-moi, Maggie, tu rentreras un jour et tu trouveras la maison déserte et les placards vides. Dans une période comme celle-ci, les gens protègent d'abord leurs proches. Et c'est ce que je suis en train de faire. Si tu tiens à rester dans cette ville, je veux que tu sois en sécurité.

Alors j'ai cédé. Cela dit, il avait raison au sujet de la famille de Varya. Ils sont partis avant la fin de la semaine, saisissant la main tendue par des proches en Slovénie. Ironiquement, leur maison n'a pas été touchée par les tirs d'artillerie qui ont suivi et la solution de Mitja s'est révélée beaucoup plus dangereuse que prévu. Il était tellement fier de son pays et de son héritage qu'il ne pouvait pas concevoir que les Serbes bombardent un site classé au patrimoine de l'Unesco. Il nous a donc installés dans un appartement au cœur de la vieille ville, à deux pas de la cathédrale avec une vue partielle sur le port depuis la fenêtre de la chambre. C'était l'appartement d'un de ses amis, un bureaucrate de l'Unesco qui avait fui la ville dès que les hostilités avaient débuté à Vukovar. Je me suis souvent demandé s'il ressentait de la culpabilité ou de la honte à l'idée d'avoir abandonné ses amis et ses voisins quand il repensait à Dubrovnik. Probablement pas; c'est le genre de réaction émotionnelle qui vous empêche de mener une vie épanouie.

L'appartement était spacieux et confortablement meublé. Rado avait rempli les placards de la cuisine de nouilles instantanées et de bouteilles de scotch. Quand nous nous sommes installés, cela m'a fait rire. Il n'a pas fallu longtemps pour que je change d'attitude et lui envoie des prières silencieuses pour le remercier de sa prévoyance. Dans une ville assiégée, posséder des réserves alimentaires vous permet de négocier en position de force. Et un verre de whisky à la fin de la journée devient un véritable bonheur. La présence par intermittence de Mitja était pour moi la cerise sur le gâteau, le sel dans mon bol de nouilles instantanées.

J'avais beau être follement amoureuse, les journées sont devenues bientôt sinistres. La première offensive majeure sur Dubrovnik a débuté le premier jour d'octobre. L'armée serbe est arrivée par le sud-est, le nord et l'ouest. L'artillerie a attaqué le mont Saint-Serge; les tirs résonnaient à travers la ville à intervalles réguliers. Aujourd'hui encore, je ne peux pas entendre un feu d'artifice sans que ma poitrine ne se serre. Les MiG-21 de l'armée de l'air pilonnaient Komolac à l'ouest de là où nous nous trouvions, détruisant nos accès à l'électricité et à l'eau.

Nous avons été privés de ces deux ressources jusqu'à la fin décembre.

Nous considérons les commodités de la vie moderne comme acquises jusqu'à ce qu'elles nous soient retirées. Les gens vivent relativement bien sans ces choses que nous tenons pour indispensables, et ils y arrivent parce qu'ils n'ont jamais dépendu d'elles. Quand on a vécu toute sa vie avec l'habitude d'appuyer sur un bouton pour avoir de la lumière et d'avoir de l'eau en tournant un robinet, c'est d'abord un choc de perdre tout ça, puis déconcertant, puis affreusement déprimant.

Il y avait quelques générateurs dans la ville, mais le fuel était une denrée rare et on l'utilisait avec parcimonie. La plupart des gens possédaient un petit stock de bougies mais il a vite été épuisé. Les habitants ont pris l'habitude d'aller se coucher à la nuit tombée. Il faisait particulièrement froid cette année-là et se mettre au lit était l'une des façons de se réchauffer. Par ailleurs, au bout de quelques jours, un couvre-feu a été instauré. Ceux d'entre nous qui voulaient continuer à se retrouver le soir pour maintenir l'illusion d'une vie intellectuelle ont rapidement été découragés.

Mitja était rarement à la maison. C'est difficile à imaginer aujourd'hui puisque tout est instantané, mais dans cette ville assiégée il n'y avait qu'un seul téléphone satellite et un fax qui étaient déplacés presque chaque jour pour les protéger des bombardements et, la plupart du temps, Mitja se trouvait là où était le téléphone. Les hélicoptères ennemis sillonnaient le ciel sans relâche, à la recherche de l'antenne parabolique. Et quand ils la trouvaient, les MiG prenaient le relais pour tenter de la détruire.

Pire que le mitraillage constant des MiG, il y avait les tirs d'obus incessants. Ils ont d'abord attaqué le fort sur le mont Saint-Serge. Puis l'hôtel Belvedere. Puis l'hôtel Argentina. Et ainsi de suite. Je me revois, dans le Centre interuniversitaire avec un groupe de réfugiés originaires de la campagne environnante, regardant les pinèdes du mont Saint-Serge s'enflammer sous les bombes. Ça paraissait complètement surréaliste de voir les flammes jaunes et orange s'étendre d'abord le long de la crête, puis engloutir la colline en avançant vers la ville. Tout à coup, nous étions cernés par des nuages de papillons s'échappant de l'enfer qu'était devenu leur habitat naturel. C'était une expérience surréelle.

Je ne comprenais pas pourquoi les Serbes voulaient détruire Dubrovnik. La ville n'avait aucune valeur en tant que cible stratégique. Elle était imprenable à cause de ses murs d'enceinte ; la destruction était la seule tactique qu'on pouvait employer contre elle. Mais pourquoi détruire une ville qu'on aimerait annexer ? Un soir où Mitja était rentré avec une boîte de bougies parfumées que quelqu'un avait « libérées » d'un magasin de souvenirs, on s'est assis à la lueur de la flamme vacillante et je lui ai posé cette question.

— On dirait qu'ils s'en prennent à tous les bâtiments classés au Patrimoine, les hôtels, ou les hôpitaux. Toutes les églises et les monastères, à l'exception de l'église serbe orthodoxe. Il ne restera rien que des ruines. Pourquoi est-ce qu'ils font ça ?

— Justement parce que c'est une attraction touristique, m'a-t-il répondu. Ils veulent frapper fort. Montrer qu'on ne peut pas se réfugier derrière notre histoire. Prouver au monde qu'ils ne se laisseront pas intimider par les idées des étrangers. Ils croyaient aussi que nous serions une cible facile qui se rendrait au premier coup de feu. Ils se sont grossièrement trompés. Ils n'ont pas mesuré à quel point nous aimons notre histoire. Notre héritage. Notre pays.

J'ai poussé un soupir.

— On aurait pu croire qu'ils comprendraient au moins ça. Ça fait mille ans que vous combattez pour vos terres dans les Balkans.

Il remplit nos verres de whisky l'air triste et fatigué.

— Et on continuera sans doute à se battre pour la même chose dans mille ans. Bizarrement, c'est presque logique que tout ça se passe à Dubrovnik. Une guerre médiévale dans une ville médiévale.

Il avait tort, bien entendu. C'était une guerre très moderne parce que Dubrovnik était aussi une ville moderne. Nous nous appuyions sur des criminels nous aussi, des hommes spécialisés dans la contre-bande, dotés de bateaux rapides et silencieux ; connaissant toutes les routes de la côte dalmate, ils slalomaient entre les navires serbes et les rivages rocailleux pour apporter des armes et de l'eau, des médicaments, du lait. Ils nous ont permis de tenir.

Les Serbes n'ont pas apprécié qu'on joue au plus malin avec eux. Un jour, ils ont bombardé le vieux port. Tard cette nuit-là, une fois le calme revenu, après le couvre-feu, quelques-uns d'entre nous sommes sortis en catimini pour jeter un œil au port. Il y avait un beau clair de lune ; je me souviens avoir pensé qu'on prenait un sacré risque, parce que les MiG auraient pu nous distinguer clairement s'ils avaient décidé de faire une ronde de nuit. Les rues étaient silencieuses et sinistres. Mais depuis le port, nous apercevions au moins une dizaine de bateaux en feu ballottés par les vagues et le vent. Ils brûlaient avant de couler. Une Irlandaise qui se tenait à côté de moi a murmuré :

— C'est à la fois beau et terrible.

Je venais de rencontrer Tessa Minogue. Je savais qui elle était ; l'IUC était trop petit pour qu'on reste anonymes. Mais nos chemins ne s'étaient jamais vraiment croisés avant cette nuit-là. Nous sommes revenues du port ensemble et j'ai découvert qu'elle vivait au coin de notre rue. Je l'ai invitée à prendre un verre ce soir-là et une amitié est née, qui dure encore à ce jour. Tessa est aujourd'hui la première personne vers qui je me tourne en cas de problème, peut-être parce que notre relation a commencé sous les bombes.

Cela me gêne un peu de le reconnaître, mais les deux relations qui me tiennent le plus à cœur sont nées de la guerre en Croatie. S'il n'y avait pas eu la menace de la guerre, Mitja ne se serait probablement pas trouvé à Dubrovnik. Et sans cette soirée sur le port, je n'aurais peut-être jamais fait la connaissance de Tessa.

Ne vous méprenez pas. Je ne suis pas égocentrique au point de penser que la guerre peut avoir de bons côtés. Je me sens plutôt honteuse d'avoir vécu une histoire aussi belle en plein cauchemar des Balkans, à la fin du siècle dernier.

25

Karen fut surprise de trouver Phil en train d'émincer des légumes dans la cuisine quand elle rentra à la maison au beau milieu de l'après-midi. Elle était toujours très occupée à cause de ses responsabilités. Elle travaillait les week-ends, effectuait des heures supplémentaires sans se plaindre et s'accordait donc le droit de quitter plus tôt son poste quand aucune urgence ne la réclamait. Et puis, elle réfléchissait toujours mieux loin du bureau.

— Qu'est-ce que tu fais ici à cette heure ? demanda-t-elle, en l'étreignant et en lui déposant une bise sur la nuque.

Il frissonna de plaisir.

— Attention, ces couteaux sont bien affûtés. Tout est allé de travers ce matin. On l'avait placé sous surveillance hier soir. Mais quand on est revenus chez lui en plus grand nombre ce matin, notre oiseau avait quitté le nid.

— Qu'est-ce qui s'est passé ?

Karen ôta sa veste et la jeta sur la chaise la plus proche.

— Personne ne veut assumer la responsabilité de ce qui s'est passé, mais ça me paraît évident que l'équipe de surveillance nocturne a pensé que le type était chez lui pour la nuit et qu'ils en ont profité pour aller se prendre un café, manger un curry ou piquer un petit somme. Soit notre gars a eu un coup de bol et est parti au bon moment pour l'aéroport, soit il avait repéré l'équipe de surveillance.

— L'aéroport ?

— Ouais. D'après sa femme, il est parti au Liechtenstein pour quelques jours. Sans doute pour passer faire un petit coucou à son argent.

— C'est trop bête…

— Comme tu dis. Cela dit, c'est en partie de notre faute. J'aurais dû vérifier son emploi du temps avec sa femme.

— Tu penses qu'il sait que vous êtes à ses trousses ?

Phil secoua la tête et versa l'émincé d'échalotes et de poivrons rouges dans une poêle fumante.

— Je ne pense pas. Mais j'ai peur que sa femme le prévienne. Elle a juré de ne pas le faire. Même si elle refuse de témoigner contre lui, je ne pense pas qu'elle nous mettra de bâtons dans les roues. Mais on ne sait jamais. Quand elle se retrouvera en tête à tête avec lui, qui sait comment les choses se passeront.

Une odeur appétissante leur monta aux narines quand il ajouta de l'ail dans la poêle.

— C'est terrible. Je n'arrive pas à m'imaginer ce que c'est d'avoir peur de la personne avec qui on partage son existence.

Phil se retourna avec un grand sourire.

— Moi j'en ai une petite idée.

— C'est pas drôle, répliqua-t-elle en souriant.

— Alors, pourquoi est-ce que tu es rentrée plus tôt aujourd'hui ?

Il reporta son attention sur la poêle, remua son contenu énergiquement avant d'ajouter du fenouil et une poignée de chorizo coupé en dés.

— J'ai besoin de réfléchir à la suite. Et puis je n'ai pas arrêté depuis qu'on a trouvé ce squelette, samedi.

— Et alors, où tu en es ?

Échanger des idées était leur méthode de travail quand ils évoluaient encore dans la même équipe. Même s'ils ne travaillaient plus ensemble maintenant, ils ne s'étaient pas résolus à y mettre un terme. Techniquement, ils ne pouvaient discuter des dossiers confidentiels qu'en interne. Mais Karen se fichait de suivre un règlement dont elle ne voyait pas l'utilité et Phil avait fini par l'imiter.

Karen le mit au courant des derniers développements de la journée.

— J'aurais préféré annoncer la nouvelle moi-même à Maggie Blake. J'aurais aimé voir sa réaction. Ça ne veut pas dire que je la soupçonne de quoi que soit. Si elle avait voulu se débarrasser de lui, elle aurait pu s'y prendre autrement et d'une façon beaucoup moins compliquée.

— Mais c'est toujours bien de voir comment le conjoint réagit.

Phil versa les légumes dans une casserole et ajouta des tomates coupées en morceaux et quelques feuilles de basilic.

— Est-ce qu'il reste du vin d'hier soir ?

— Il doit en rester l'équivalent d'un verre dans la bouteille.

Karen alla la chercher au salon avant de revenir dans la cuisine.

— À mon avis, dit-elle, celui ou celle qui a fait ça est lié à son passé. À l'époque de la guerre des Balkans. Il l'a vécue de bout en bout, tu sais. Au sein de l'armée croate pendant la guerre de Croatie, dans les renseignements de l'OTAN en Bosnie et ensuite avec l'ONU au Kosovo. Il a eu de nombreuses occasions de se faire des ennemis. Au moment de sa disparition – et de son meurtre probablement

– toutes les mises en accusation au Tribunal pénal international pour l'ex-Yougoslavie avaient été établies, mais apparemment des procès avaient encore lieu. Et pas mal d'accusés n'ont pas encore été arrêtés. Ça ne serait donc pas surprenant que quelqu'un de cette époque ait cherché à se débarrasser de Petrović.

Phil versa le restant de vin dans la poêle.

— Je vais laisser mijoter un moment, dit-il.

— Un peu de piment ? demanda-t-elle d'un air implorant.

— Bon, d'accord. Mais seulement parce que je t'aime, OK ?

Phil prit le moulin à piments séchés dans le placard et donna deux tours au-dessus de la poêle.

— En plus, un des gars du club d'escalade a affirmé que quand Petrović faisait de la grimpe urbaine, il était accompagné de quelqu'un qu'il avait connu en Yougoslavie.

— Quelqu'un qui vivrait par ici, tu penses ?

— Oui, ou bien qui venait souvent. Mais selon Maggie Blake, il ne voyait pas grand monde de cette époque.

— Ce qui laisse supposer qu'il avait de bonnes raisons d'éviter de voir des gens appartenant au passé.

— Ce n'est pas idiot. Comme il était dans le renseignement, il était sans doute au courant d'un tas de choses que certaines personnes ne tenaient pas à voir étalées au grand jour.

Karen prit une poire dans la coupe à fruits et se mit à la manger, perdue dans ses pensées.

— Peut-être même des gens de chez nous, ajouta-t-elle en pensant à Macanespie et Proctor.

Peut-être que leur visite n'avait été qu'un prétexte et qu'ils étaient juste venus la rencontrer pour lui tirer les vers du nez.

— Bon alors, comment tu comptes t'y prendre pour en savoir plus sur son mystérieux passé ? demanda Phil en s'asseyant en face d'elle. J'imagine que nous avons des militaires haut gradés qui l'ont connu au Kosovo ?

— Oui, mais ils ne parleront pas à des gens comme moi. Surtout s'ils sont dans le renseignement. Et même s'ils sont retraités, ils ne diront rien. Non, j'ai une meilleure idée. Je suis allée à la librairie près de l'université et j'ai regardé les livres qu'ils avaient sur la guerre des Balkans. J'ai été étonnée d'en voir autant. Il y a des tas de gens comme Maggie Blake qui vivent du malheur des autres. Un peu comme ces auteurs qui écrivent des bouquins tirés de faits divers. J'ai jeté un œil aux index et j'ai trouvé son nom dans l'un d'eux. L'auteur mentionne avoir rencontré Petrović après le siège de Dubrovnik, quand il était colonel. Il le décrit comme une des figures montantes, un de ceux qui avaient bon espoir de bâtir un avenir meilleur.

— Et c'est tout ce qu'il dit ?

— C'est la seule personne qu'il cite nommément. Mais ce type connaissait manifestement tout le gratin. C'est un journaliste. Il a couvert tout le conflit des Balkans, entre autres. Il a fait un tas de trucs pour la BBC mais aussi pour la presse écrite. J'ai réussi à retrouver sa trace. Il est au Brésil en ce moment. Apparemment, il y a un important événement sportif prévu pour la fin de l'année ?

Elle marqua intentionnellement une pause et Phil lui tira la langue.

— J'ai organisé une discussion via FaceTime dans deux heures.

Elle afficha un grand sourire.

— J'ai la nette impression que le Macaron pense que je ne suis pas à la hauteur de la situation. Mais j'ai bien l'intention de lui prouver le contraire.

Theo Proctor se laissa tomber comme une pierre sur sa chaise de bureau.

— Je suis crevé, se plaignit-il. Toutes ces allées et venues, et pourquoi au final ? Si on avait juste attendu au lieu de courir après Maggie Blake dans tout Glasgow, on en serait exactement au même point. Je devrais être chez moi, en train de siroter une bonne bière avant le dîner.

Macanespie haussa les épaules et alluma son ordinateur.

— Si tu veux te plaindre, tu peux aller le faire ailleurs.

Il regarda l'écran en fronçant les sourcils et tapota de ses doigts boudinés sur les touches du clavier pour ouvrir le fichier qu'il avait créé quand ils pensaient encore que Dimitar Petrović était leur justicier.

— Qu'est-ce que tu veux que je fasse d'autre ?

Proctor retira sa veste et la jeta sur le bureau à côté du sien comme l'aurait fait un enfant capricieux.

— Il y a des chances que nous trouvions des indices solides si on repart de la dernière affaire. Miroslav Šimunović était en Crète. Prends-nous des billets d'avion pour le premier vol. Il doit y avoir des départs dans la matinée. C'est la saison touristique. Trouve le nom de l'enquêteur grec. Contacte-le ensuite par mail et dis-lui que nous venons réexaminer le dossier.

L'esprit d'initiative de son collègue le laissa bouche bée.

— Tu as perdu la tête ?

— Tu n'as pas compris ce que Cagney a dit ? Nous n'avons pas droit à l'échec. On va se faire dézinguer si on ne fait pas ce qu'il attend de nous. C'est peut-être juste un stratagème pour se débarrasser de nous ; mais si c'est le cas, je ne resterai pas assis sans rien faire, OK ?

Il se retourna vers l'écran et le parcourut en fronçant les sourcils.

— Et tu penses que les Grecs vont coopérer sans problème ? « Salut, on vient de La Haye pour vous montrer, bande d'idiots, que vous n'avez pas fait correctement votre boulot. » On y croit vachement.

— On pourrait se montrer un peu plus subtils que ça. Du style : « On a deux trois suspects dans d'autres affaires similaires et on voudrait voir si on ne peut pas trouver quelque chose. » Des gens dont ils ne pouvaient pas savoir qu'ils présentaient un quelconque intérêt. Ce genre de truc. On pourrait ajouter qu'ils ont peut-être découvert une preuve déterminante pour notre affaire. Ça s'appelle de la flatterie, Theo.

— Et qu'est-ce que tu vas faire, toi, pendant que je m'occupe de tout ça ?

La moue du Gallois traduisait parfaitement le sentiment d'un homme éprouvant une injustice.

— Je vais parcourir le fichier ligne par ligne. On doit trouver d'où venait cette fichue taupe. Je suis en train d'éliminer toutes les personnes qui n'étaient pas dans l'équipe ici à Scheveningen pendant la période des meurtres. Nous avons un bon point de départ maintenant. Si elles n'étaient pas dans l'équipe quand Petrović a disparu, elles sont hors de cause. Et si elles étaient parties quand Petrović a été tué, elles ne nous intéressent pas non plus. Nous n'avons pas étudié cette liste assez attentivement avant. Soyons honnêtes, Theo. On s'en fichait pas mal et on ne s'est pas trop foulés.

— Peut-être. Mais je trouve que tu dramatises un peu trop. Cagney ne peut pas nous virer comme ça. Il y a des procédures.

Macanespie leva les yeux au ciel.

— Bon Dieu… tu n'as pas arrêté de répéter que tu ne voulais pas perdre ta retraite, en pleurnichant que tu avais une femme et des enfants à nourrir. Foutues jérémiades.

— Oui, bon, mais c'était avant que je prenne le temps de réfléchir. Avant que tu me traînes de force à Glasgow pour y jouer les James Bond. Plus j'y pense et plus tout ça me paraît complètement dingue.

— Je ne t'ai pas traîné de force là-dedans. C'était ton idée à la base, tu te souviens ? Ça ne t'a pas posé de problème à ce moment-là, quand tu pensais que ce serait un bon moyen d'être dans les petits papiers de Cagney.

Macanespie lui lança un regard de mépris.

— Bon maintenant, est-ce que tu vas te décider à te bouger un peu le cul ou dégager et me laisser faire du bon boulot ? Ça m'emmerderait d'être coiffé au poteau par cette bonne femme de la police écossaise.

Marmonnant entre ses dents, Proctor alluma son ordinateur et commença à chercher des vols.

26

Karen aimait la cuisine chez Phil, mais le wi-fi n'y était pas assez puissant pour avoir une conversation via FaceTime. Elle avait donc dû s'installer dans ce qu'ils appelaient avec une pointe d'ironie « la bibliothèque ». Les étagères de livres – certaines fausses, dissimulant une télé à écran plasma –, les confortables fauteuils club, le bureau avec un plateau recouvert de cuir et le tapis à motif écossais, tout dans cette pièce donnait à Karen l'impression de se trouver dans un décor stéréotypé pour sitcom. Elle régla l'éclairage afin que les détails en arrière-plan restent dans le flou, enclencha l'enregistrement et composa le numéro d'Adam Turner.

La sonnerie retentit et elle se félicita encore une fois d'avoir retrouvé la trace du journaliste aussi facilement. Par chance, quand elle avait tapé son nom dans Google, elle était tombée sur un article publié quelques jours plus tôt dans le *Telegraph*. Le rédacteur du journal à Édimbourg lui avait communiqué un numéro de téléphone et une adresse e-mail, et tout s'était enchaîné ensuite avec une étonnante facilité. Elle avait envoyé un texto au journaliste, il avait répondu et ils étaient convenus d'un rendez-vous téléphonique.

Son image sur l'écran disparut pour être remplacée par le visage d'un homme avec un mur jaune criblé de trous derrière lui. Il avait un teint jaunâtre, peut-être à cause du décor ou du climat. Ou bien à cause de l'alcool, vu qu'il était journaliste. Ses yeux étaient à peine visibles derrière les larges lunettes aux épaisses et élégantes montures noires. Ses cheveux bruns étaient clairsemés et mal coiffés ; sous l'éclairage cru de sa chambre d'hôtel, Karen pouvait voir briller le sommet rose de son crâne. Elle espérait n'avoir pas l'air aussi affreuse, même si on ne pouvait être sûr de rien avec une communication vidéo par Internet.

— Bonjour, Adam. Je suis Karen Pirie de la police écossaise, dit-elle, en arborant son plus beau sourire.

— Bonjour, Karen. Merci de vous être adaptée à mon emploi du temps.

Il avait la voix typique d'un présentateur de radio : profonde, grave et chaleureuse. Avec un très léger accent du nord. Parfait pour débiter des horreurs dans les foyers. Il semblait alerte et enthousiaste, ce que Karen appréciait.

— Non, c'est moi qui vous remercie de prendre le temps de discuter avec moi.

— De rien. Je suis toujours ravi de me replonger dans le passé. Même quand les souvenirs sont aussi horribles que ceux liés aux Balkans. Vous vouliez me parler de l'époque où je m'y trouvais ? Et tout particulièrement de Dimitar Petrović, c'est bien ça ?

— Dans le mille.

Il gloussa.

— Ça remonte à loin. Je pensais que tout le monde avait oublié les Balkans. Il n'y a rien de moins médiatique qu'une guerre terminée. Alors, qu'est-ce que vous voulez savoir ? Ce que le général Petrović fait de beau aujourd'hui ?

— Pas grand-chose depuis un bout de temps en tout cas. Ça fait huit ans qu'il est mort.

Turner haussa les sourcils.

— Vraiment ? Je n'étais pas au courant. La dernière fois que j'ai entendu parler de lui, il vivait paisiblement à Oxford. Mais ça doit remonter à neuf ou dix ans. Pourquoi êtes-vous si intéressée par un homme mort depuis huit ans ?

— Parce que nous venons tout juste de retrouver son corps.

— Je ne comprends pas. Quelqu'un a bien dû remarquer qu'il avait disparu ? Est-ce que… c'était quoi son nom déjà ? Moira ? Maggie ? Quelque chose comme ça… n'a pas signalé sa disparition ? À moins qu'elle ne soit le principal suspect ?

— Elle croyait qu'il l'avait quittée et qu'il était retourné en Croatie. C'était un adulte et son absence n'avait rien d'alarmant. Il n'y avait donc aucune raison pour que la police s'y intéresse. Et non, le professeur Blake n'est pas le principal suspect, ajouta-t-elle sèchement, consciente que, sans cette précision, Maggie allait attirer l'attention des médias. À part cela, je n'ai rien dit qui pouvait laisser penser que sa mort était suspecte.

— Allons, commandant. Vous et moi savons très bien que nous n'aurions pas cette conversation si les circonstances de sa mort ne l'étaient pas. Alors, où est-ce qu'il a été retrouvé ? Et pourquoi ça a pris autant de temps ? Je sais que se débarrasser d'un corps est la chose la plus compliquée dans un meurtre, mais huit ans ça fait long.

— Son squelette a été retrouvé sur le toit d'un immeuble qui était sur le point d'être démoli.

— Ouah.

Turner semblait impressionné.

— Et personne n'a remarqué qu'il y avait un corps sur le toit ? C'est bizarre.

— Pas vraiment. Il était bien caché. Le bâtiment en question était vide depuis près de vingt ans ; il n'y avait donc aucune raison que quelqu'un vienne farfouiller à cet endroit.

— Ouah. Et c'était où ? Londres ? Non, attendez, vous êtes de la police écossaise. Donc quelque part en Écosse ?

— Édimbourg.

— De plus en plus curieux. Qu'est-ce qu'il fichait là-bas ?

— Apparemment, son passe-temps favori était un truc qui s'appelle la « grimpe urbaine », c'est-à-dire l'escalade de façades d'immeubles. Pour le plaisir.

Karen n'arrivait toujours pas à cacher sa perplexité. Le visage d'Adam se figea, la bouche ouverte.

— Merde, grogna-t-elle. Ça recommence.

Elle tapota des doigts sur le bureau en attendant que l'image redevienne normale et que la connexion se rétablisse.

— Et donc il a escaladé ce bâtiment et on l'a tué ensuite ?

— C'est ce que nous pensons.

— Et c'est un squelette. J'imagine qu'il a dû se faire défoncer le crâne ou qu'il s'est pris une balle. Difficile de parler de meurtre, autrement. Je me trompe ?

Elle se força à sourire.

— Vous avez vu juste. Une blessure par balle dans la tête, pour être précise.

— Vous pensez qu'on l'a tué à cause de ce qu'il a fait au cours des différentes guerres des années quatre-vingt-dix ?

Il va falloir la jouer fine pour lui tirer les vers du nez.

— Il menait une vie apparemment sans histoire à Oxford. Selon moi, ce qui s'est passé sur ce toit a de grandes chances d'être lié à son passé. Nous avons des raisons de croire qu'il pratiquait son hobby avec quelqu'un qu'il connaissait déjà à cette époque.

Turner gloussa.

— J'adore la façon de parler de la police. « Des raisons de croire. » Et j'imagine que vous n'êtes pas très encline à poser des questions au sujet du général aux instances supérieures parce qu'ils vont vous raconter des bobards ?

L'image se figea à nouveau, son visage devint flou et finit par ressembler à un cookie décoré par une main d'enfant. Pour une technologie moderne censée remplacer un vrai face-à-face, c'était décevant. Karen n'aurait pour rien au monde troqué la salle d'interrogatoire et la possibilité de plonger ses yeux dans ceux des personnes interrogées contre une salle remplie d'iPad. Ça avait son utilité cependant, surtout quand un témoin se trouvait à l'autre bout du monde. Mais c'était trop facile de se cacher derrière la technologie. Elle savait d'expérience que si on voulait geler l'écran afin d'avoir un moment de répit, tout ce qu'il y avait à faire c'était d'ouvrir le maximum d'applications ou de programmes pour venir brouiller la communication par Face-Time. Ça pouvait permettre de reprendre ses esprits et de réfléchir à la réponse qu'on voulait donner. Elle ne pensait pas que c'était ce que Turner faisait présentement, mais elle se félicita quant à elle d'avoir le temps de réfléchir à une réponse appropriée.

L'écran redevint normal et Turner réapparut en meilleure définition.

— Vous m'avez entendu ?

— La dernière chose que j'ai entendue, c'est le mot « bobards ».

— Je disais que si nos dirigeants n'aiment pas tellement parler des Balkans, c'est qu'on a vite fait d'avoir une vision manichéenne de la situation. Les Serbes pensent qu'on les tient responsables de tout – et ce pour la bonne raison qu'ils ont démarré cette guerre et qu'ils ont commis les pires atrocités. Mais personne n'a les mains propres dans ces conflits.

Ni les Croates, ni les Albanais, personne. Ils étaient tous capables du pire. Mais le Tribunal pénal international pour l'ex-Yougoslavie s'est concentré presque exclusivement sur les Serbes. Et en Serbie donc, où il n'existe pas vraiment de liberté de la presse, le Tribunal pénal est considéré comme un outil partial de l'OTAN et de l'Ouest, et ça n'a pas vraiment aidé à la réconciliation. Ça n'a fait qu'exacerber le ressentiment. Et donc nos dirigeants préfèrent garder leurs distances avec tout ça. Vous avez bien fait de vous adresser à moi plutôt qu'aux militaires.

Rien de tel que la vanité pour faire parler un témoin. Et rien de tel que la flatterie pour en tirer avantage.

— J'en suis consciente, croyez-moi. Aussitôt que je me suis plongée dans votre livre, j'ai compris que j'avais trouvé la personne qu'il me fallait. Qu'est-ce que vous pouvez me dire sur le général Petrović ?

— C'était quelqu'un de très intelligent. Il est arrivé de nulle part et a gravi les échelons à toute vitesse. Quand la Yougoslavie s'est désintégrée, il a été l'un des premiers soldats sélectionnés pour venir ici et s'entraîner selon nos méthodes. C'était vraiment une star montante quand la guerre a débuté.

— Quand vous dites qu'il est arrivé de nulle part, qu'est-ce que vous entendez par là ?

— Il n'appartenait pas à l'élite dirigeante. C'était juste un garçon de ferme. Il venait d'un de ces villages perdus dans les montagnes près de la frontière serbe. Mais un instituteur qui savait reconnaître un garçon intelligent quand il en voyait un l'a pris sous son aile.

— Vous connaissez le nom du village ?

— Maintenant que vous me le demandez... Je crois me souvenir que la ville la plus proche était Lipovac. Qu'est-ce que c'était le nom déjà... ?

Il ferma les yeux et pressa ses doigts contre son front.

— Padrovac. Podruvec. Podruvci… Je crois bien que c'était Podruvec, annonça-t-il triomphalement en se redressant, l'air content de lui. Je n'y suis jamais allé, c'est pourquoi je ne m'en souviens pas très bien.

— Super. Et donc, il venait de ce petit village et s'est engagé dans l'armée yougoslave ?

— C'est ça. D'après ce que j'ai compris, il excellait dans tous les domaines et on l'a donc aiguillé vers le renseignement. Et puis quand la Yougoslavie a éclaté, il s'est engagé dans l'armée croate. Je pense qu'il n'avait jamais vraiment réussi à s'intégrer avec les autres, vu qu'il était croate. À cause de ce qui s'est passé pendant la Seconde Guerre mondiale, vous voyez.

— Je suis désolée, mais je ne vois pas où vous voulez en venir. Si vous vouliez bien m'expliquer les choses un peu plus en détail.

Karen afficha un air penaud. Cette fois, ce n'était pas de la flatterie mais tout simplement de l'ignorance. Elle avait lâché l'Histoire avant qu'ils n'arrivent à la période de la Seconde Guerre mondiale. Elle était très forte au sujet des rois de l'Écosse médiévale, mais elle ne savait pas grand-chose sur l'époque moderne.

— OK. Bon, pour expliquer les choses simplement, les Balkans sont en guerre depuis des temps immémoriaux. Et les rancœurs remontent à loin. Quand les nazis ont déboulé dans ce coin, les Croates ont saisi ça comme une chance de se retourner contre les Serbes. Ils se sont alliés aux Allemands et se sont lancés dans leur propre génocide. Environ un demi-million de Serbes ont été exécutés, deux cent cinquante mille ont été chassés de leur propre pays et deux cent cinquante mille autres ou presque ont été convertis de force au christianisme.

— Mon Dieu. Je ne savais pas que c'était aussi terrible.

— Les Serbes ont donc voulu prendre leur revanche. Pendant toutes les années où Tito a occupé le pouvoir, ils ont rongé leur frein, mais quand le pays s'est désagrégé, ils ont saisi leur chance. Les Serbes ne nient pas les horreurs et les atrocités qu'ils ont commises, mais ils pensent que leur cause était juste. Ce sont des conneries, bien sûr. Tout ce qu'on risque avec la loi du talion, c'est d'aggraver encore plus les choses. Et il n'y a aucune vertu à se montrer aussi ignoble que son ennemi.

— C'est juste. Mais je peux comprendre comment on peut en arriver là. Et je comprends pourquoi Petrović se sentait plus à sa place dans l'armée croate. Comment l'avez-vous rencontré ?

— Ça s'est passé juste après la levée du siège de Dubrovnik. J'ai été un des premiers journalistes dans la ville après la mise en place des Accords de Sarajevo. Petrović s'est retrouvé coincé dans la ville durant le siège, et je l'ai interviewé sur ses hauts faits pour le *New York Times*. Il m'a impressionné. L'intelligence émanait de lui comme un parfum. Deux mois plus tard, il a été promu général. Peu après la bataille du plateau de Miljevci, si je me souviens bien. Nous nous sommes revus à plusieurs reprises après ça. Les Croates essayaient de se concilier les bonnes grâces de tout le monde, de se faire passer pour les gentils, et ils l'ont donc envoyé à l'OTAN et à l'ONU. Mais à mon avis, il n'a jamais oublié à qui il devait rester fidèle.

Karen prit quelques notes pendant qu'il parlait, en se demandant où tout cela allait la conduire.

— Diriez-vous qu'il avait des ennemis ? Personnels, je veux dire. Je ne parle pas de ceux dans l'autre camp qui le détestaient par principe.

Turner alluma une cigarette pendant qu'il réfléchissait. Il tira une grande bouffée et fronça les sourcils.

— Pas que je sache. Mais bon, je n'y ai pas vraiment prêté attention. Si vous voulez avoir une réponse à cette question, vous devriez parler aux gens qui le connaissaient en Croatie à cette époque.

— Vous affirmez que les deux camps étaient aussi détestables l'un que l'autre. S'est-il déjà retrouvé dans une importante opération sur la ligne de front qui aurait pu conduire certaines personnes à vouloir prendre leur revanche ?

Turner secoua vigoureusement la tête.

— Ce n'était pas vraiment son genre, même s'il pouvait prendre des initiatives quand il s'agissait de protéger ses hommes. Mais il était trop haut placé pour se salir lui-même les mains. Par ailleurs, il était trop important pour eux en tant qu'analyste du renseignement et comme stratège pour être autorisé à s'approcher de la ligne de front. Ils ont dû se débrouiller sans lui quand il s'est retrouvé piégé dans Dubrovnik et ils ont bien pris garde à ce que cela ne se reproduise pas.

— Mais il s'est éloigné de tout ça à la fin de la guerre pour aller vivre une petite vie apparemment sans histoire à Oxford.

— Je crois que c'était l'option la plus sensée. Si je suis resté aussi longtemps, c'est parce que je savais que je pouvais partir quand je le souhaitais. Les Balkans étaient une région sinistrée à la fin des années quatre-vingt-dix. J'ai entendu dire que certaines personnes de la nouvelle génération essaient de changer les choses, mais ça prendra du temps. Si vous n'avez pas l'esprit revanchard et l'opportunité de partir bâtir une vie qui soit basée sur autre chose que la guerre, vous seriez idiot de ne pas le faire.

Karen réfléchit un instant à ce qu'elle venait d'entendre.

— Il a donc pris la meilleure décision. Mais quelqu'un le lui a fait payer. Pourquoi l'avoir tué ? Et pourquoi avoir attendu aussi longtemps ?

— Vous n'aurez pas de réponses à ces questions en parlant à des gens comme moi. Si vous voulez vraiment en avoir, vous devrez aller en Croatie et trouver ensuite quelqu'un sur place qui voudra bien vous en donner.

Karen afficha un léger sourire.

— C'est peut-être ce que je vais faire.

Turner secoua la tête avec compassion.

— Bonne chance alors. Je n'aimerais pas être à votre place.

27

Retourner à Dubrovnik donnait moins le sentiment d'avoir fait un voyage dans le temps que de se déplacer sur une boucle de Moebius. La ville dans laquelle Maggie revenait n'était pas la même que celle qu'elle avait quittée, avec ses impacts de balles et ses traces de bombardements, ses toits éventrés et ses murs détruits. C'était au contraire exactement la ville dans laquelle elle avait mis les pieds la première fois, avec ses vieilles pierres brillant au soleil et son ancien charme retrouvé. Un voyageur de passage n'aurait jamais pu imaginer que cette ville avait subi un siège, qu'elle n'avait pas toujours été un havre de paix, que cette enclave s'était un matin retrouvée privée d'eau et d'électricité.

Elle franchit la porte Pile, passa devant le monastère franciscain, traversa le Stradun en direction du vieux port, un itinéraire qu'elle avait emprunté pratiquement tous les jours quand elle avait vécu ici. Quatre mois seulement, mais ils étaient restés gravés dans sa mémoire comme l'un des moments les plus importants de sa vie. Elle était fière d'avoir contribué à la restauration de la ville. L'argent qu'elle avait aidé à récolter avait permis de remettre les toits en état, de remplacer les fenêtres, de payer les maçons pour réparer les dommages. Les cafés et les bars, les magasins et les restaurants s'étaient quant à eux réinventés. Les touristes étaient de retour et profitaient de l'histoire et de la beauté de la ville, mais ils ignoraient pour la plupart qu'elle avait échappé de peu à la destruction.

Quand elle atteignit le port, Maggie fit une pause en repensant à la nuit où elle s'était tenue côte à côte avec Tessa et avait regardé les bateaux en feu en essayant de ne pas y voir une métaphore de sa vie. Elle s'était engagée avec Mitja en pensant que ce serait pour toujours. Quand elle avait cru qu'il l'avait quittée, elle avait eu le sentiment de perdre son ancre, de se retrouver à la dérive, d'être à la merci de n'importe quelle tempête qui se présenterait sur sa route. Savoir qu'on l'avait arraché à elle lui avait permis de retrouver un peu de l'assurance qu'elle avait perdue. C'était terrible à dire, mais sa mort était presque plus facile à supporter que de penser qu'il l'avait abandonnée.

Elle vérifia l'heure à sa montre et rebroussa chemin en direction du Café Festival et de ses tables aux nappes rouges sur le Stradun. La dernière fois qu'elle avait vu le bâtiment avec ses élégantes arches en pierre, il avait été ravagé par les flammes. À présent, il symbolisait à ses yeux la reconstruction.

La terrasse était bondée de touristes, de curieux, de personnes venues prendre un verre ou se restaurer. Maggie la traversa et entra à l'intérieur de la brasserie faiblement éclairée, où une poignée d'autochtones prenaient le café au comptoir. Elle se sentait moins sûre d'elle maintenant : cela faisait presque vingt ans qu'elle n'avait pas vu l'homme avec qui elle avait rendez-vous aujourd'hui, et elle ne savait pas trop à quoi il ressemblerait. Il lui avait dit avoir fait une recherche sur Google et qu'il serait capable de la reconnaître à partir de la photo affichée sur le site Internet de l'université. Elle avait essayé de faire la même chose pour lui, mais Radovan Tomić était resté introuvable. Rado, l'homme chez qui elle avait séjourné durant le siège, était clairement le genre de diplomate de l'Unesco qui faisait profil bas.

Elle marqua une pause et regarda autour d'elle. Un homme bedonnant d'âge moyen se leva et se dirigea vers elle, bras écartés.

— Maggie ! s'exclama-t-il. Ça fait plaisir de te voir.

Avant qu'elle puisse l'éviter, il l'attira contre lui, pressa sa tête chauve suintante contre sa joue et son gros ventre contre ses côtes. Il la tint ensuite à bout de bras et l'attira de nouveau contre lui.

— Tu es toujours aussi resplendissante, lui dit-il en la conduisant par la main jusqu'à une table dans un coin tranquille.

Son anglais s'était amélioré avec les années. Il avait toujours eu un bon niveau mais parlait maintenant presque sans accent.

Rado ne s'était pas embelli avec l'âge, pensa-t-elle tandis qu'il tripotait sa serviette et que le serveur s'affairait autour d'eux avec des verres d'eau et des menus. Trop d'années passées à déjeuner au restaurant et à voyager en classe affaires. Elle se souvenait d'un jeune homme mince et plutôt charmant, au teint olivâtre, aux cheveux bruns, aux yeux marron aussi perçants que ceux d'un merle, aux traits ciselés et aux pommettes larges et hautes. À présent, il avait les joues rebondies, les yeux enfoncés dans leurs orbites et ses cheveux coupés très court étaient poivre et sel.

— Contente de te voir, dit-elle après qu'ils eurent commandé un café.

— Ça fait un bail ; la dernière fois qu'on s'est vus, si je ne me trompe, c'était à Londres en 1996. Mitja était là pour un sommet de l'OTAN et moi j'assistais à une conférence de l'Unesco. Je n'arrive pas à croire qu'autant de temps se soit écoulé.

— Je sais. Qu'est-ce que ça fait d'être de retour à Dubrovnik ?

Il afficha une petite moue de mécontentement.

— Ce n'est pas exactement ici que les choses se passent. Mais bon, je suis seulement ici pendant six mois pour remplacer une collègue en congé maternité. Ce n'est pas très bien payé, mais on m'a demandé de le faire parce que je connais le coin. Enfin, peu importe.

Son visage devint plus sérieux.

— Tu m'as dit, quand tu m'as contacté, que tu avais eu des nouvelles de Mitja. J'imagine que ce ne sont pas des bonnes nouvelles ?

Maggie attendit que le serveur ait terminé de poser les cafés, puis secoua lentement la tête.

— Non, j'en ai peur.

Elle fixa sa tasse des yeux, incapable de soutenir le regard de Rado.

— Il a été assassiné, Rado. Je croyais qu'il m'avait quittée. Je pensais qu'il était parti retrouver en Croatie ce qu'il avait laissé derrière lui. Mais je me suis complètement trompée. Il a effectué une dernière escalade et, quand il est arrivé au sommet, quelqu'un lui a tiré une balle dans la tête.

— Mon Dieu, mais c'est horrible, Maggie ! s'exclama-t-il en prenant sa main entre les siennes. Ma pauvre.

— C'est plutôt lui qui est à plaindre. Pauvre Mitja, dit-elle au bord des larmes.

— Est-ce que la police sait qui a fait ça ?

Maggie soupira.

— Non. Et ça remonte à tellement longtemps que je doute qu'elle parvienne à découvrir qui l'a tué.

— C'est terrible. Mais pourquoi as-tu décidé de revenir en Croatie, Maggie ? Tu penses que la réponse se trouve ici ?

— Selon moi, il y a bien des réponses ici, Rado, mais pas celles auxquelles tu penses. Je suis revenue pour découvrir qui était Mitja. J'ai besoin d'en savoir plus sur lui.

Elle passa une main sur ses yeux pour empêcher les larmes de couler.

— J'aurais dû faire ça il y a longtemps. Mais ce n'était pas nécessaire au début. Vivre l'instant présent nous suffisait. On gardait nos distances avec le passé. Après son départ, j'ai eu peur de revenir ici et de ce que je pouvais découvrir. Mais il n'y a plus de raison d'avoir peur, à présent. Le pire est déjà arrivé. Maintenant, ce que je veux, c'est connaître toute l'histoire. Les petites choses qu'il n'a jamais pris le temps de partager avec moi. Parce que j'ai besoin de connaître tout ce qu'il y a à savoir. C'est tout ce qu'il me reste de lui, Rado. Toute l'histoire, ça ne devrait pas être trop demander.

Un éclair de panique passa dans le regard de Rado.

— Tu ne crois pas qu'il serait plus sage de ne pas remuer le passé ? S'il ne t'en a pas parlé, c'est sans doute qu'il a pensé que c'était mieux que tu ne saches rien.

— Ce n'est pas comme ça que les choses marchent, Rado. On perd le privilège de se taire quand on est mort. Tout est bon à prendre. C'est de bonne guerre. Je veux voir les endroits où il a grandi, parler aux gens qui le connaissaient quand il était enfant. Est-ce que tu sais quelque chose ?

Rado secoua la tête.

— Qu'est-ce que tu veux savoir ?

— Je ne connais même pas le nom de la ville où vous avez grandi.

Rado lâcha un petit rire.

— Ce n'était pas une ville, Maggie. C'était un hameau de quelques maisons et de quelques granges. À peine un village.

— Peu importe, ça devait bien avoir un nom, Rado. Dis-le-moi.

Il avait l'air mal à l'aise.

— Cet endroit n'existe plus vraiment. Les Serbes...

Il écarta les bras d'un air désemparé.

— Mais ça avait bien un nom. Comment ça s'appelait ?

Il déglutit avec difficulté.

— Podruvec. Mais tu auras du mal à le trouver sur une carte. La ville la plus proche, c'est Lipovac, ajouta-t-il avec une moue. C'était la grande ville pour nous, celle qui nous attirait.

Maggie tapa le nom sur son téléphone et le montra à Rado.

— C'est bien ça ?

Il acquiesça.

— C'est bizarre : en plus de ne pas savoir où mon mari...

— Mari ? Tu l'as épousé ? demanda-t-il d'un air consterné.

— Oui, nous nous sommes mariés. Mais nous sommes restés très discrets là-dessus. Ça rendait juste les choses plus simples. Mais ce que j'étais en train de dire, c'est qu'en plus de ne pas savoir d'où venait mon mari, je n'ai jamais rencontré un seul de ses anciens amis d'ici, à part toi. Ta famille a quitté le village quand tu avais quatorze ans et tu n'y es jamais retourné. Je ne connaîtrai donc jamais personne qui pourra m'en dire plus, expliqua-t-elle avec un sourire triste. À part toi, Rado.

— Mais comme tu l'as dit, je suis parti quand j'avais quatorze ans. Tu sais comment on est à cet âge. On est complètement replié sur soi-même. On ne s'intéresse qu'à ses propres problèmes.

— Je ne te crois pas. Tu connaissais forcément sa famille. Ses parents. Tu dois t'en souvenir.

Rado versa une cuiller de sucre dans sa tasse et remua.

— Bien sûr que je me souviens d'eux. Sa mère faisait le meilleur *orahnjaca* que j'aie jamais goûté. Son père gardait des chèvres et des moutons. Il était un peu alcoolique. Mais pas bête. C'est de lui que Mitja tient son intelligence.

Il haussa les épaules comme pour s'excuser.

— C'est tout ce dont je me souviens.

— Mais vous vous êtes retrouvés plus tard à l'université. Vous avez bien dû parler de votre jeunesse à Podruvec. Des gens que vous connaissiez. Des camarades avec qui vous alliez à l'école. Allez, Rado. Il n'y a plus aucune raison de cacher quoi que ce soit, à présent.

Rado regarda un peu partout autour de lui, sans pouvoir fixer son attention.

— Je ne te cache rien, Maggie. Nous avions d'autres préoccupations. Tu l'as dit toi-même, Mitja n'était pas quelqu'un qui vivait dans le passé.

— Rado, j'ai côtoyé pendant des années des étudiants inventant des excuses pour m'expliquer pourquoi ils n'avaient toujours pas avancé sur leur thèse ou corrigé leur mémoire. Je sais quand les gens me mentent. C'est exactement ce que tu fais. Quand je t'ai dit que nous nous étions mariés, tu as eu l'air affreusement embarrassé. Qu'est-ce que tu me caches, Rado ? Je me suis toujours demandé s'il n'avait pas déjà une femme ici. Et des enfants. C'est ça, hein ? Tu peux me le dire. Je ne serai pas en colère contre toi pour avoir protégé son secret pendant toutes ces années. Parce que je sais maintenant qu'il les a quittés pour moi. Et qu'il est resté avec moi parce qu'il le voulait. Jusqu'au moment où quelqu'un a posé un pistolet sur sa tempe et a appuyé sur la détente. Je veux savoir, Rado. Je veux connaître la vérité.

Maggie ne savait plus quoi ajouter et se tut donc brusquement en lançant un regard noir à l'ami d'enfance de Mitja, qui avait le visage défait.

Rado se leva, sortit son portefeuille et laissa un pourboire trop généreux sur la table.

— Allons marcher, lança-t-il.

Maggie le suivit sur le Stradun. Il attrapa sa main qu'il serra et lui dit :

— Donne-moi une minute.

Pour la deuxième fois de la matinée, elle descendit vers le port. Quand ils atteignirent le quai, il s'arrêta au bord et observa les bateaux de plaisance se balancer. Il lâcha sa main et sortit un étui à cigares en peau de crocodile. Il en prit un gros et l'alluma. Après avoir soufflé un nuage de fumée bleue, il sembla se détendre.

— Tu as raison, soupira-t-il. Elle s'appelait Jablanka. Elle avait le même âge que nous et on est entrés en compétition pour sortir avec elle quand on avait treize ans. Je m'imaginais que c'était moi qu'elle préférait des deux, mais on a fini par déménager et Mitja l'a eue pour lui tout seul. Et avant que tu me poses la question, oui, elle était très belle. Pas brillante ni audacieuse comme toi. Mais c'était quelqu'un de très doux. Très traditionnel. Il l'a épousée. À la fin de ses études, il a compris qu'ils avaient évolué dans des directions différentes. Mais ils avaient eu deux fils ensemble et, par amour pour eux, il a essayé de faire durer leur couple.

Il tira une bouffée sur son cigare et s'offrit quelques secondes de répit.

— Qu'est-ce qui s'est passé ensuite ?

— Il t'a rencontrée, reprit Rado. Nous sommes allés boire un verre après ton cours à l'IUC et il était tout excité. Je ne l'avais jamais vu comme ça avant. Il ne pouvait pas s'empêcher de parler de cette belle et intelligente jeune femme sous le charme de laquelle il était tombé. La suite, tu la connais.

— Il n'est jamais retourné chez lui ensuite ? demanda-t-elle d'un air de défi.

C'était une façon de ne pas se laisser gagner par l'angoisse.

— Je ne sais pas exactement ce qui s'est passé, répondit-il. Je sais qu'il avait prévu de rentrer et de lui dire que c'était terminé entre eux. Mais la ville s'est retrouvée en état de siège à ce moment-là. Et puis il s'est donné pour excuse d'attendre jusqu'à ce que tu rentres à Oxford.

— Et ensuite, il est retourné là-bas ?

Rado poussa un soupir, soufflant un nuage de fumée au-dessus de l'eau.

— Comme je te l'ai dit, je ne sais pas ce qui s'est passé. Il est revenu de Podruvec dans un état terrible ; à la fois triste et en colère. Il ne m'a jamais raconté ce qui s'était passé. Je ne sais pas où sont Jablanka et les garçons aujourd'hui. Mon frère est retourné à Podruvec il y a deux ans : il travaillait dans le coin et il a eu envie d'y faire un saut en souvenir du bon vieux temps. Mais il n'en restait presque plus rien. C'est un de ces villages qui ont été frappés par la guerre et ne s'en sont jamais vraiment remis.

Il tira de nouveau sur son cigare, grimaça et le jeta dans l'eau.

— Quoi qu'il soit arrivé à Jablanka, elle n'est plus à Podruvec.

— Mais il doit bien y avoir encore quelqu'un au village qui pourrait me dire où la trouver ?

Rado la regarda d'un air qui traduisait davantage la pitié que l'espoir.

— Si tu es vraiment sûre de vouloir des réponses, c'est là-bas que tu vas devoir te rendre.

Maggie repensa plus tard à cette curieuse réponse. Mais elle ne pensait qu'à une chose à ce moment-là : trouver Jablanka Petrović et remplir les blancs concernant le passé de Mitja. Pour la première fois depuis des jours, elle avait le sentiment qu'elle allait pouvoir en savoir plus sur un pan méconnu de sa vie. Tout ce qu'elle voulait à présent, c'était avoir une bonne vue d'ensemble. Et Rado lui avait indiqué où elle pouvait en trouver la clé.

La chute de Vukovar nous a donné un nouveau coup au moral. Nous avions nous-mêmes subi six semaines interminables de siège, mais malgré les épreuves que nous endurions, les bombes serbes avaient épargné les gens et n'avaient endommagé que les biens. À Vukovar, le coût humain était terrible. Nous avons appris plus tard qu'environ deux mille cinq cents à trois mille personnes avaient perdu la vie au cours des quatre-vingt-dix jours de combat pour défendre la ville. Et pendant que nous étions assiégés, d'atroces massacres dont nous n'avons rien su avant plusieurs semaines avaient lieu dans des villages de montagne et dans de petites localités. En comparaison, il y avait eu moins d'une centaine de morts à Dubrovnik. Mais le chagrin et la souffrance des personnes touchées n'étaient pas moindres pour autant.

Quand Vukovar a été prise le 18 novembre, nous n'avions aucune idée de ce qu'il allait advenir de nous. Les choses s'annonçaient mal, ce jour-là. Il ne restait que très peu de nourriture et encore moins d'eau. Des puits désaffectés avaient été rouverts afin de compléter ce que les bateaux amenaient, mais ces mesures fournissaient à peine un litre d'eau par personne et par jour. J'allais nager dans la mer glaciale de novembre, parfois toute seule et d'autres fois avec Mitja, juste pour me rappeler ce que ça faisait de se sentir propre. Et puis Tessa nous a un jour raconté qu'une de nos amies était tombée nez à nez avec un cadavre dans la petite crique sous le Centre interuniversitaire, ce qui m'a fait perdre toute envie de retourner me baigner.

À ce moment-là, les hôtels que comptait la ville étaient déjà remplis de réfugiés. C'était des cibles faciles pour les fusils serbes. Les hôtels avaient de grandes baies panoramiques pour jouir de la vue, idéales pour les tirs ennemis. Les pauvres diables qui avaient déjà fui les combats une première fois se retrouvaient de nouveau sous le feu des balles et les bris de verre.

Plus les semaines passaient, plus Mitja était las et soucieux. Mais quand il pouvait rentrer à l'appartement, son moral s'améliorait. Je m'efforçais d'avoir des histoires intéressantes à lui raconter ou bien des anecdotes pour lui faire penser à autre chose qu'aux opérations de défense et de contre-attaque qui l'occupaient le reste du temps. Quand il n'était pas dans les parages, j'étais souvent à l'IUC. Je continuais de donner des conférences et des cours à tous ceux qui le souhaitaient ; l'ennui étant redouté autant que les Serbes, un nombre surprenant de personnes y assistait. Ça m'a permis de garder la tête sur les épaules et d'avoir un stock de conversation pour lui changer les idées.

Mitja avait besoin de partager le fardeau de son travail avec moi. Je savais qu'il ne pouvait pas tout me dire, mais il me racontait néanmoins ce qui se passait dans d'autres quartiers de la ville où je n'avais pas pu me rendre. Et il m'a permis de rencontrer des gens qui m'ont accordé de précieux entretiens qui allaient me servir de point de départ pour mon travail à venir.

C'est comme ça que j'ai fini par passer du temps dans le cabinet du maire. Et cela m'a permis en retour de prendre conscience que j'avais des moyens de venir en aide à la ville assiégée et à ses habitants. Je disposais à Oxford d'un réseau de contacts et d'influence qui s'étendait dans les secteurs les plus divers.

Les habitants de Dubrovnik m'avaient traitée comme une des leurs. Il était temps que je leur rende la pareille.

Même si le siège était brutal et terrible pour les habitants de Dubrovnik, les Serbes détestaient l'idée que le monde civilisé les juge inhumains et sans pitié. Ils éprouvaient du ressentiment à l'idée que le nettoyage ethnique qu'ils avaient subi de la part des Croates et des nazis pendant la Seconde Guerre mondiale puisse être effacé des mémoires. Ils laissaient donc les visiteurs occasionnels voir Dubrovnik pour prouver au monde que les atrocités de ce conflit n'étaient pas de leur seul fait. Ainsi, Sir Fitzroy Maclean, qui avait été parachuté en Yougoslavie comme principal agent de liaison de Churchill pour entrer en contact avec les partisans de Tito, a été autorisé à entrer dans la cité assiégée. Mais c'était devenu un vieil homme et son influence avait considérablement diminué. De retour au Royaume-Uni, personne ne lui a vraiment prêté attention.

Cependant, ces visites m'ont donné – à moi et à d'autres comme Tessa et Kathy Wilkes, une philosophe d'Oxford qui s'était également retrouvée piégée à cause du siège – l'opportunité d'informer le monde extérieur. Chaque fois que nous étions sur le point de recevoir la visite d'un de ces observateurs extérieurs, nous écrivions frénétiquement des lettres à tous ceux que nous connaissions et qui avaient des liens dans la sphère politique ou avec des collecteurs de fonds. J'avais des contacts dans les quotidiens nationaux, et j'incluais toujours quelques articles sur ce qu'était la vie dans une ville assiégée. Certains d'entre eux ont été publiés dans les pages du *Guardian* et de *The Independent*. J'ai rencontré des années plus tard des gens qui m'ont dit qu'ils avaient découvert ce qui se passait dans les Balkans grâce à mes articles. Mais le plus important, c'est que nous avons réussi à persuader collègues et amis au Royaume-Uni de commencer à lever des fonds pour reconstruire Dubrovnik.

Même si nous ne le savions pas à l'époque, nous avons été les premiers à nous mobiliser pour aider cette ville que nous aimions à se remettre sur pied.

28

Quand Macanespie sortit de l'avion à l'aéroport de La Canée, une douce chaleur l'enveloppa et il se sentit aussitôt de meilleure humeur. Il aimait la sensation du soleil sur sa peau et regrettait de ne pas pouvoir se prélasser comme un marsouin sur une plage à cause de son teint pâle. Ce n'était pas drôle de devoir s'enduire de crème solaire pour peau ultrasensible. Et puis, il y avait toujours une partie du corps qu'il oubliait le premier jour et il devait passer le restant des vacances abrité sous un parasol à tartiner ses coups de soleil d'aloe vera. Mais pendant un court instant, il put savourer la douce sensation procurée par la température en traversant le tarmac en direction du bus.

Proctor, éternel insatisfait, le suivait. Dans l'avion low cost, il s'était plaint d'avoir payé pour une nourriture de mauvaise qualité et du jus de chaussette. Il avait ensuite râlé à cause du manque de place pour les jambes.

— On a l'impression que tu passes ta vie en classe affaires, avait dit Macanespie en tentant vainement de lui redonner le sourire.

C'était le triomphe de l'espoir sur l'expérience, pensa-t-il en voyant Proctor se renfrogner un peu plus.

Pendant qu'ils volaient vers la Crète, il avait entrepris d'étudier le dossier avec Proctor. Plus l'enquête avançait, plus Macanespie semblait reprendre goût au travail. C'était la première fois depuis des années qu'il se sentait stimulé par ce qu'il faisait au lieu d'être découragé. Il était peut-être temps pour lui d'en finir avec l'administratif et de se lancer dans une carrière tournée davantage vers l'action. Une fois cette affaire terminée et qu'il aurait fait ses preuves sur le terrain, il pourrait peut-être demander une réaffectation à Wilson. Ou, au moins, essayer de se libérer de Proctor.

Macanespie était content d'avoir revu le dossier. La chronologie des événements avait permis d'éliminer quelques individus de la liste. Dès que possible, ils parleraient à ceux qui avaient eu accès aux projets d'arrestation. Secouer le cocotier et voir ce qui en tombe. Certains ne diraient rien. Il y avait des tas de personnes à Scheveningen persuadées d'appliquer la justice à la lettre ; elles ne remettraient jamais en question un système qu'elles jugeaient légitime. Il fallait se concentrer sur ceux qui faisaient simplement leur boulot sans s'impliquer personnellement. Ils ne devaient pas être nombreux. Et même s'il y avait des avocats qui soutiraient des informations à d'autres, ils n'étaient pas habitués eux-mêmes à subir des interrogatoires musclés. Macanespie était convaincu que leur taupe ne pourrait pas lui résister longtemps quand il passerait en mode écossais hargneux.

Mais ça, ce serait pour plus tard. Ils avaient sept heures pour passer en revue les indices à La Canée. Ça semblait court, mais l'enquête sur le meurtre de Miroslav Šimunović ne semblait pas avoir fourni beaucoup de preuves tangibles. Le tueur était devenu très bon dans ce qu'il faisait, apparemment.

À la sortie de l'aéroport, une policière en uniforme les attendait avec un panneau sur lequel était écrit « Makanespy/ Proktor ».

Elle les salua brièvement et les mena rapidement vers une Skoda.

— Je vais vous conduire jusqu'au commissariat de La Canée, expliqua-t-elle, démarrant la voiture avant même qu'ils n'aient eu le temps de boucler leur ceinture.

Ils foncèrent à travers un paysage rocailleux à la végétation rabougrie qui se transforma à mesure qu'ils descendaient du haut plateau ; ils traversèrent des pinèdes avant de parvenir aux premières habitations éparses d'une ville adossée à flanc de coteau. Au loin, la mer scintillait et les longs bras du port s'étendaient jusqu'à la crique où le cœur de ville était niché sous une multitude de toits.

— Très joli, lança Macanespie par-dessus le bavardage radiophonique qui se déversait dans la voiture.

— Très populaire, répondit la policière.

La circulation très dense l'obligea à ralentir, mais la présence d'une voiture de police bleu et blanc ne semblait avoir aucun effet sur la conduite agressive des autres usagers de la route. Macanespie fut embarrassé de devoir se cramponner de façon un peu cliché à la poignée qui se trouvait au-dessus de sa vitre, tandis que la voiture prenait un virage serré pour s'enfoncer au cœur de la ville.

Au bout de quelques rues, ils laissèrent derrière eux les hôtels et les maisons d'hôtes. Ils bifurquèrent sur une longue rue droite où s'alignaient des voitures et des maisons bien entretenues agrémentées de balcons et de jardins. À mi-chemin, la policière se gara sur une place devant un cube de béton blanc avec un drapeau grec flottant sur le balcon. Seuls le système de climatisation sur les murs et les antennes paraboliques sur le toit le différenciaient des immeubles voisins.

Un graffeur courageux avait tagué la façade du bâtiment. Ironiquement, le commissariat semblait l'édifice le plus mal entretenu de la rue.

Une fois descendus de la voiture, ils longèrent le bâtiment bordé d'oliviers épars et constatèrent qu'il s'étirait beaucoup plus vers l'arrière que les autres. Il ne ressemblait malgré tout en rien à un commissariat, pensa Macanespie. À l'intérieur, cependant, c'était une autre histoire. Un court corridor aux murs recouverts d'avis de recherche illisibles mais aisément reconnaissables les mena jusqu'à une pièce avec trois bureaux collés les uns contre les autres, surchargés de paperasse et de gros moniteurs appartenant à de vieux modèles d'ordinateurs.

— Attendez ici, s'il vous plaît. Je vais prévenir mon collègue, dit la femme qui les laissa seuls parmi la poussière et les relents de café brûlé.

— Merde, s'exclama Macanespie, j'espère que la brigade criminelle ne se réduit pas uniquement à cette pièce.

Proctor poussa un soupir.

— Je t'avais dit que c'était une perte de temps.

— Tu n'avais pas de meilleure idée.

Pendant que Macanespie parlait, un homme d'une trentaine d'années s'approcha. Il portait une chemise bleu pâle, déboutonnée au niveau du col, mais suffisamment serrée autour de la poitrine et de l'abdomen pour mettre en valeur ses muscles. Ses manches étaient courtes, révélant des biceps et triceps tendus, et son cou épais était surdéveloppé. Son pantalon épousait le contour de ses cuisses musculeuses. Ses cheveux noirs étaient fixés par du gel et une mèche lui tombait sur le front à la manière d'un taureau. Il donnait l'impression d'avoir épilé ses sourcils et n'avait bizarrement pas de poils sur les avant-bras. Comparé à lui, pensa Macanespie, Cristiano Ronaldo était la discrétion incarnée.

— Bonjour et bienvenue à La Canée, dit-il avec un fort accent, compréhensible toutefois. Je m'appelle Christos Macropoulos et je suis celui qui parle anglais ici. Ma collègue nous apportera bientôt du café, mais nous pouvons d'ores et déjà parler de la façon dont nous pouvons nous entraider, OK ?

Les deux Britanniques se présentèrent pendant que Christos installait trois chaises autour d'une table. Il fit un bref compte rendu des circonstances entourant le meurtre de Šimunović, et ouvrit dans la foulée un dossier contenant des photos de la scène de crime sur l'écran de l'ordinateur. Macanespie n'en attendait pas grand-chose, ce qui n'était peut-être pas plus mal vu que le dossier était quasiment vide. Pas d'empreintes. Pas de sang hormis celui de la victime. Pas de traces significatives d'ADN. Aucun témoin oculaire dans l'immeuble ; beaucoup trop par contre dans les rues à proximité et aucun moyen de retrouver leur trace sans recourir à un appel à témoin sur Internet.

— Et on sait très bien que ça ne fait sortir que les dingues, dit Christos.

Les deux autres acquiescèrent sagement, comme s'ils savaient exactement de quoi il parlait.

— En effet, répondit Macanespie. Et c'est difficile d'établir une bonne coopération avec des collègues de l'étranger quand les indices sont aussi ténus.

— Nous pensons que le tueur s'est approché de Šimunović par-derrière quand il était sur le point d'entrer dans son appartement, conclut Christos. Il a dû faire preuve d'une grande discrétion parce qu'il semblerait que la victime ne se soit pas retournée. Il a utilisé une lame très aiguisée. Quelque chose comme un rasoir droit. Et il lui a tranché la gorge. Trop rapidement pour que la victime ait le temps de crier. Le sang a giclé vers l'extérieur, à distance du tueur, et il n'en n'a donc pas reçu. Et puis il est parti, s'est fondu parmi les badauds et personne ne l'a remarqué.

— Combien de temps s'est écoulé avant qu'on trouve le corps de la victime ?

— Environ deux heures. Son voisin de palier sort tous les soirs à vingt-deux heures pour aller boire un verre d'ouzo près du port. Quand il a ouvert sa porte, il est tombé sur ça.

Il cliqua sur la première photo de la scène de crime.

— Il n'a rien vu, rien entendu.

— Comment est-ce que le tueur est entré dans l'immeuble ? demanda Proctor. Il n'y a pas de système de sécurité sur la porte d'entrée ?

Macropoulos haussa les épaules.

— C'est un digicode. Ce n'est pas tellement compliqué d'obtenir un code selon moi. Vous regardez au-dessus de l'épaule de quelqu'un ou, si vous êtes mieux organisé, vous posez une caméra dessus pendant un jour ou deux et vous obtenez le code de tout le monde.

— Vous avez relevé les empreintes sur le digicode, je suppose ?

Macropoulos se raidit.

— Bien entendu. Il n'y avait rien à part des résidus et des empreintes partielles des résidents de l'immeuble.

À présent la question à cent mille dollars.

— Et les caméras de surveillance ? demanda Macanespie.

Macropoulos poussa un soupir.

— Il n'y en a pas sur l'immeuble ni dans la rue. On est loin du port ici et on peut donc se promener sans crainte. La plupart des problèmes que nous avons sont des délits commis sur la voie publique. Des pickpockets, des voleurs à la tire. Des fraudes à la carte bancaire. Ils ciblent les touristes. Mais pas dans une rue comme celle-là.

— Et près du port ? Vous avez dit que Šimunović buvait dans son bar habituel. Est-ce qu'il s'agit d'une zone touristique ? Avec des caméras de surveillance ?

Macropoulos afficha un sourire satisfait.

— Je me doutais que vous me demanderiez ça, dit-il en se levant. Il y a trois caméras qui couvrent le trajet qu'il a effectué entre le bar et son appartement. J'ai les enregistrements de la nuit dans mon bureau sur une clé USB que vous pourrez prendre avec vous. Mais on peut y jeter un œil maintenant si vous voulez ?

— Oui, merci, répondit Macanespie en lançant un regard triomphant à Proctor.

Aussitôt que Macropoulos quitta la pièce, il leva le pouce.

— Eh ben voilà, Theo ! Ça marche comme sur des roulettes !

— Tu ne crois pas que s'il y avait eu quelque chose à voir, les Grecs l'auraient vu ?

Macanespie secoua la tête avec compassion.

— Laisse faire les pros, Theo, et prends-en de la graine.

Quand Macropoulos revint, ils se serrèrent tous autour de l'écran et se concentrèrent sur les images. La première vidéo était en noir et blanc, et les images étaient floues et saccadées. On pouvait voir un flux continu de piétons qui allaient et venaient en tous sens. Macropoulos désigna avec son stylo un homme aux cheveux blancs qui apparut sous l'objectif de la caméra.

— Šimunović, dit-il.

Ils le regardèrent traverser l'écran et disparaître. La vidéo dura encore une minute mais c'était impossible de voir si quelqu'un suivait leur cible.

La deuxième vidéo était en couleurs, le système d'enregistrement était quelque peu défaillant et les images ressemblaient à celle d'un Kodachrome des années soixante. La caméra était installée un peu plus bas que la première et permettait de mieux distinguer les visages des passants. Ils virent de nouveau Šimunović traverser l'écran. Cette fois, Macropoulos désigna à l'aide d'un stylo une demi-douzaine de personnes qui se trouvaient derrière lui.

— Nous pensons qu'ils sont également sur le premier enregistrement. Ce sont des gens qui ont l'air d'être seuls : ni en couple, ni appartenant à un groupe.

La troisième vidéo était de nouveau en noir et blanc, presque aussi floue que la première. Šimunović traversa l'écran en diagonale et Macropoulos désigna deux silhouettes seulement. Cette fois, Macanespie sentit un petit frisson d'excitation. Deux autres silhouettes, qui avaient échappé à Macropoulos, étaient déjà présentes sur la précédente vidéo. L'une d'elles était celle d'un adolescent avec un skateboard, vêtu d'un bermuda, d'un T-shirt XXL et d'une casquette de baseball. L'autre était celle d'une femme avec un foulard sur la tête, de grosses lunettes de soleil et une djellaba en coton dissimulant ses formes. Il n'y avait aucun moyen d'évaluer son gabarit là-dessous. Et ça pouvait très bien être un homme aussi.

— Intéressant, commenta-t-il. Est-ce que vous avez pu identifier l'une de ces personnes ?

Macropoulos secoua la tête.

— Ça s'est passé un vendredi soir. Des milliers de vacanciers quittent l'île le samedi. Il n'y avait rien que nous puissions faire pour arrêter ça.

— Je me demandais… est-ce que vous avez encore les enregistrements vidéo des nuits précédant le meurtre ? demanda-t-il avec désinvolture. Vous savez comment c'est. Mon patron est obsédé par les détails.

Macropoulos eut l'air surpris.

— Vous pensez que le tueur pourrait se trouver sur la précédente vidéo également ?

— Non. Mais mon patron est le genre de con qui serait capable de me faire revenir ici pour vérifier ça. Ça me faciliterait la vie si je pouvais avoir des copies des autres images que vous avez. Ça ne sert à rien, je sais. Mais il est comme ça.

Macropoulos arbora un large sourire.

— J'ai le même genre de patron moi aussi. Attendez ici, je vais voir ce qu'on a. Je sais qu'on ne peut rien attendre de la première caméra parce qu'ils réutilisent la même cassette vidéo tous les jours. C'est pourquoi la qualité est si mauvaise. Mais je crois qu'il y a plus de choses sur les deux autres.

Macanespie sourit de toutes ses dents quand l'autre s'éloigna.

— Il a une idée assez arrêtée de ce à quoi devrait ressembler un assassin. Il n'aime pas l'adolescent avec le skateboard et il n'aime pas non plus la femme avec le grand caftan. En supposant qu'il s'agisse bien d'une femme et pas d'un homme : tu te souviens du correspondant étranger pour la BBC qui était entré à Kaboul en portant une burqa ? C'est pourquoi je veux voir qui apparaît sur les vidéos plus tôt dans la semaine. Quelqu'un a réussi à récupérer le code de la porte. Ce tueur ne laisse rien au hasard, Theo. Deux cerveaux valent certainement mieux qu'un dans cette enquête.

29

Sa conversation avec Adam Turner n'avait mené Karen nulle part, sauf à s'intéresser au passé lointain de sa victime. Rien dans la vie de Dimitar Petrović à Oxford ne laissait prévoir un meurtre. Mais son histoire se rattachait à quelques-uns des conflits les plus sanglants du vingtième siècle. Ça n'était pas aberrant de penser que sa mort était liée à tout ça. Le plus difficile serait d'en persuader le Macaron.

Elle avait donc préparé un petit speech par écrit accompagné d'une estimation du coût. Un vol à bas prix jusqu'à Venise, un train jusqu'à Zagreb et ensuite une location de voiture pour se rendre dans un village croate perdu au milieu de nulle part. C'était presque moins cher que de passer une nuit à Londres, souligna-t-elle. Elle commencerait à s'inquiéter de la barrière de la langue une fois sur place. D'après son expérience, il y avait toujours un flic qui se débrouillait en anglais pour pouvoir donner un coup de main en cas d'urgence. Elle présenta les choses comme s'il s'agissait simplement d'aller faire un saut d'une journée à Glasgow. C'était sa seule chance.

Et miraculeusement, ça avait marché. Phil n'en était pas revenu quand elle lui avait annoncé la nouvelle la veille de son vol.

— Tu as réussi à convaincre le Macaron ? Tu me fais peur parfois, Karen.

Elle se mit à rire.

— C'était facile. En faisant une demande par écrit, je lui ai épargné de devoir parler avec moi. Lui parler, c'est un peu comme dans *Tom et Jerry* quand Tom se coince la tête dans une ruche, qu'un essaim d'abeilles bourdonne tout autour de lui et que ça le rend complètement dingue. Alors si le Macaron peut s'éviter ça... Fastoche. Je pars pour la Croatie demain dans la matinée.

— Sois prudente, Karen. Vraiment.

— Ce n'est plus le Far West, Phil. Ils font partie de l'Union européenne.

— Ouais, mais il y a des gens là-bas qui ont commis de sacrées saloperies il n'y a pas si longtemps, et ils ne seront pas vraiment ravis de te voir fouiner dans leurs affaires.

Karen poussa un soupir d'exaspération.

— Je ne vais pas chercher à semer la zizanie. J'essaie juste de trouver des réponses à des questions au sujet d'un type qui est mort.

— Pas seulement. Tu cherches aussi un meurtrier.

— Ça va aller, Phil. Je ne suis pas idiote. Je peux prendre soin de moi toute seule.

Elle avait son air têtu à présent, et il savait que ce n'était pas la peine d'insister.

Ils n'en parlèrent donc plus. L'avion pour Venise décolla d'Édimbourg le lendemain matin. Comme c'était la première fois qu'elle s'y rendait, elle s'accorda deux heures dans la ville avant de prendre le train pour Zagreb. C'était juste le temps nécessaire pour pouvoir effectuer un aller-retour de la Piazzale Roma à la place Saint-Marc. Karen n'avait pas voyagé autant qu'elle l'aurait voulu, et elle avait souvent été déçue de ce qu'elle avait trouvé à l'étranger par rapport à ce qu'elle s'était imaginé. Mais ce n'était pas le cas avec Venise. Finalement, elle avait dû se forcer à retourner à la gare et était montée dans le train à la dernière minute. Ça avait été magique. Elle y retournerait avec Phil, se promit-elle en lui envoyant par mail une sélection de photos qu'elle avait prises avec son téléphone.

Passer neuf heures dans un train n'était pas le pire qui puisse vous arriver, mais ce n'en était pas loin. On ne pouvait pas se contenter de regarder le paysage. Heureusement, elle avait eu la bonne idée de télécharger plusieurs séries de la BBC sur son iPad et c'était suffisant pour passer le temps. Elle avait fait le plein de provisions avant de quitter Édimbourg, et elle n'était donc pas obligée de recourir au service de restauration du train. Quand il finit par entrer en gare de Zagreb Glavni Kolodvor, elle était plus qu'impatiente de pouvoir enfin prendre l'air et se dégourdir les jambes.

Karen prit son sac à dos et traversa le hall caverneux de la gare, regardant autour d'elle à la recherche des guichets pour louer une voiture. Il était bien trop tard pour se rendre à Podruvec, mais elle pouvait prendre une voiture et profiter de cette heure calme pour sortir de la ville. Elle trouverait un hôtel bon marché en périphérie et reprendrait seulement la route dans la matinée.

Elle tomba des nues quand elle vit Maggie Blake au beau milieu du hall, les yeux fixés sur le tableau des départs encadrant l'accès aux quais, sans prêter la moindre attention à ce qui se passait autour d'elle.

— Ben ça alors ! s'exclama Karen.

Elle s'arrêta un instant, observa l'universitaire, avant de s'approcher d'elle lentement.

— Professeur Blake ?

Maggie se retourna vivement, bouche bée, l'air stupéfait. Puis voyant de qui il s'agissait, passa de la surprise à l'indignation.

— Non mais, vous me suivez ?

— Pas du tout. Vraiment. Croyez-moi, je suis aussi surprise que vous.

— Qu'est-ce que vous faites ici ?

Karen voyait que Maggie n'était pas loin de se mettre en colère.

— Je pense que je vais au même endroit que vous. Si vous avez toujours l'intention de trouver des informations sur Dimitar Petrović.

— Et où pensez-vous que ça devrait me conduire ?

— Eh bien, je me rends dans un petit village qui s'appelle Podruvec. On m'a dit que c'était là dont était originaire le général. Je me disais que j'allais commencer par l'endroit où il avait grandi. C'est là que vous allez ?

Maggie répliqua avec une certaine agressivité :

— J'aurais dû m'y rendre il y a des années. Je n'ai jamais voulu admettre que j'avais envie d'en savoir plus sur le passé de Mitja. Appelez-le comme ça, d'ailleurs. Personne ne l'appelait Dimitar.

— OK. Et donc, vous allez aussi à Podruvec ?

Maggie hocha la tête.

— J'essayais de voir si je pouvais aller jusqu'à Osijek ce soir, mais je ne pense pas.

— J'en ai marre du train en ce qui me concerne. J'étais sur le point de prendre une voiture de location. Je me disais que j'allais chercher un endroit en périphérie où passer la nuit. Vous pouvez vous joindre à moi si vous voulez. Je n'ai rien contre un peu de compagnie.

La proposition était sincère, et pas seulement parce que Maggie Blake était pour le moment sa meilleure source

318

d'information. Avoir une copilote ne serait pas de trop en terrain inconnu. Karen réalisa également que Maggie parlait probablement assez bien le croate, vu le temps qu'elle avait passé à Dubrovnik et avec Petrović.

Maggie la regarda avec méfiance.

— C'est autorisé ça, quand vous êtes en service ? De prendre un civil avec vous ?

Karen afficha un grand sourire.

— Je n'en parlerai pas si vous ne dites rien. Écoutez, nous voulons toutes les deux la même chose. Découvrir qui a tué votre général. Je pense qu'on fera un meilleur boulot ensemble que chacune de notre côté.

— Sans compter que je parle la langue. Vous n'aurez donc pas à trouver un interprète, répondit sèchement Maggie.

— C'est vrai. Je sais seulement dire « s'il vous plaît », « bière » et « glace », ce qui ne va pas me mener très loin. Mais j'ai une voiture, et il vous en faut bien une pour vous rendre à Podruvec. Nous mettons donc toutes les deux quelque chose sur la table.

Maggie regarda Karen de bas en haut, comme si elle estimait sa taille pour un vêtement.

— OK, finit-elle par répondre. Tant que vous gardez bien en tête que nous ne sommes pas amies. Nous ne serons peut-être pas toujours dans le même camp.

— Ça marche. Et maintenant, est-ce que vous pouvez traduire ces panneaux ? Je cherche les loueurs de voitures.

Maggie se mit à rire.

— Ça va être difficile d'en trouver ici. Il faut que nous prenions un taxi pour l'aéroport. Ce n'est pas loin. Allez, en avant.

Elle se mit à marcher sans attendre de voir si Karen la suivait. La policière la rattrapa au moment où elle sortait dans la nuit fraîche.

— Oh, et encore une chose, dit Maggie quand elles atteignirent la station de taxis.

— Quoi ?

— Ne leur dites pas que vous êtes flic si vous voulez qu'ils vous fassent confiance.

30

Jason Murray était suffisamment intelligent pour savoir qu'il ne l'était pas suffisamment. Il avait conscience aussi d'être chanceux que sa chef soit Karen Pirie, qui était plutôt patiente et qui n'avait pas besoin de se faire respecter en le rabaissant. Dans une autre équipe, il savait qu'il aurait été la cinquième roue du carrosse, la tête de Turc, et aurait été relégué aux tâches les plus ingrates. Et donc toutes les fois où il avait l'occasion de faire quelque chose qui pouvait impressionner sa chef, il saisissait sa chance.

Elle le poussait toujours à prendre des initiatives. Pas à la manière d'un reproche, mais plutôt de façon encourageante. Comme elle était partie et qu'il se retrouvait tout seul, c'était l'occasion parfaite de lui montrer de quoi il était capable. Le problème, c'était qu'après avoir passé un coup de fil à Tamsin Martineau qui lui avait appris qu'il n'y avait rien de nouveau concernant la carte magnétique, il ne voyait pas ce qu'il pouvait faire de plus sinon aller trouver du réconfort dans la boisson et la nourriture comme tout flic en panne d'idées.

Comme il avait de nouveau commencé sa journée chez ses parents, l'endroit le plus proche pour grignoter quelque chose était la cantine du commissariat de Kirkcaldy. Une fois installé à une table avec le *Daily Record*, un sandwich au bacon nappé de sauce brune et une tasse de thé corsé, Jason se préoccupa beaucoup moins d'être incapable de trouver un plan d'action.

Il avait parcouru la moitié des pages sport, jubilant intérieurement des déboires de l'équipe des Hibs, quand il se rendit compte que quelqu'un l'observait. Il leva la tête et vit le capitaine Phil Parhatka, vêtu d'un jean et d'un polo, tenant dans ses mains un plateau avec son petit déjeuner.

— Ça ne te dérange pas si je me joins à toi ? demanda-t-il.

Troublé, Jason acquiesça. Il avait apprécié d'être sous les ordres de Phil dans la précédente unité des affaires non classées. Phil était quelqu'un qui travaillait dur, mais il donnait l'impression de le faire sans effort. C'était aussi un type décontracté. Il prenait les choses calmement et il était fort pour désamorcer les tensions quand la chef n'était pas contente et qu'elle voulait botter le cul de quelqu'un. Il y avait toujours une bonne atmosphère dans les bureaux quand Phil était dans les parages. Et puis lui et la chef s'étaient amourachés l'un de l'autre. Et tout avait changé. Ce n'était pas comme s'il avait changé d'attitude envers Jason ou quoi que ce soit. Mais c'était une petite équipe et Jason avait eu le sentiment que, s'ils avaient autrefois été tous les trois unis contre le crime, elle et Phil formaient désormais un duo à part. Ça avait été la première fois de sa vie que Jason s'était senti quelqu'un d'important, mais ça n'avait pas duré.

Cette impression d'être la cinquième roue du carrosse avait changé après que Phil avait été promu et muté à la brigade anticriminalité et que Jason s'était retrouvé tout seul avec la chef. Quand elle s'était décidée à diriger la nouvelle unité des affaires historiques, il avait cru que c'était la fin de tout pour lui. Mais la chef l'avait pris avec elle et, bien qu'ils ne forment qu'une petite équipe, ils étaient respectés parce qu'ils obtenaient de bons résultats. Cependant, il ne se sentait plus aussi à l'aise avec Phil qu'auparavant. Il devait faire attention ; il n'était pas idiot, il savait que Phil rapporterait à Karen tout ce qu'il trouverait important de lui dire.

— Qu'est-ce que vous faites à Kirkcaldy ? demanda Jason.

Phil désigna son assiette.

— Quand le chat n'est pas là, les souris adorent n'en faire qu'à leur tête. Notre cible numéro un n'est pas censée rentrer avant quelques jours, alors on en profite pour surveiller d'autres salopards que nous avons dans le collimateur. J'adore ce boulot, Jason. C'est le pied de mettre ces mecs en taule, un peu comme assister à une victoire des Raith Rovers. À chaque fois. Ils sont tellement sûrs d'eux, tellement arrogants. Voir cette arrogance réduite à néant est la chose la plus jouissive que j'aie jamais vécue dans ce métier.

— Ouah, c'est pas rien.

— Comment ça va ? Karen et River m'ont rebattu les oreilles au sujet de ce squelette qu'on a retrouvé en haut de la John Drummond. Ça avance ?

Jason plissa le nez.

— Pour dire la vérité, je suis en panne d'inspiration. La chef est partie tellement précipitamment qu'elle ne m'a pas donné de consignes. Peut-être parce qu'il n'y a pas grand-chose à faire. La seule piste que nous ayons, c'est cette clé d'hôtel magnétique, et le service informatique et numérique affirme qu'il leur faudra des semaines avant de pouvoir en tirer quelque chose.

Phil avala une bouchée de bacon, haricots et œufs au plat. Une fois qu'il eut terminé de mâcher, il répondit :

— Ce n'est pas toujours grâce à la technologie qu'on obtient des résultats, Jason. Parfois on est tellement obsédé par ce que les techniciens scientifiques peuvent découvrir qu'on en oublie ce qu'on peut faire par nous-mêmes en attendant.

— Qu'est-ce que vous voulez dire ?

— Eh bien, prenons l'exemple de cette clé. Elle doit ouvrir une porte quelque part. Si votre gars est venu spécialement à Édimbourg pour escalader la John Drummond, il y a des chances qu'il ait logé quelque part dans le coin. Dans une chambre d'hôtes ou un petit hôtel, vu qu'il n'avait pas l'air d'être un type très riche. Tu pourrais demander à Tamsin de t'envoyer une photo de la clé et faire ensuite le tour des maisons d'hôtes pour voir si elle correspond à l'une d'elles.

— Mais elles doivent être nombreuses à avoir ce genre de clé, répliqua Jason. C'est un modèle plutôt ordinaire.

— Oui, mais si tu découvres qu'elle correspond à l'une d'elles, tu pourras demander ensuite aux gérants s'ils ont encore les noms et adresses des clients à cette date. Aujourd'hui, comme tout est informatisé, ça n'a rien d'impossible. Tu pourrais avoir de la chance.

Il avala une nouvelle bouchée.

— Tu sais à quel point elle apprécie les surprises, ajouta-t-il tout en mastiquant.

Après avoir terminé son petit déjeuner, Jason se mit donc en route pour Édimbourg. Karen lui ayant inculqué l'importance d'une bonne organisation, il avait passé une heure sur l'ordinateur à localiser tous les hôtels et toutes les maisons d'hôtes dans un périmètre de trois kilomètres autour de la John Drummond. Édimbourg étant une ville touristique, il y en avait un nombre considérable. Et puis il avait eu lui-même une idée brillante. Il pouvait déjà commencer par téléphoner aux établissements sur la liste et éliminer tous ceux qui n'avaient pas de clés magnétiques rouges. Ça rendrait la tâche beaucoup plus facile.

L'avantage des hôtels, c'est qu'il y avait toujours quelqu'un qui répondait au téléphone. Les réceptionnistes ne parlaient pas toujours un très bon anglais, juste le strict nécessaire pour prendre une réservation, mais Jason fit preuve de patience et il réussit à se faire comprendre de tout le monde sauf d'une personne qui refusa obstinément de croire qu'il était officier de police. Il faillit s'y rendre en personne, rien que pour l'embêter.

Il avait finalement réussi à réduire sa liste à vingt-sept établissements. Parmi les douze premiers, six ne correspondaient pas du tout, deux n'avaient pas d'archives remontant huit ans en arrière et quatre n'avaient pas la bonne nuance de rouge. À la neuvième adresse, un petit hôtel privé, il récita de nouveau son baratin et montra la photo.

— Oui, ça pourrait être l'une des nôtres, répondit l'aimable réceptionniste avec un accent manifestement de Glasgow.

— Possédez-vous encore une trace des réservations effectuées en septembre 2007 ? demanda-t-il d'un un air suppliant et craquant, à la manière du chat potté dans *Shrek*. Ça ne marchait pas sur la chef, mais ça pouvait peut-être fonctionner sur la jeune fille.

Elle parut perplexe.

— Je ne sais pas. Donnez-moi un instant, je vais voir avec le gérant.

L'optimisme de Jason s'étiola. D'après son expérience, les gérants cherchaient généralement à assurer leurs arrières et non à aider la police. Il s'appuya contre le comptoir de la réception, et joua d'un air sombre à Candy Crush sur son portable en attendant. Il y avait au moins un domaine dans lequel il excellait.

Quand la réceptionniste revint, elle avait toujours le sourire.

— C'est votre jour de chance, dit-elle. Vous voulez bien me suivre dans le bureau pour regarder ça ?

Elle n'eut pas besoin de le lui dire deux fois. Il la suivit jusqu'à un minuscule bureau qui réussissait à être déprimant bien que très lumineux. Un homme qui n'avait pas l'air beaucoup plus vieux que la réceptionniste se leva de sa chaise.

— Je vous en prie, dit-il.

C'était incroyable à quel point le mot « meurtre » pouvait ouvrir des portes en certaines circonstances.

Il commença par le 1er septembre, même s'il savait qu'à cette date Petrović était encore à Oxford. Mais ça lui permettrait de voir comment les archives étaient organisées.

— Qu'est-ce que ces codes signifient ? demanda-t-il en désignant l'écran du doigt.

— Ça indique comment le règlement a été effectué. En espèces. Par chèque. Par carte bancaire. Par carte de crédit ou via un compte client, expliqua le gérant.

Rien n'attira l'attention de Jason les 2 et 3 septembre. En revanche, quand Jason s'arrêta sur les archives du 4, le nom de Petrović lui sauta aux yeux : D. Petrović, chambre 18. Domicilié à Oxford.

— Lui, s'exclama-t-il. Dites-m'en plus sur lui.

Le gérant se pencha pour regarder l'écran.

— Il a réservé pour deux nuits. A réglé en liquide à l'avance. Pas de voiture.

— Il était seul ?

Le gérant haussa les épaules.

— Aucun moyen de le savoir. Il a réservé une chambre simple mais elles sont toutes équipées de lits doubles.

— J'imagine que vous n'avez pas les détails de ses allées et venues ?

Le gérant eut l'air incrédule.

— Vous nous prenez pour les services du contre-espionnage ou quoi ? Non, c'est tout ce qu'on a.

Il savait que c'était une question stupide, mais il savait aussi qu'il devait la poser parce que sa chef le lui aurait demandé. Ça n'avait aucune importance. Cinq minutes plus tard, il descendait Corstorphine Road d'un pas vif et léger avec des informations dans sa poche qui le feraient remonter dans l'estime de sa chef. Si Dimitar Petrović avait voyagé avec son assassin pour aller escalader la John Drummond, il y avait des chances pour que son nom se trouve sur la liste.

Mission accomplie.

Les Serbes exigeaient la reddition de Dubrovnik sans cesser de la bombarder. Mais même les populations serbes – aussi attachées à leur ville que les autres – insistaient pour que nous ne cédions pas. Nous nous considérions comme un symbole pour la Croatie. Si nous cédions, comment le reste du pays aurait-il trouvé la force de résister et de combattre face à un ennemi supérieur en nombre?

Au moment de la chute de Vukovar, les combats avaient diminué grâce à la médiation de la Mission de surveillance de l'Union européenne entre l'Armée populaire yougoslave (JNA) et les autorités croates de Dubrovnik. Mais après les attaques de la JNA contre les membres de la mission, le calme avait pris fin.

De fragiles cessez-le-feu étaient négociés. Notre moral ne cessait de faire le yoyo à chaque fois que les échanges de tirs reprenaient dans les rues détruites.

Mitja n'était jamais à la maison plus de quelques heures. L'aide humanitaire a fini par arriver par la mer, grâce à une flottille de bateaux de plaisance. En plus de l'aide humanitaire, ils ont apporté des contestataires et des sympathisants, et sont repartis avec des réfugiés: des gens qui avaient perdu leur maison et ne voulaient rien de plus qu'une bonne nuit de sommeil sans craindre pour leur vie. Les négociations et l'organisation des arrivées et des départs demandaient beaucoup d'effort; la marine nationale yougoslave était toujours sur le point d'attaquer tous ceux qui apportaient des médicaments et d'autres produits de première nécessité à la ville assiégée. Mitja passait de longues heures en négociation et en marchandage pour ne pas perdre cette aide.

Quand les premiers convois humanitaires se sont mis en route, Mitja a essayé de me persuader de quitter la ville. Mais j'ai de nouveau refusé. J'étais jeune, idéaliste et follement amoureuse pour la première fois de ma vie. L'idée de partir sans Mitja m'était insupportable. Je n'avais pas peur que notre amour souffre de la distance. Je ne voulais simplement pas être séparée de lui. J'ai réussi à lui faire promettre de ne plus me demander de partir et j'ai redoublé d'efforts pour me rendre utile à Dubrovnik, à l'intérieur des frontières comme à l'extérieur.

Le répit de novembre nous avait tous rassurés, surtout parce que nous n'étions pas vraiment au courant des choses terribles qui se passaient ailleurs en Croatie. Les bombardements sur la ville ayant diminué, nous pensions que les Serbes avaient retrouvé la raison et pris conscience qu'il n'y aurait aucun vainqueur dans une guerre comme celle-là. Ce que nous ne savions pas, c'était les atrocités endurées ailleurs par d'innocents civils. Mais notre optimisme en a pris un coup début décembre.

Ça a débuté par des coups de feu qui ont arrosé les rues de la vieille ville. Et puis le pilonnage a commencé. Des tirs de mortiers, d'obus et de missiles dès l'aube, pendant six heures d'affilée. L'air retentissait du terrible impact des bombes. Le bruit était tellement assourdissant qu'il semblait résonner à l'intérieur de ma poitrine. Notre appartement était proche du Stradun, la rue principale de la vieille ville, et le pilonnage constant de l'artillerie le long de celle-ci me terrifiait. L'appartement de Tessa Minogue avait été frappé le jour précédent, et elle était blottie avec moi sous la lourde table en chêne où nous tremblions de peur.

Quand Mitja est rentré ce soir-là, il nous a appris que treize personnes avaient été tuées. C'était terrible, mais, en même temps, nous nous sentions presque soulagés. Je me souviens m'être dit que si peu de morts tenaient du miracle, étant donné les dégâts considérables provoqués par l'attaque. Nous avons découvert plus tard que la bibliothèque du Centre interuniversitaire avait été détruite; vingt mille livres réduits en poussière. C'était comme si on avait tenté d'assassiner l'avenir.

Je me souviens de Mitja tremblant de rage quand il nous a décrit ce qui s'était passé au Libertas Hotel.

— L'hôtel a été l'une des premières cibles et a évidemment terminé en flammes. Comme notre peuple refuse de baisser les bras et de mourir, les pompiers se sont déplacés malgré les bombardements et ont commencé à combattre l'incendie. Et qu'est-ce qu'ont fait ces salopards de la JNA? Ils ont braqué leurs armes sur les pompiers. Ça aurait pu être un carnage si nos camarades ne s'étaient pas abrités. Qui fait ce genre de choses? Quel genre de monstres sont-ils?

Je n'avais pas de réponse à l'époque et je n'en ai toujours pas. Il m'a toujours semblé que les divisions ethniques dans les Balkans avaient quelque chose d'artificiel, et qu'il n'y avait fondamentalement pas de différences biologiques entre les gens. Comment un nettoyage ethnique peut-il avoir du sens quand ceux que vous exterminez sont comme vous par-delà la couleur de leur peau?

Même si le 6 décembre a été la journée de bombardements la plus intense, ça n'a pas marqué la fin du siège. Les soldats de la JNA ont continué leur campagne de pillage et de destruction dans la vieille ville et dans le reste de la cité jusqu'à ce qu'ils en soient finalement chassés le jour de l'An grâce aux Accords de Sarajevo. Mais même après le retrait de la JNA pour concentrer ses attaques sur la Bosnie-Herzégovine, nous ne nous sentions pas encore en sécurité. Chaque fois que je quittais l'appartement, j'essayais de prendre note de ce que je voyais, de garder une trace de ce qui avait changé, de ce qui avait été détruit, de ce qui restait. Plus de la moitié des édifices de la vieille ville avaient été endommagés. Un nombre considérable de pièces de musée et d'objets appartenant à des collections privées a tout simplement disparu. Mais ce n'était rien par rapport au coût humain. La souffrance des survivants est encore vive ; les cicatrices ne sont pas refermées.

Quand le siège a commencé à faiblir, la pression qui pesait sur Mitja s'est encore accentuée. À la mi-décembre, l'Union européenne – ou plutôt, la CEE comme elle s'appelait à l'époque – a accepté de reconnaître l'indépendance de la Croatie quatre semaines plus tard. Je n'ai jamais vraiment su en quoi consistait exactement le travail d'un officier du renseignement, mais de la même façon que je dressais la liste des dégâts urbains, lui dressait la liste des crimes perpétrés par la JNA. Il s'assurait qu'on garde bien une trace des centaines de témoignages – pour l'essentiel ceux de civils déplacés dont les maisons autour de Dubrovnik avaient été détruites – de ceux qui avaient été internés dans de prétendus camps de prisonniers où ils étaient battus, brutalisés et terrorisés, où on employait la torture psychologique en ayant recours à de fausses exécutions, où les soldats de la JNA avaient joué leur rôle d'oppresseurs brutaux sans une once de remords.

À la mi-janvier, le siège a finalement été levé. Il était enfin possible de communiquer avec le monde extérieur. Il y avait à nouveau de la nourriture, de l'eau, l'électricité, mais ce retour à la normale formait un contraste étrange avec les dégâts que je pouvais voir partout. Melissa, ma directrice de thèse, avait hâte que je revienne à Oxford. «Tu pourras donner quelques heures d'enseignement ce trimestre», avait-elle écrit dans un de ses premiers e-mails que j'avais reçu après que l'alimentation en électricité avait été rétablie. Ce n'était pas une question, mais une injonction. Il était sous-entendu que si je ne rentrais pas maintenant, il n'y aurait peut-être plus de travail pour moi. «Et tu as tellement de choses à écrire là-dessus. Je t'envie presque cette expérience.» Je crois que personne n'avait jamais autant manqué de tact avec moi.

J'ai parlé de l'e-mail à Mitja tard ce soir-là, alors que nous étions lovés l'un contre l'autre dans le lit.

— Je vais rester ici, lui ai-je dit.

— Non. Ce n'est pas une bonne idée, Maggie. Le pire est à venir. C'était différent durant le siège. J'avais la parfaite excuse pour rester ici. Mais je ne peux pas fuir mes responsabilités et je ne peux pas t'emmener.

J'ai senti les larmes me monter aux yeux.

— Je ne veux pas être séparée de toi. Je m'en fiche si on doit seulement se contenter de quelques moments ensemble, je vais rester ici.

— Pour faire quoi? L'IUC a été détruit. Il n'y a nulle part où donner des cours. Écoute, Maggie, tu serais plus utile à Oxford. Nous avons besoin de récolter des fonds pour reconstruire la ville. Pour réparer les toits, pour rebâtir nos murs. Tu ne peux pas faire ça ici. Tu seras écoutée en Angleterre. Tu peux écrire pour les journaux et les magazines, tu peux raconter comment tu as vécu le siège depuis l'intérieur. Tu peux attirer l'attention des gens.

— Tu veux que je parte? Tu veux te débarrasser de moi? Je croyais que tu m'aimais.

— Bien sûr que je t'aime, a-t-il répliqué en me serrant plus fort contre lui.

Je pouvais sentir la pression de ses mains contre mon dos.

— C'est pourquoi je veux que tu partes d'ici avant que les choses tournent mal. Je te promets qu'on se retrouvera dès que possible, Maggie. Reviens pendant les vacances et nous arriverons à nous voir, où que je sois. Et puis je serai à Londres, Paris ou Berlin parfois, pour rencontrer des dirigeants politiques. Nous pourrons nous voir à ce moment-là.

— Tu avais déjà tout prévu, ai-je lancé sur le ton de l'accusation.

— J'ai beaucoup réfléchi à tout ça. La guerre ne durera pas éternellement et on se retrouvera, toi et moi, en temps voulu.

— Je ne veux pas partir.

— Je sais. Mais il le faut. Dubrovnik a besoin de toi plus que jamais. Mais pas ici.

31

— Mon Dieu, qu'est-ce qui s'est passé ici ?

Karen gara la voiture à côté d'un petit pré d'herbe tondue en bordure de la route à sens unique sur laquelle elles roulaient. Un cercle de plus d'une douzaine de croix blanches en bois entourait une plaque en pierre montrant des photos d'enfants.

— Un massacre, je suppose, expliqua Maggie d'une voix aussi sombre que son expression.

— Mais ce sont tous des enfants. Des gamins.

Karen sortit de la voiture et se dirigea vers le mémorial, la gorge serrée. Elle compta quatorze croix. Il n'y avait aucun nom dessus ni sur la plaque, seulement des photographies enchâssées dans des blocs de Plexiglas encastrés dans la pierre pâle. Des cheveux noirs, de grands yeux, des sourires édentés, rien ne laissait supposer sur ces visages joyeux que la mort allait les emporter.

— Mon Dieu ! s'exclama-t-elle en se demandant pourquoi une athée comme elle ne pouvait s'empêcher d'invoquer Dieu dans les moments difficiles.

Elle se tut et s'interrogea sur les raisons qui avaient pu pousser quelqu'un à massacrer des enfants.

Maggie la rejoignit au bout de quelques minutes, le visage sombre, une carte à la main.

— Nous ne sommes qu'à quelques kilomètres de Podru-vec, dit-elle en indiquant leur emplacement. C'est le plus proche village des alentours. Les enfants devaient venir de là.

— C'est horrible, lâcha Karen.

— Un tas de choses horribles se sont passées ici dans les années quatre-vingt-dix. Voir des reportages à la télé ne prépare pas à la réalité. Comme nous avons pris l'autoroute, vous n'avez pas vraiment vu la campagne. Je ne vous ai pas fait une visite commentée du genre : « Ce village a été bombardé, cet endroit a perdu ses hommes, les femmes ici ont subi des viols collectifs. » Mais voilà le genre de choses qu'on découvre quand on traverse les Balkans.

Elle fit le tour du mémorial et l'étudia comme si elle voulait en graver le souvenir dans sa mémoire.

— Un de mes étudiants en doctorat a écrit sur les mas-sacres qui se sont déroulés au cours de ces trois guerres et, selon lui, ces morts sont symptomatiques de la géopolitique de la région. Pour moi, ils sont aussi symboliques. Quand vous voyez quelque chose comme ça, vous ne pouvez plus jamais oublier à quel point c'est facile de perdre son huma-nité.

Karen détourna les yeux. Au cours de leur long trajet, elle en avait appris beaucoup plus sur les liens qu'entretenait Maggie avec ce paysage et sur les horreurs qu'il recelait der-rière sa beauté tranquille.

— Je ne sais pas comment vous avez réussi à revenir aussi souvent en sachant ce que vous saviez et en ayant vu ce que vous aviez vu.

— C'était compliqué et mes motivations n'étaient pas toujours vertueuses.

Maggie s'accroupit et prit une photo avec son téléphone.

— Je pensais que c'était important d'être témoin de ce qui se passait ici. Et j'étais suffisamment ambitieuse pour comprendre que ma carrière pouvait bénéficier de ma position privilégiée dans ce conflit historique.

Elle remarqua la furtive moue de mépris sur le visage de Karen.

— Je vous avais prévenue que tout n'était pas rose, dit-elle en poussant un soupir. Mais je voulais aussi me rendre utile. J'ai donc passé un permis poids lourd et, chaque fois que je revenais, c'était avec un chargement de matériel médical. Mais pour être tout à fait honnête, je n'aurais pas fait tout ça s'il n'y avait pas eu Mitja. Je l'aimais, et il avait un travail à faire. Sur plusieurs fronts, en réalité. Donc si je voulais être avec lui, je devais m'endurcir et revenir.

Karen secoua la tête.

— J'aime mon compagnon, mais je ne suis pas sûre que je l'aime à ce point.

— Je ne vous connais pas très bien, Karen, mais je pense vous connaître suffisamment pour dire que vous seriez étonnée de découvrir ce dont vous êtes capable.

Karen regarda les bois verdoyants et les collines alentour, la beauté de ce paysage désolé. Ce n'était pas très différent de certains coins du Perthshire, pensa-t-elle. La végétation n'était pas la même, mais il y avait quelque chose de similaire. Sauf qu'elle ne pouvait pas imaginer les habitants du Tayside se soulever contre leurs voisins des Highlands et provoquer un conflit sanglant. Même dans son incarnation la plus virulente, le sectarisme écossais n'irait pas jusque-là. Est-ce que c'était si sûr ? Et si ce n'était pas le cas, pourrait-elle aimer un homme qui se retrouverait impliqué au beau milieu de tout ça ?

Comme si elle avait lu dans ses pensées, Maggie lança :

— Ce n'était pas un fanatique, vous savez. Il aimait son pays, mais il détestait les raisons pour lesquelles les nationalistes des deux bords se battaient. C'est pourquoi il a fini par travailler pour l'OTAN et l'ONU. Parce qu'il voyait qu'il n'y avait aucun avenir dans les affrontements. Il aurait été content de voir cette nouvelle génération de jeunes se parler sur Internet, conscients qu'il y a plus de choses qui les unissent que l'inverse.

— Fanatique ou non, il a été assassiné. Et il s'est fait tuer dans mon secteur. La première règle dans une enquête, c'est apprendre à connaître sa victime. Je devrais donc me féliciter de voir ce genre de choses.

Karen tourna les talons et se dirigea vers la voiture.

Maggie la rejoignit et elles s'éloignèrent sans échanger un mot. Un kilomètre plus loin sur la route, Maggie jeta un coup d'œil à la carte et dit :

— C'est tout droit, juste au tournant derrière la colline apparemment.

Elles prirent le virage et presque aussitôt apparut un panneau sur le bas-côté annonçant « Podruvec ». Karen ralentit quand elles arrivèrent près d'un groupe de maisons et de dépendances éparpillées le long de la route étroite. À mesure qu'elles se rapprochèrent, elles constatèrent que beaucoup de maisons étaient abandonnées et ravagées par les intempéries ; les portes d'entrée étaient cassées et les fenêtres brisées. L'unique café était en ruine, un mur entier avait disparu. Une église avec un clocher de travers était blottie derrière un cimetière envahi par les mauvaises herbes.

Au bruit du moteur de leur voiture, quelques personnes apparurent entre des embrasures et à l'extérieur des dépendances, plus méfiantes que surprises. Tout ça donnait l'impression de sortir d'un film post-apocalyptique indépendant, pensa Karen. « Tu peux aller te rhabiller, Sam Peckinpah », marmonna-t-elle, se réfugiant dans l'humour noir, comme le veut la tradition écossaise pour surmonter la peur, l'angoisse ou la tristesse. Elle se gara sur une aire bétonnée près du café en ruine.

— Bon, et maintenant ? demanda-t-elle.

— On sort et on va dire bonjour, répondit Maggie.

Elle sortit de la voiture et fit un geste de la main accompagné d'un sourire en direction des curieux.

— Quand faut y aller... dit Karen en la suivant.

Maggie se dirigea vers une femme qui pouvait avoir n'importe quel âge entre quarante et quatre-vingts ans. Son visage était buriné, brunâtre et sillonné de rides. Un foulard noir couvrait pratiquement tous ses cheveux gris. Un gilet en laine noir et une jupe rouge foncé recouvraient son généreux postérieur et ses larges hanches. Elle se tenait bras croisés sur la poitrine et elle affichait un air revêche. Karen, qui s'était baladée dans pas mal de petits villages grecs en son temps, était surprise qu'on ne les accueille pas plus chaleureusement.

Maggie entama la conversation dans ce que Karen supposa être du croate. Ç'aurait été une langue extraterrestre que cela n'aurait rien changé pour elle. Les consonnes étaient rugueuses, légèrement sifflantes, et les voyelles à peine articulées. Sur la route, elles avaient discuté de la ligne à adopter. Mais Karen n'avait aucun moyen de savoir si Maggie allait s'y tenir. Elle n'avait pas l'habitude d'être reléguée au second plan, mais pour le moment Karen n'avait pas le choix. Elle devait lui faire confiance.

Maggie jeta un dernier coup d'œil à Karen avant de tourner son attention vers le visage impassible en face d'elle. Elle se remémora l'accent de Mitja et se lança.

— C'est une belle journée, commença-t-elle.

Il n'y avait pas que les Britanniques qui se servaient de la météo pour engager la conversation.

— Vous n'êtes pas d'ici, dit la femme.

Ça n'allait pas être facile...

— Non, je suis écossaise. Mais j'ai passé pas mal de temps en Croatie dans les années quatre-vingt-dix. J'étais à Dubrovnik pendant le siège.

Montrer ses qualifications en plus de sa maîtrise de la langue.

— Et qu'est-ce qui vous amène ici ?

La femme ne cédait pas d'un pouce. Quelques voisins se rapprochèrent lentement.

— Je cherche la famille de Mitja Petrović. J'ai des nouvelles à lui annoncer.

Une vague lueur d'intérêt brilla dans ses yeux.

— Quelles nouvelles ?

— Comme je l'ai dit, c'est pour sa famille.

— Il n'a pas de famille par ici. Enfin, il n'en a plus. Ses parents sont morts avant la guerre.

— Je sais. Je cherche Jablanka. Son épouse.

La femme ne put cacher son étonnement en entendant ce nom.

— Il n'y a personne qui s'appelle comme ça ici. Vous avez perdu votre temps.

— Si elle n'est plus ici, où est-elle alors ?

— Arrêtez de jouer à ce petit jeu. Si vous connaissiez vraiment le général Petrović, vous connaîtriez les réponses à ces questions. Partez.

Elle agita la main avec dédain comme si elle voulait faire déguerpir des poules enquiquinantes.

— Je ne partirai pas tant que je n'aurai pas des réponses.

La femme se mit à rire et désigna d'un geste ses voisins qui se tenaient à présent à portée de voix.

— Vous croyez qu'ils vont venir vous parler ? dit-elle avec une pointe de sarcasme avant de rentrer chez elle.

Tout le monde se dispersa à l'exception d'un homme. Ses yeux noirs étaient fixés sur Maggie. Il était sec et avait les poings enfoncés dans ses poches.

— Vous avez connu Mitja ? demanda Maggie.

L'homme acquiesça.

— Je suis allé à l'école avec lui.

Maggie sourit.

— Alors vous avez dû aussi connaître Rado Tomić.

— Vous connaissez Rado ? demanda-t-il avec méfiance.

— J'ai pris un café avec lui à Dubrovnik il y a quelques jours. Il travaille pour l'Unesco maintenant, mais je suppose que vous le savez ?

L'homme haussa les épaules.

— Tout le monde savait que Rado irait loin.

— Tout comme Mitja, je suppose.

Un coup d'œil furtif.

— Vous avez entendu ce qu'elle a dit ? Si vous l'avez vraiment connu, vous devriez être au courant pour Jablanka. Je ne parlerai donc pas de lui, vous comprenez ?

— Il est mort, répliqua Maggie.

Elle abattait sa dernière carte.

Les yeux de l'homme s'écarquillèrent momentanément de surprise.

— Vraiment ? Je pensais qu'il était indestructible.

— Il a été assassiné.

Il regarda par terre.

— Un mort de plus.

— Est-ce que vous savez s'il avait des ennemis ?

Un rictus accompagné d'un petit rire.

— Si vous cherchez les ennemis du général, ce n'est pas ici que vous les trouverez. Vous avez perdu votre temps. Personne ici ne vous parlera de lui. Ça fait maintenant très longtemps qu'il est parti.

Il desserra les poings et prit un paquet de cigarettes dans la poche de sa chemise. Il en sortit une et l'alluma avec un briquet usé fabriqué à partir d'une douille de cartouche.

— Vous devriez partir, lui dit-il en passant près d'elle avant de disparaître dans une vieille grange de l'autre côté de la route.

— J'ai l'impression que les choses ne se sont pas très bien passées, déclara Karen.

— Je ne comprends pas, dit Maggie. Un endroit comme ça, on s'attendrait à ce qu'ils soient fiers de leur général. Mais c'est comme si je parlais à des murs.

— Vous leur avez annoncé qu'il était mort ?

— Je l'ai dit au type. J'ai été plus prudente avec la femme. Je pensais qu'elle me raconterait tout ce qu'elle savait sur Jablanka et les fils de Mitja.

Elle lâcha un petit rire sec.

— J'ai été mariée avec lui et je ne sais même pas comment s'appelaient ses enfants. Merde, quel genre de femme je suis ?

Une de celles qui ne veulent pas connaître la vérité sur leur conjoint. Rien de très inhabituel.

— Bon, et maintenant ?

Maggie secoua la tête.

— Je ne sais pas. Je pensais vraiment trouver des réponses ici. J'avais imaginé que le doyen du village se serait assis avec moi et m'aurait raconté des histoires sur Mitja ; que je serais tombée nez à nez avec ses fils, à qui j'aurais dit à quel point leur père était quelqu'un de bien. Enfin, ce genre de choses.

Karen repensa aux croix et ne dit rien.

— Je ne veux pas qu'on abandonne aussi tôt. Dans un endroit comme ça, tout le monde n'accepte pas la loi du silence. Il suffit parfois d'attendre le moment propice.

— Qu'est-ce que vous voulez dire ?

Karen montra l'église du doigt.

— Je pense que nous devrions en profiter pour passer un petit moment à l'église.

Maggie la regarda d'un air moqueur.

— Vous n'allez quand même pas me dire que vous croyez à tout ça.

— Bien sûr que non. Mais il n'y a pas de pub où se réfugier. Et puis ça pourrait nous faire gagner des bons points. Allez, c'est le moment de prier et méditer.

La porte de l'église était ouverte. Ça sentait un mélange d'encens et d'humidité à l'intérieur. Les murs étaient tachés là où la pluie s'était infiltrée. Les vitraux étaient ébréchés et déformés, et ce qui ressemblait à des traces de balles formait un arc sur le mur du chœur. L'autel cependant luisait de propreté et les chaises étaient parfaitement alignées. Un crucifix richement décoré était suspendu au-dessus de l'autel, le bénitier près de la porte était à moitié plein et des veilleuses à piles étaient placées sur la table à proximité ; deux d'entre elles, posées dans des bougeoirs, produisaient une lueur vacillante.

— Ils sont plutôt catholiques ici ? demanda Karen.

— Pour la plupart. Vous avez aussi des orthodoxes et des musulmans, mais surtout à Zagreb et à Dubrovnik. En dehors des villes, c'est la religion catholique qui domine. Toutes les croyances se sont cachées derrière la vieille religion pendant la période communiste et elles ont resurgi ensuite. Ça aurait été mieux pour tout le monde si ça n'était jamais arrivé, ajouta-t-elle avec une pointe d'amertume.

Karen alla s'asseoir dans une des premières rangées. Maggie la rejoignit.

— Qu'est-ce qu'on fait maintenant ? demanda-t-elle.

— On s'assoit et on attend en espérant qu'il se passe quelque chose.

— Vous faites souvent ça ? Attendre et espérer que quelque chose arrive ?

Le sourire de Karen était fatigué.

— Beaucoup plus souvent qu'on aimerait l'admettre. Dans le genre d'affaire dont je m'occupe, les gens portent de lourds secrets depuis longtemps. Parfois, ils se sentent prêts à parler. Il faut juste se montrer patient et leur faire sentir que vous êtes la personne qu'ils attendaient.

— Est-ce que ça marche souvent ?

— Parfois. Maintenant taisez-vous et agissez comme si vous étiez une fervente catholique.

Karen se pencha en avant et regarda fixement l'autel.

Maggie ferma les yeux, inclina la tête en arrière et essaya de faire le vide. Depuis qu'elle était descendue de l'avion, elle n'avait pas arrêté de repenser à son histoire avec ce pays. Aux gens, aux lieux, aux moments de bonheur et de tristesse, de peur et de joie ; tout ça repassait en boucle dans sa tête comme les images d'un film. Elle ignorait combien de temps s'était écoulé quand ses pensées furent interrompues par le craquement d'une porte qu'on ouvre. Elle reprit complètement conscience de son environnement et se retourna sur sa chaise pour découvrir un vieux prêtre qui marchait vers elles avec une canne à la main dont le bruit sur les dalles en pierre rappelait le rythme du tambour qui accompagnait la marche des condamnés vers la potence.

— On dirait que j'avais raison, murmura Karen.

32

Maggie prononça quelque chose qui ressemblait à « *Pozdrav, svechenitch* » aux oreilles de Karen, et le prêtre inclina la tête. Il avait une épaisse tignasse de cheveux gris encadrant un visage carré aux traits prononcés et de gros sourcils noirs. Karen lui donnait environ soixante-dix ans. Assez vieux pour savoir ce qu'elles voulaient apprendre.

— Ils affirment que vous êtes anglaises, lança-t-il.

Il avait un fort accent, mais Karen pouvait comprendre ce qu'il disait.

Maggie sourit.

— Écossaises, en fait. Vous parlez anglais ?

Elle semblait surprise.

— Où croyez-vous que Mitja l'a appris ?

Les yeux de Maggie s'écarquillèrent.

— Il a passé du temps en Angleterre, à se former dans une école militaire.

— Ça l'a sans doute aidé à progresser, mais c'est avec moi qu'il a commencé à apprendre cette langue.

— Et où l'avez-vous apprise ?

Karen savait que tout le temps passé à essayer d'instaurer une relation de confiance avec l'homme leur serait utile.

S'intéresser à lui au lieu de le harceler de questions était la première étape.

Il lui fit un signe de tête, comme s'il comprenait sa démarche.

— Pendant la période communiste, il n'y avait pas beaucoup de travail pour un prêtre. Je suis donc devenu professeur à l'université de Belgrade. Un Croate parmi les Serbes, alors que nous étions tous censés appartenir à un même peuple yougoslave. J'enseignais la littérature. C'était rare dans un État communiste. Mais ici en Yougoslavie, nous faisions comme si nous étions différents. Nous étions les bons communistes. Ceux que l'Ouest pouvait aimer. Et j'ai donc enseigné Shakespeare, Wordsworth et Robert Burns à des étudiants qui s'ennuyaient mais qui étaient forcés de suivre mon cours.

— C'est incroyable. Vous parlez vraiment bien, intervint Karen.

— J'ai écouté la BBC pendant des années. Mais vous me flattez. Je sais que je ne parle pas aussi bien l'anglais que je le comprends.

— Nous devrions peut-être nous présenter, proposa Maggie. Je suis le professeur Maggie Blake de l'université d'Oxford.

Elle avait dit ça comme quelqu'un qui savait exactement que ce genre de petite phrase avait le pouvoir d'ouvrir des portes, pensa Karen.

— Et moi je suis Karen Pirie. D'Édimbourg.

Mieux valait ne pas trop entrer dans les détails pour le moment.

Le prêtre prit une chaise et se laissa tomber dessus en poussant un soupir de soulagement. Il posa ses mains sur le pommeau de sa canne et les contempla attentivement.

— Je suis le père Uroš Begović. C'est ici ma paroisse depuis 1971. Déjà du temps où ce n'était pas supposé être une paroisse. J'ai été le curé des gens de ce village pendant plus de quarante ans. Je rentrais chez moi les week-ends et aux vacances et troquais mon habit d'universitaire contre celui de prêtre.

Il passa une main sur sa soutane noire.

— C'était plus facile d'avoir l'allure d'un prêtre que de se sentir comme tel.

— C'est comme ça que vous avez connu Mitja, dit Maggie.

Il inclina la tête et la regarda par-dessus ses lunettes sans monture perchées sur le bout de son nez.

— Je l'ai préparé pour sa première communion. Mais vous... Pourquoi vous intéressez-vous à lui ? Pourquoi êtes-vous venues ici à la recherche de son passé ?

Karen pouvait voir la bataille qui se jouait à l'intérieur de Maggie. Le prêtre devait le voir aussi. C'était le moment de dire la vérité. Ou au moins une partie. Elle attendit, en espérant que Maggie allait le comprendre.

Elle leva la tête et fixa du regard le crucifix au-dessus de l'autel.

— Je l'aimais. Nous étions mariés. Je n'ai jamais rien su de son passé.

— Vous ne vouliez pas savoir, dit le curé avec douceur. Et ce n'est pas quelque chose dont vous devriez avoir honte.

— Mais il est mort à présent, et maintenant j'ai besoin de remplir les blancs.

Il hocha la tête.

— Et vous ? demanda-t-il en se tournant vers Karen. Quelles sont vos motivations ?

— Pourquoi ne serais-je pas juste une amie venue l'accompagner ? Pour la soutenir ?

Il sourit.

— Vous pourriez être son amie, c'est vrai. Mais je pense plutôt que vous êtes de la police.

Karen fut étonnée. Les gens devinaient rarement sa profession en se fiant uniquement à son apparence de petite femme potelée aux vêtements ordinaires.

— Qu'est-ce qui vous fait dire ça ?

Il afficha une moue chagrine.

— Dans ce métier, dans cette partie du monde, on développe un instinct de conservation. Vous ne m'en avez pas dit assez quand vous vous êtes présentée. Et puis, il y a quelque chose dans vos yeux. De la distance, peut-être. Et bien sûr, Novak m'a confié que le professeur Blake avait affirmé que Mitja avait été assassiné, dit-il avec un sourire triste. Et pourtant, vous n'avez esquissé aucun geste de réconfort envers elle.

Encore un fichu Sherlock Holmes. Exactement ce dont le monde avait besoin.

— Bon, eh bien comme vous avez deviné, vous devriez comprendre que j'ai besoin d'en savoir plus sur le général parce que c'est mon travail.

Begović éclata de rire.

— Vous êtes venue chercher justice ? Ici ? Vous pensez que la mort d'un seul homme compte pour ces gens ? Après tout ce qui s'est passé ?

Piquée au vif, Karen répliqua aussi sec :

— Ce n'est pas là-dessus que se fonde votre foi ? Un mort parmi d'autres ? Vous, tout particulièrement, devriez savoir que cela compte. Pour ceux qui l'aimaient, rien ne compte davantage.

Le sourire sur le visage du prêtre disparut aussi vite que s'il avait été giflé. Il jeta un coup d'œil sur le crucifix avant de baisser les yeux.

— Vous avez raison.

Il prit une profonde inspiration et regarda Maggie qui était encore sidérée de l'échange entre le prêtre et la policière.

— Je vais vous dire ce que je sais. Mais je vous préviens, c'est une triste histoire.

— Je m'en fiche, répondit Maggie. Je n'en suis plus là. Je me suis déjà tellement trompée sur lui. Tout ce que je veux maintenant, c'est connaître la vérité.

Il se carra dans sa chaise, massif, inspirant confiance. Karen, elle, attendait de voir. Dans son esprit, toutes les religions étaient des escroqueries. Contrairement à Maggie, elle n'était pas convaincue qu'elle pouvait se fier à un curé pour connaître la vérité.

— Je donnais des leçons d'anglais dans le village. Mitja était intelligent et avait des idées plein la tête. Comme son ami Rado. Deux autres ont démarré avec eux, mais ils ne sont pas restés longtemps. Mitja et Rado étaient toujours en compétition pour voir qui était le meilleur. Et puis Rado est parti avec sa famille à l'adolescence et Mitja s'est retrouvé sans rival.

Il sourit tendrement à l'évocation de ce souvenir.

— C'était peut-être aussi bien. Parce qu'une nouvelle compétition avait démarré entre eux. Une de celles qui brisent les amitiés. À cause d'une fille, bien sûr. Jablanka Pusić. Une jolie fille. Très timide et gentille. Pas aussi intelligente que les deux garçons, mais c'était la seule fille du même âge dans le village, et ils étaient tous les deux amoureux d'elle. Quand Rado est parti, Jablanka et Mitja se sont rapprochés.

Il poussa un soupir.

— Il était très intelligent, très doué. Ses parents en étaient conscients et ils m'ont demandé de lui donner des conseils. Je lui ai dit de s'inscrire à l'université de Zagreb et pas à celle de Belgrade. Je pensais qu'il se sentirait plus à l'aise parmi des Croates. J'espérais aussi qu'il rencontrerait une fille qui soit vraiment faite pour lui.

Il regarda de nouveau Maggie dans les yeux.

— Mais si vous l'avez connu, vous devez savoir que c'était quelqu'un qui n'était pas du genre à trahir sa parole. Il avait fait des promesses à Jablanka. Ils se sont mariés l'été de sa première année universitaire et quand il a terminé ses études, il était déjà père de deux jumeaux.

Karen était impressionnée de voir à quel point Maggie réagissait bien. Elle avait les bras serrés contre son corps comme pour le soutenir. Mais son visage était serein et elle parlait d'une voix calme.

— C'est quoi leur nom ?

Le prêtre parut ne pas comprendre de quoi elle parlait.

— Comment s'appellent ses fils ? répéta Maggie en choisissant d'autres mots.

Il prit une profonde inspiration et se redressa.

— Paskal et Poldo. C'est moi qui les ai baptisés.

— Où sont-ils aujourd'hui ? demanda Maggie.

Le curé jeta un regard désemparé à Karen. Elle connaissait la réponse, mais elle n'allait pas venir à sa rescousse.

— Après l'université, Mitja s'est engagé dans l'armée, répondit-il, éludant la question. Jablanka est restée ici. C'était plus facile d'élever les enfants avec sa famille pour l'aider. Mitja n'était jamais posté au même endroit très longtemps. Au début, il revenait souvent. Autant qu'il le pouvait, je crois. Il faisait le genre de chose dont il ne pouvait parler à personne, même pas à moi. Il a commencé à rentrer moins souvent. Et puis ses parents sont morts à quelques mois d'intervalle, et il a eu encore moins de raisons de revenir ici.

Il regardait ses mains, noueuses et percluses d'arthrose, posées l'une contre l'autre sur sa canne.

— Parfois, certains couples ne voient plus les choses de la même façon. Mais Mitja aimait ses enfants. Et donc quand il rentrait, il passait tout son temps avec eux. À marcher dans les collines, à jouer au foot ou bien à regarder des films américains sur lesquels il arrivait toujours à mettre la main, dit-il visiblement ému par ce souvenir. Il aimait ses deux garçons.

Maggie regardait droit devant elle, les yeux fixés dans le lointain sur quelque chose qu'elle seule pouvait voir.

— Il ne m'a jamais parlé d'eux. Pas une seule fois.

— C'était peut-être la seule façon pour lui de gérer la situation. En séparant bien les choses, dit Karen.

— Et puis la guerre a commencé, continua le prêtre. Mitja s'est retrouvé coincé dans Dubrovnik et il vous a rencontrée.

Il arbora un petit sourire.

— Il m'a parlé de vous. La dernière fois qu'il est venu ici. Il m'a dit qu'il avait enfin rencontré la femme que je souhaitais qu'il trouve à l'université. Une femme faite pour lui.

Maggie semblait sur le point d'éclater en sanglots.

— Il a dit ça ?

Le prêtre acquiesça, mais c'était clair pour Karen qu'il ne tirait aucun plaisir à faire cet aveu.

— À la fin du siège, vous êtes rentrée à Oxford et lui a décidé de revenir ici pour annoncer à Jablanka que c'était terminé entre eux. Qu'il voulait divorcer.

— Et qu'est-ce qu'elle a dit ? Comment a-t-elle réagi ?

Le curé ferma un instant les yeux – peut-être pour prier, peut-être simplement pour avoir un peu de répit – avant de regarder par terre.

— Comme je l'ai dit, la guerre a commencé. Et elle est venue jusqu'ici.

33

Karen vit dans les yeux de Maggie qu'elle commençait lentement à comprendre, avec horreur.

— Qu'est-ce qui s'est passé ?

Karen n'était pas prête à lâcher le morceau.

— Mitja était très bon dans ce qu'il faisait, dit le curé.

Il semblait vieillir à vue d'œil. Il s'éclaircit la gorge et déglutit.

— Attaquer les endroits d'où étaient originaires leurs plus farouches opposants était une technique prisée des Serbes. Le but était de rendre fous de chagrin leurs ennemis et leur faire sentir qu'ils n'étaient pas de vrais soldats. C'était un jour de grand froid, dit-il en se remémorant le passé. Il y avait un peu de neige par terre, sur les arbres, sur les toits. Le jour commençait à décliner quand ils sont arrivés. Dans trois Land Rover. Un détachement de soldats de la JNA. Ils portaient des cagoules. Ils sont entrés dans le village et ont commencé à rassembler tout le monde.

Il fit une pause pour trouver ses mots.

— Beaucoup de massacres avaient déjà eu lieu. Ils ne faisaient pas tous la une des journaux, mais nous en avions entendu parler. Des villages, des villes, parfois simplement une ferme familiale. Ils pensaient qu'ils allaient s'en prendre aux hommes. Qu'ils seraient rassemblés dans une grange ou dans un champ avant d'être abattus. Les gens pleuraient, les soldats sortaient tout le monde de leur maison. Et puis les camions sont arrivés. Les soldats ont fait monter les gens, ils ont roulé ensuite pendant quelques kilomètres jusqu'à un pré. Ils se sont arrêtés à un bout et ont forcé les enfants à sortir du camion. Tout le monde criait. Ils ont laissé les enfants là avec une demi-douzaine de soldats pour les surveiller. Ils étaient quatorze. Le plus vieux avait onze ans, le plus jeune n'avait que dix-huit mois. Les Serbes ont de nouveau traversé le pré en camion et l'ont garé en face des enfants. Tous les adultes pensaient qu'ils allaient être abattus devant leurs enfants et petits-enfants. Mais ça a été pire que ça. Bien pire. L'homme qui dirigeait les soldats a crié aux adultes de se taire avant de lancer : « Ça, c'est pour Dimitar Petrović, un ennemi de mon peuple ! » Et puis il a fait un signe aux soldats à l'autre bout du pré. « Mes hommes vont dire à vos enfants de courir vers leur maman », a-t-il annoncé. Et c'est exactement ce que les enfants ont fait. Deux des plus âgés ont ramassé les tout-petits et ont couru avec eux, trébuchant dans la neige, impatients de retrouver leurs mères.

Sa voix se brisa. Les deux femmes se tenaient assises raides comme des piquets, respirant à peine.

— Et puis les soldats ont ouvert le feu. Ils ont utilisé la tête des enfants comme cible. Du rouge écarlate sur du blanc. Une explosion de sang sur la neige.

Des larmes apparurent au coin de ses yeux.

— C'était de bons tireurs. Les corps des enfants étaient quasiment intacts. Tirs parfaits. Par contre, leur tête, c'était une autre histoire. J'espère que vous ne verrez jamais la tête d'un enfant qui vient d'être frappée par une balle de fusil.

354

Il y eut un long silence avant que le curé ne reprenne la parole.

— C'est là-bas que sont Paskal et Poldo. Dans ce pré, avec douze de leurs camarades.

Karen avait envie de casser quelque chose. Voire pire.

— Qu'est-ce qui est arrivé à Jablanka ?

Begović passa une main sur son visage comme pour le laver.

— Les soldats ont fait monter les adultes dans le camion et les ont reconduits au village. Ils sont restés à rire en voyant les gens crier et courir en direction du pré. Je n'étais plus à Belgrade à ce moment-là, mais chez un ami à Lipovac. J'ai reçu un coup de fil et je suis venu immédiatement ici. Je n'avais jamais été témoin d'un chagrin pareil. Les gens étaient effondrés. Beaucoup d'entre eux avaient perdu un parent, mais ce que le village avait perdu c'était son avenir. Jablanka portait tout ce poids sur ses épaules. Elle n'arrêtait pas de répéter qu'elle n'aurait jamais dû épouser Mitja, qu'elle aurait dû le laisser partir quand il était à Zagreb et que rien de tout ça ne serait alors arrivé. Je suis resté assis avec elle pendant un moment. À parler et à prier. Et elle semblait plus calme quand je l'ai laissée.

Ses épaules s'affaissèrent.

— Au matin, sa sœur l'a retrouvée morte. Elle s'était pendue avec deux ceintures en cuir qui appartenaient à ses fils.

Pas étonnant qu'il n'ait jamais parlé de son passé. Karen avait déjà entendu des histoires terribles, mais rien de comparable.

— Comment expliquez-vous qu'on n'ait jamais entendu parler de tout ça ? Je sais que vous avez dit qu'on ne parlait pas de tous les massacres dans la presse, mais celui-ci aurait fait la une des journaux. Comme celui de Srebrenica.

— Nous n'en avons pas parlé, répondit le prêtre. Pas aux gens de l'extérieur.

— Vous n'en avez pas parlé ?

Karen n'en revenait pas.

— Comment avez-vous pu taire une atrocité pareille ? Comment avez-vous pu garder tout ça pour vous et ne pas attirer l'attention des médias là-dessus ?

— Nous ne pouvions pas en parler, répondit-il. Pas après ce qu'a fait Mitja.

J'ai donc dû m'exiler. Du moins, c'est comme ça que je l'ai ressenti. D'abord un bateau de pêche bondé qui a remonté la côte jusqu'à Trieste, suivi d'un long voyage dans un train exigu pour rentrer au Royaume-Uni. C'est seulement quand j'ai posé un pied en Italie que j'ai compris à quel point j'avais été stressée au cours des trois derniers mois. La fatigue m'est tombée dessus d'un coup, et même si j'étais convaincue que j'étais triste au point de ne plus jamais pouvoir dormir, je crois que j'ai été quasiment inconsciente de Trieste à Londres.

Je suis rentrée à Oxford un jour de janvier froid et brumeux, en fin d'après-midi. Je ne sais pas trop ce que j'espérais, mais j'ai surtout eu droit à de l'indifférence. Une guerre? C'est pas banal. Mais revenons à vos cours... Melissa, elle, était fascinée, évidemment, mais j'ai réalisé qu'elle cherchait surtout à inscrire son nom sur mes publications à venir comme coauteur. J'ai alors vraiment compris à quel point les universitaires pouvaient avoir l'esprit étriqué. Je me suis fait la promesse de ne jamais devenir comme ça. C'est pourquoi je voyage autant que possible dans ma vie professionnelle et que je me bats pour avoir des projets de recherche qui m'ouvrent sur le monde.

Cependant, je n'ai pas eu le temps de déplorer le manque d'intérêt de mes collègues à St Scholastica's au sujet de mon «aventure à Dubrovnik», pour reprendre l'expression de l'un d'eux. J'avais des thèses à superviser et un cours de géopolitique à dispenser à une classe de première année; j'avais des articles à écrire et un projet de livre sur les liens entre la chute du communisme et l'expansion de la pensée géopolitique; je devais sensibiliser le public et soulever des fonds pour aider mes amis à Dubrovnik; et enfin, écrire tous les soirs à Mitja.

C'est dur à imaginer aujourd'hui, mais envoyer un e-mail en 1992 n'était pas simple : Internet était lent et imprévisible. Je lui écrivais donc des lettres. Il m'avait expliqué où les lui faire parvenir : « On sait toujours où me trouver, m'avait-il dit. Je dois être joignable en toutes circonstances. » Je numérotais les enveloppes pour qu'il puisse les lire dans le bon ordre, mais aussi pour qu'il puisse s'assurer qu'aucune n'avait disparu. Nous étions persuadés l'un comme l'autre que les autorités ne nous laisseraient pas communiquer librement.

Ses lettres me parvenaient sporadiquement. Je passais parfois une semaine entière sans nouvelles, et puis cinq ou six arrivaient d'un coup ; quelquefois très abîmées. Parfois l'enveloppe contenait seulement quelques lignes sur un coin de feuille, trahissant les nuits tardives et un faible éclairage. D'autres fois, elle contenait six pages à l'écriture serrée, où il me rapportait en détail les atrocités dont il avait été témoin, me décrivait un paysage ou planifiait une escapade ensemble dans les montagnes une fois la guerre terminée. Je chérissais toutes ses lettres. Elles représentaient la totalité de notre relation. Ce n'était pas qu'une histoire de sexe entre nous ; nous partagions aussi des fous rires, nous étions unis par la curiosité intellectuelle, par nos opinions politiques, par notre amour pour la nature. Nous étions l'avenir, pas le passé. Je me consolais en pensant à ça, et c'était mon seul réconfort quand cela devenait trop difficile d'être loin de lui.

Ce qui était le cas presque tous les jours, pour tout dire. Son absence me pesait comme l'aurait fait le bruit à peine audible d'une machine, une vibration qui finit par vous taper tellement sur les nerfs que vous seriez capable du pire pour qu'elle cesse. Je dormais mal et je pense que je n'étais pas la meilleure des directrices de thèse à l'époque. Ma tête et mon cœur étaient ailleurs.

À ce moment-là, les médias se faisaient l'écho de l'étendue des massacres qui avaient lieu régulièrement depuis que la JNA avait lancé sa guerre totale contre la Croatie. Pas une semaine ne s'écoulait sans qu'il n'y ait un nouveau bain de sang quelque part, ville ou village. Ce n'était pas de Mitja que je tenais cela ; je ne crois pas qu'il était au courant à l'époque de l'étendue du carnage perpétré contre ses compatriotes.

Je savais grâce à ses lettres que les hôpitaux et les cliniques manquaient de ravitaillement. J'ai donc décidé que je conduirais une ambulance chargée à bloc de matériel médical vers la Croatie, aussitôt le semestre terminé. C'était une question d'amour, mais aussi d'humanité. J'ai réussi à dénicher une ambulance retirée de la circulation dans le sud-ouest de l'Angleterre, et Tessa et moi avons donc pris un bus jusqu'à Plymouth avant de rentrer à Oxford au volant du véhicule brinquebalant. Tessa connaissait un mécanicien qui a accepté de réparer le moteur, et je suis partie en quête de quoi le remplir.

Nous avons fait le tour de toutes les universités d'Oxford, avons parlé aux étudiants dans les foyers, à nos collègues autour d'un verre, nous sommes adressées à des associations de sport et à des clubs privés. Bref, à tous ceux avec qui nous pouvions parler. J'ai contacté des entreprises pharmaceutiques et réussi à persuader certains de mes collègues qui enseignaient la médecine de faire marcher leurs contacts pour mettre la main sur tout ce qu'ils pouvaient. Quand les vacances de Pâques sont arrivées, nous avions une ambulance remplie de médicaments, de bandages et de tout le matériel qui allait avec. Nous étions un genre de pharmacie ambulante. L'ami de Tessa avait réussi à convaincre un de ses camarades de peindre d'immenses croix rouges de chaque côté de l'ambulance, juste pour bien faire comprendre que nous étions en mission humanitaire.

Je n'avais pas parlé à Mitja de ce que nous avions fait. Il savait que j'allais venir, que j'arriverais par la route avec Tessa. Nous avions prévu de nous retrouver à Pula, dans le nord, près de la frontière slovène, très loin des zones de combat. Il nous avait indiqué l'adresse d'un petit restaurant près du port. « C'est facile à trouver, avait-il écrit. Et il y a de la place pour se garer à côté. »

Nous avons eu quelques sueurs froides avec les douaniers qui se demandaient ce qu'on trafiquait, mais nous avons réussi à les convaincre de nous laisser passer et nous avons continué notre route jusqu'à Pula, en chantant à tue-tête.

Mitja avait raison, ça n'a pas été difficile de trouver le restaurant. Mon cœur s'est emballé de joie quand je l'ai aperçu assis à une table en terrasse. Il a levé les yeux en voyant l'ambulance avant de regarder ailleurs. Et puis il a de nouveau regardé dans notre direction en remarquant que c'était un véhicule avec un volant à droite et une plaque d'immatriculation britannique. Et il a compris. Il s'est levé et a couru vers nous le visage fendu d'un grand sourire.

C'est l'image que je garderai de lui. Courant vers moi, bras grands ouverts, les cheveux flottant au vent, riant sans s'inquiéter du lendemain. Tout le monde devrait avoir ce genre de souvenir.

Parfois, c'est la seule chose qui nous permet de tenir bon.

34

Macanespie frotta ses yeux fatigués. Il était scotché devant l'écran de son ordinateur depuis si longtemps qu'il avait l'impression que tous ses neurones s'étaient transformés en pixels. Il avait regardé à plusieurs reprises l'enregistrement des deux caméras en remontant jusqu'à sept jours en arrière, et il n'était plus certain de pouvoir faire confiance à son jugement. Une chose était sûre, cependant. Il avait davantage confiance en lui qu'en Theo Proctor, dont le degré de rancœur avait augmenté à mesure que Macanespie gagnait en enthousiasme.

Pendant que l'Écossais scrutait l'enregistrement avec un soin extrême, son collègue envoyait des e-mails et passait des coups de fil aux policiers qui enquêtaient sur les autres meurtres de leur supposée série. Il devait expliquer dans un premier temps les raisons de son intérêt, prétextant que de nouveaux éléments reliant ce meurtre aux autres avaient émergé. Il devait ensuite trouver un policier ayant travaillé sur l'affaire et qui s'en souvenait bien. Il devait enfin les persuader d'exhumer les enregistrements des caméras de surveillance conservés dans le local des scellés et les leur envoyer. C'était une tâche qui demandait du tact et de la patience, ce qui était normalement le point fort de Proctor.

Mais il commençait manifestement à être las de jouer ce rôle, et Macanespie savait que les choses allaient finir par exploser.

En attendant, il faisait profil bas. De temps à autre, il repérait quelque chose qui méritait un réexamen plus approfondi. Il avait constitué un dossier avec des images sur lesquelles il avait prévu de revenir une fois qu'il aurait terminé de visionner attentivement les enregistrements. Ce qui n'allait pas tarder. Les dernières séquences saccadées s'animèrent sur son écran et ce fut terminé.

Il se pencha de nouveau sur les images qu'il avait sélectionnées et cliqua sur elles pour vérifier si ce qu'il pensait avoir vu était réel ou non. Au premier réexamen, il écarta un couple. Au deuxième, un autre. Ce qui lui laissait encore une demi-douzaine de captures d'écran. Il les envoya sur l'imprimante couleur dans le couloir, ce qui lui donna une excuse pour se dégourdir les jambes. Il récupéra les tirages et se dirigea vers la cafétéria, où il s'installa à une table avec une canette de Coca et un paquet de bonbons au chocolat. Il disposa les feuilles sur la table et réfléchit tout en avalant des bonbons les uns après les autres.

Une fois qu'il eut terminé les chocolats, Macanespie rassembla les photos et rebroussa chemin vers son bureau.

— Regarde ça, dit-il aussitôt franchi le seuil.

Proctor lui lança un regard noir et fit un geste pour désigner le téléphone qu'il tenait contre son oreille. Imperturbable, Macanespie posa les captures d'écran sur son bureau et attendit.

— J'ai hâte de voir ça, dit Proctor. Oui, merci.

Il raccrocha.

— Tu ne voyais pas que j'étais au téléphone ? maugréa-t-il.

Il se leva malgré tout et se déplaça jusqu'au bureau de Macanespie.

— Qu'est-ce que c'est ?

L'Écossais désigna les trois premières photos.

— Mercredi soir. Je me suis concentré sur la femme, mais sur chacune de ces photos, Šimunović n'a fait que passer. Les trois suivantes correspondent à jeudi soir. La même chose. Qu'est-ce que tu en penses ?

Proctor observa attentivement les images.

— Mercredi, elle porte un grand chapeau et des lunettes de soleil. Jeudi, elle porte un chapeau différent, une autre paire de lunettes de soleil et un foulard autour du cou. Elle porte à chaque fois des vêtements larges qui dissimulent sa silhouette et empêchent de se faire une idée de sa morphologie. Si c'est la même femme, elle ne souhaite pas être reconnue.

— C'est exactement ce que je me dis, répliqua Macanespie d'un ton triomphal. Une femme visiblement déguisée trois soirs consécutifs, suivant un homme qui se fait assassiner au cours du troisième. Difficile d'imaginer qu'il s'agit d'une simple coïncidence.

— Si c'est bien la même femme, intervint Proctor.

Il regarda encore plus attentivement.

— Si c'est même une femme dont on parle, Alan. Ce pourrait être aussi un homme là-dessous, comme tu l'as déjà suggéré.

Macanespie grogna.

— Il faudrait qu'il soit très mince.

— Oui, enfin, tout le monde n'est pas bâti comme toi. Mais sérieusement, sous ce déguisement, c'est tout à fait possible.

Macanespie hocha la tête.

— Oui, peut-être... Mais si c'est une femme, elle n'est sans doute pas l'assassin et ne faisait que surveiller la victime.

— Bon, qu'est-ce que tu vas faire ?

Macanespie rassembla de nouveaux les images.

— Je vais aller imprimer d'autres captures d'écran du premier enregistrement, et j'irai voir ensuite Cagney. Il est dans les locaux, apparemment. Il faut que je lui montre qu'on bosse sérieusement ici.

Il se pencha sur son bureau, sélectionna les images de la première vidéo qu'ils avaient visionnée en Crète avant de les envoyer vers l'imprimante. Il se dirigea vers la porte et sembla surpris de voir Proctor qui le suivait.

— Tu n'as pas des coups de fil à passer ?

— Tu ne vas pas me laisser sur la touche comme ça, dit Proctor. On est dans le même bateau. Déconne pas.

Macanespie secoua la tête mais n'empêcha pas son collègue de le suivre. Il traversa rapidement les couloirs et prit l'escalator jusqu'à la salle de réunion où Cagney s'installait temporairement quand il était de passage. Il n'y avait pas de cerbère à la porte ; Macanespie frappa simplement et fut invité à entrer.

Cagney était assis seul à la table de réunion, sa veste de costume posée sur une chaise vide. Ses manches étaient relevées et son ordinateur portable était ouvert devant lui.

— Une délégation, dit-il en levant les sourcils d'un air ironique.

— On pense avoir trouvé quelque chose, annonça Macanespie sans préambule.

Il étala les pages sur la table devant lui, forçant Cagney à se lever et à les rejoindre.

— Et qu'est-ce que c'est ? demanda-t-il en jetant un œil sur les photos.

— Nous pensons qu'il s'agit de la même personne au cours de trois soirées consécutives. Elle – ou bien lui – se trouve à cinq ou six mètres derrière Miroslav Šimunović à chaque fois. Ça ressemble à une filature. C'est la seule personne louche. Si ce n'est pas le tueur, c'est quelqu'un chargé de surveiller la victime, selon moi.

Reculant d'un pas, Macanespie le laissa admirer le travail.

— Intéressant, dit Cagney.

Il lança un coup d'œil à Macanespie en faisant une moue.

— Mais pas exactement une photo que nous pourrions diffuser sur *Crimewatch* [1]. Qu'est-ce que vous comptez faire ensuite ?

— Nous sommes en train de réunir d'autres enregistrements de caméras de surveillance. Nous allons les visionner attentivement pour voir si la même personne réapparaît. On finira par avoir de la chance, dit Macanespie avec assurance.

— Je préférerais ne pas avoir à compter sur la chance, répliqua Cagney en s'éloignant de la table pour retourner vers son siège. Nous ne sommes pas sans ressources. Vous n'avez aucune raison d'être au courant des dernières avancées numériques, mais je pense qu'il y a moyen d'améliorer ce que vous avez là. Il existe des programmes qui peuvent fusionner les images comme celles-là et suggérer à quoi pourrait ressembler ce visage à découvert. Ces programmes peuvent également estimer la taille d'une personne et peut-être même nous indiquer son sexe avec certitude.

Il hocha la tête silencieusement.

— Je ne pensais pas que vous seriez à la hauteur. Continuez à me prouver que j'avais tort. Trouvez-moi d'autres photos que nous pourrions utiliser avec ce programme.

---

1. Émission de télévision britannique reconstituant des crimes non élucidés. *(N.d.T.)*

Envoyez-moi par e-mail tout ce que vous avez, dit-il avant de retourner à son écran.

Une fois dans le couloir, ils échangèrent un grand sourire et se tapèrent dans la main.

— On est de retour ! exulta Proctor.

Macanespie lui donna un coup de poing sur l'épaule.

— Ouais, et cette fois, on en fait une affaire personnelle. Allez, Theo. Il est temps de retrouver cette femme.

— Ou cet homme. N'oublie pas que ça pourrait être aussi un petit gars maigrichon.

— Peu importe. Il est grand temps de trouver.

35

Maggie ne pouvait se résoudre à poser la question. Mais elle ne pouvait pas non plus rester sans savoir.

— Qu'est-ce que Mitja a fait ? murmura-t-elle.

— Ce que nous faisons toujours par ici, répondit le prêtre d'une voix forte et pleine d'amertume.

Il frappa sa canne par terre.

— Se venger, dit Karen. Œil pour œil.

Il acquiesça.

— Nous sommes comme le Dieu jaloux de l'Ancien Testament.

— Mais qu'est-ce qu'a fait Mitja au juste ? insista Karen, comprenant qu'il ne comptait pas en dire plus.

— Il est arrivé deux jours plus tard, désemparé. Personne ne lui a reproché ce qui s'était passé. Personne, à part lui-même. Il s'en voulait de n'avoir pensé qu'à lui et de ne pas avoir envoyé Jablanka et les garçons dans un endroit plus sûr. Il s'en voulait de ne pas avoir protégé son village alors qu'il savait qu'il représentait un problème pour ses ennemis. Et il se sentait coupable parce qu'il était tombé amoureux de vous, professeur. Comme si ça l'avait empêché d'une certaine manière de prendre soin de sa famille. Il parlait de ne plus vous revoir, de s'infliger cela comme une punition. Je suis resté avec lui toute la nuit en essayant de le persuader que renoncer à l'amour reviendrait à laisser triompher les individus malfaisants qui étaient responsables de ça. Et j'ai finalement réussi à le convaincre. Apparemment.

— Merci, répondit Maggie d'une voix tremblante.

Begović lui fit un petit signe de tête.

— Il est resté un jour ou deux avant de rejoindre son unité. Il était fou de rage. Je savais qu'il n'en resterait pas là.

— Vous pouvez difficilement le blâmer, dit Karen.

— Je ne le blâme pas. J'éprouve de la compassion pour sa souffrance et sa honte, répliqua-t-il. Mais je sais que je n'aurais rien pu faire pour l'arrêter.

— Qu'est-ce qui s'est passé ? demanda Karen.

— Il travaillait dans le renseignement. Il savait comment retrouver les auteurs du massacre. C'était aussi un officier respecté. Certains de ses hommes l'auraient suivi jusqu'en enfer sans poser de questions. Quand il a su avec certitude qui était le responsable du raid, il a attendu qu'un mariage soit célébré dans la famille de cet homme. Avec une douzaine de ses plus fidèles camarades, il s'est rendu à l'église. Ils ont barricadé les portes, jeté des torches enflammées et des cocktails Molotov par les fenêtres. Tous ceux qui ont essayé de s'enfuir par les fenêtres ont été abattus. Ils ont tué quarante-sept personnes ce jour-là.

— Mon Dieu, gémit Karen. C'est atroce.

— Oui. Quand je l'ai revu plus tard, il m'a dit : « Ça s'arrête là. Il n'y a plus aucun survivant pour relancer un cycle de vengeance. » Et j'ai pensé qu'il avait raison. Il a terminé la guerre indemne. Il est allé vivre avec vous à Oxford, professeur. Il n'aurait pas mis votre vie en danger s'il avait eu le moindre doute qu'on pouvait chercher à le tuer. Il a vécu des années sans rencontrer le moindre problème. Mais son passé l'a finalement rattrapé.

— Pas exactement, le corrigea Karen.

Begović fronça les sourcils.

— Mais pourquoi êtes-vous ici alors ? Le professeur Blake a dit que Mitja avait été assassiné.

— C'est vrai, il a été assassiné, répondit Karen. Mais pas récemment. On vient juste de retrouver son corps. Il est mort il y a environ huit ans.

Le prêtre continuait de froncer les sourcils.

— Je ne comprends pas, dit-il en se tournant vers Maggie. Vous n'avez pas réagi pendant tout ce temps ? Il vous avait quittée ? Vous n'étiez plus mariés ?

Maggie secoua la tête.

— J'ai cru ça pendant huit ans. Mais il ne m'avait pas quittée. On me l'avait arraché. Il a été assassiné. Par quelqu'un qu'il avait connu dans les Balkans. Mais je ne le savais pas encore. Je croyais qu'il m'avait quittée parce qu'il ne pouvait plus supporter d'avoir tout abandonné pour moi. Mais je me suis complètement trompée.

— Et il était mort pendant tout ce temps, dit le prêtre en secouant la tête d'un air las. Ce doit être un des Serbes qui l'a tué. Peut-être quelqu'un qui était enfant à l'époque et qui a grandi le cœur rempli de haine. Ce n'est donc pas terminé…

Son homélie fut interrompue par la sonnerie du téléphone de Karen.

— Désolée, je dois prendre cet appel, dit-elle en se levant.

Quand elle se fut suffisamment éloignée, elle répondit :

— Oui, Jason. Qu'est-ce que tu as pour moi ?

— On a trouvé l'hôtel.

— Quoi ? Tamsin je-sais-plus-comment a déniché quelque chose ?

369

— Non, chef. C'est juste du bon vieux travail d'équipe. C'est votre Phil qui m'a suggéré ça. Je suis tombé sur lui à la cantine de Kirkcaldy. J'ai pris une photo de la clé magnétique et j'ai établi une liste d'hôtels et de maisons d'hôtes. J'ai commencé par ceux qui étaient les plus proches de la John Drummond et j'ai élargi le champ de recherche à partir de là. J'ai passé des coups de fil pour éliminer ceux qui n'avaient pas de cartes magnétiques rouges et j'ai continué ensuite en allant frapper aux portes. Bingo.

Karen était impressionnée malgré elle. La Menthe n'était pas assez intelligent pour s'attribuer le mérite de cette découverte – ou bien il l'était suffisamment pour savoir que Phil lui aurait probablement parlé des conseils qu'il lui avait donnés. Quoi qu'il en soit, c'était un pas dans la bonne direction.

— Qu'est-ce que tu as trouvé, alors ? demanda-t-elle.

— Une maison d'hôtes près de Murrayfield. La chambre a été réservée au nom de Dimitar Petrović. Il l'a réservée pour deux nuits et a payé en espèces. Il y avait seize autres chambres occupées cette nuit-là. Certaines réglées en espèces également. C'est un établissement bon marché.

— Est-ce que tu as une liste des noms et adresses de tous les clients ?

Elle l'entendit presque sourire jusqu'aux oreilles au téléphone.

— Je les ai tous, répondit fièrement La Menthe.

— Bravo. Envoie-moi la liste par mail. J'y jetterai un coup d'œil dès que possible. Je verrai aussi avec le professeur Blake si elle ne reconnaît pas un de ces noms.

— Bonne idée, chef. Parce que quelqu'un sur cette liste est sans doute le meurtrier. Et on va le coincer.

36

Ce que Maggie avait entendu était tellement choquant qu'elle n'avait pas su quoi dire. Elle s'était contentée de répondre machinalement à des questions qui lui paraissaient dérisoires à présent. La sonnerie du téléphone de Karen la tira de son état de sidération et elle reprit peu à peu ses esprits.

— Ce n'est pas vrai, dit-elle fébrilement. Il doit y avoir une erreur.

C'était impensable. L'homme qu'elle avait connu et qu'elle avait aimé pendant plus de vingt ans... cet homme n'aurait jamais pu faire ce dont ce vieux prêtre fou l'accusait.

Le père Begović lui jeta un regard empreint de compassion.

— Mon enfant, je comprends pourquoi vous avez du mal à croire ce que je viens de vous dire. Mais la vérité est ce qu'elle est. Mitja est responsable de ces morts. Il était fou de chagrin. Vous avez dû constater le changement en lui quand vous êtes revenue au printemps.

Maggie releva la tête et le regarda avec défiance.

— Oui, j'ai constaté un changement chez lui. Il subissait une énorme pression. Il dormait et mangeait à peine. Il souffrait de voir son pays attaqué, son peuple massacré, ses compatriotes forcés de devenir des réfugiés sur leurs propres terres. Il souffrait. Mais ce n'est pas le monstre qui a organisé un massacre lors d'un mariage. Vous vous trompez, mon père. Vous faites erreur.

— Il n'y a pas d'erreur, professeur. Je suis profondément désolé de la peine que cela vous cause. Mais la vérité n'est pas toujours belle à entendre. La vérité concernant Mitja, c'était que sous ses dehors d'homme bien élevé et malgré le temps qu'il a passé avec vous à Oxford, c'était quelqu'un de violent, de brutal et de vindicatif comme tous ses ancêtres.

— Non, répondit Maggie en montant la voix. C'est faux. C'était quelqu'un de bon. Il était toujours à l'écoute des autres. Il était très ouvert. Généreux. Pas du tout le monstre que vous décrivez. Où sont vos preuves ? Comment un homme comme lui, avec de telles responsabilités au sein de l'armée croate, de l'OTAN, de l'ONU – comment aurait-il pu échapper à des sanctions après avoir commis un acte pareil ? Ça n'a aucun sens. Les Serbes ont toujours été sensibles à la mauvaise image qu'ils véhiculaient et n'auraient donc pas hésité à se servir de tout ça pour leur propagande. Un général croate à l'origine d'un massacre ? Ça aurait été une formidable aubaine pour eux.

— Je ne sais pas. Peut-être que les Serbes comprenaient ce genre de réaction. Peut-être qu'ils ne pouvaient pas dénoncer l'acte de Mitja sans remettre en question leurs propres actions. Ou peut-être qu'il n'y avait tout simplement aucune preuve et que personne n'aurait pu croire, comme vous, qu'un homme éduqué et cultivé comme le général Petrović ait pu commettre une chose pareille.

Il y avait de l'amertume dans la voix de Begović et Maggie réalisa que lui aussi souffrait à l'idée que l'homme qu'il avait contribué à former ait pu être capable d'un acte aussi terrible.

— Il reste que j'ai du mal à croire que personne n'ait parlé.

Le prêtre fronça les sourcils.

— Mais des gens ont parlé. Pas à l'époque, c'est vrai, mais il y a quelques années. Un homme et une femme sont venus ici pour enquêter sur le massacre côté serbe.

— Qui ? Des journalistes ?

Il secoua la tête.

— Non. Des genres d'enquêteurs. Je crois qu'ils avaient quelque chose à voir avec le Tribunal pénal international. Je n'ai pas vraiment creusé la question. Je pensais que c'était mieux de se montrer indifférent. Comme pour leur signifier qu'il n'y avait rien par ici qui puisse les intéresser.

— Ils n'ont pas remarqué le mémorial ? Ça montre quand même qu'un événement terrible s'est passé ici, non ?

La peine de Maggie commençait à se transformer en colère, mais elle s'en fichait. Elle ne cherchait pas à s'attirer les bonnes grâces du vieil homme ; elle voulait surtout des réponses.

— Le mémorial n'existait pas encore. Nous l'avons érigé il y a deux ans seulement, pour commémorer les vingt ans du massacre. Nous en parlions depuis longtemps, mais nous n'étions pas prêts avant. Et donc quand ils sont venus, il n'y avait rien à voir.

Il se passa de nouveau une main sur le visage comme pour le laver.

— Nous gardions notre chagrin en nous.

— Ces gens, comment s'appelaient-ils ? Quelle était leur nationalité ?

Il secoua la tête d'un air abattu.

— Je ne me souviens pas de leurs noms. Ça fait long-temps maintenant et nous essayions volontairement de ne pas trop parler. En ce qui concerne leur nationalité, je crois que la femme était britannique. Elle parlait anglais comme s'il s'agissait de sa langue maternelle. Mais je suis sûr qu'elle n'était ni américaine ni canadienne. Lui, c'était un genre de Scandinave. Mais ça n'a pas d'importance. Ça n'a rien donné. C'était à peine plus qu'une rumeur, m'ont-ils alors confié. Ils n'avaient aucun témoin et aucune accusation spé-cifique visant quelqu'un en particulier.

— Alors pourquoi sont-ils venus ici, s'il n'y avait pas d'accusations spécifiques ? C'est un petit village au milieu de nulle part. Qu'est-ce qui les a attirés jusqu'ici ?

— La rumeur disait que les tueurs venaient de ce village. Ils ont pu constater par eux-mêmes que nous n'avions pas assez d'hommes pour mener un raid. Que ce n'était pas un avant-poste militaire de la guérilla croate. Et ils n'ont pas prononcé le nom de Mitja. Ils m'ont posé des questions ainsi qu'à quelques autres villageois. Aucun de nous n'a parlé de Mitja et ils sont repartis bredouilles. Avant que quelqu'un finisse par parler, c'était déjà de l'histoire ancienne et les choses ne sont pas allées plus loin.

— Oh que si, répliqua Maggie avec colère. Mitja est mort.

Et si tout ça était vrai, chuchota une petite voix à l'inté-rieur de sa tête, c'était plutôt rassurant.

Il y a peu d'endroits aussi beaux que les Balkans au printemps. Des arbres fruitiers en fleurs, des prés parsemés de fleurs sauvages, des arbres au feuillage composé d'une infinité de nuances de vert. Dans les années quatre-vingt-dix, il était encore fréquent de voir des charrettes tirées par des chevaux. Des hommes avec leurs manches de chemise remontées conduisaient des tracteurs qui ressemblaient à des jouets, et je me souviens même avoir vu des bœufs tirer des charrues. Les femmes travaillaient dans les champs, la tête recouverte d'un foulard coloré. La guerre civile faisait rage en Croatie, mais selon où l'on se trouvait, on pouvait ne rien remarquer pendant des jours. C'est à cette époque-là que Tessa et moi y sommes retournées pour la première fois.

Quand les gens pensent à la guerre, ils imaginent qu'un conflit ravage tout un pays. En réalité, les zones de conflits sont très localisées. On se concentre sur des cibles stratégiques. Certaines villes sont bombardées ou assiégées pendant qu'à quelques kilomètres à peine, la vie suit à peu près son cours normalement. Que faire d'autre tant qu'on ne vous tire pas dessus ? Nous avons une étonnante capacité à détourner les yeux et à continuer de vivre comme si de rien était.

Bien sûr, derrière les apparences, la vie est loin d'être normale. Tout le monde vit dans l'angoisse. Est-ce que leur ville ne sera pas la prochaine ? Est-ce qu'un commandant de la JNA ne va pas décréter que leurs hommes représentent une trop grande menace pour les laisser en vie ? Est-ce qu'il ne serait pas temps cette fois d'aller rendre visite à ses cousins éloignés en Slovénie ou en Albanie ?

C'était le genre de discussions auxquelles j'avais envie de participer. Quand ses responsabilités militaires réclamaient Mitja, ce qui était souvent le cas, je passais mes journées à chercher des gens que je pouvais interviewer. Je ne savais pas encore ce que j'écrirais sur cette région, d'autant que je ne savais pas non plus à l'époque que les années qui suivraient seraient à ce point brutales et sanglantes. Mais je savais que je voulais enregistrer le maximum de témoignages sur la ligne de front, de façon à avoir une bonne documentation quand je me mettrais à écrire.

Ce n'était pas toujours facile de mener ces interviews. Le premier problème était la barrière de la langue. Même après trois mois à Dubrovnik, mon serbo-croate n'était pas assez bon pour aborder des concepts abstraits. Je pouvais avoir des échanges sur la vie quotidienne, mais sans interprète, j'étais limitée dans mes questions. Paradoxalement, je pense maintenant que c'était une bonne chose. Je me suis appuyée sur les expériences de la population locale pour étayer mon travail sur la région et ses guerres; mes recherches se fondent principalement, comme le devrait tout travail sur la géographie humaine, sur la manifestation concrète du conflit.

Persuader les gens de me parler était le second problème. J'ai grandi dans un pays peu peuplé – il y a un peu plus de cinq millions d'Écossais – et je comprends ce concept de «cousinage» employé par un ami. Tout le monde semble se connaître. En Croatie, avec ses quatre millions d'habitants seulement, le phénomène est encore plus prononcé. C'était comme si tout le monde savait qui était Mitja et était au courant de ma relation avec lui. Il y a des gens que ça motivait à me parler et d'autres que ça rebutait au contraire. Je savais que je devais persuader les récalcitrants et que, si je n'arrivais pas à obtenir un large éventail d'expériences et d'opinions, je ne pourrais pas produire un bon travail.

Ce projet me permettait de ne pas trop me languir de Mitja. Je savais qu'il avait un important travail à accomplir, même s'il ne pouvait pas me dire en quoi il consistait la plupart du temps, et je ne voulais pas être l'épouse pathétique qui restait à la maison à se tourner les pouces. Quand nous nous retrouvions, c'était encore plus enrichissant parce qu'au moins un de nous deux pouvait parler de ce qu'il avait fait dans la journée. Dieu sait qu'il avait besoin de penser à autre chose qu'à cette lutte pour le pouvoir qui se jouait de chaque côté de la ligne de front. Rétrospectivement, je ne sais pas comment chacun faisait pour s'y retrouver avec tous ces changements de part et d'autre.

Tout ça préoccupait Mitja.

Ça et d'autres choses. Non seulement il devait rester au courant de ce qui se passait, mais il devait aussi développer les services de renseignement pour aider ses commandants à mettre au point une stratégie de survie pour leur pays. Il ne pouvait pas se déplacer sans ses gardes du corps. Nous nous retrouvions dans des chambres d'hôtel et il y avait toujours des hommes avec des pistolets-mitrailleurs postés de chaque côté du couloir. Si ça n'avait tenu qu'à eux, ils se seraient postés juste à l'entrée de la chambre. Mais là c'était mon territoire. Même les généraux ont droit à un peu d'intimité.

Plus tard, il m'a écrit une lettre dans laquelle il me disait que ces moments passés avec moi lui avaient permis de garder la tête sur les épaules.

«Je voyais des hommes autour de moi qui commençaient à perdre la raison. Ils vivaient depuis tellement longtemps loin d'une vie normale qu'ils en avaient oublié pourquoi nous combattions. Seule l'idéologie comptait. Et on finit par perdre son humanité à vivre de cette façon. On devient le monstre que l'on combat. Tu m'as préservé de ça et grâce à toi, j'ai appris à aider et à protéger mes hommes. Même s'ils ne voulaient pas quitter le front, je les forçais à s'éloigner de la guerre. Je les renvoyais dans leur famille à chaque fois que je le pouvais. Je pense que c'est une des raisons qui expliquent pourquoi nous avons réussi à tenir le coup malgré tout. »

Je suis fière de ça aujourd'hui. À l'époque, je me sentais parfois coupable de l'arracher à ses responsabilités. Mais pas au point de m'en empêcher. Je me souviens en particulier d'un jour magique. Tessa et moi devions repartir à Oxford le lendemain et Mitja avait réussi à se libérer tout un après-midi. Nous étions descendues de Zagreb à Starigrad quelques jours auparavant, et il nous a surpris en arrivant en Land Rover. Ses gardes du corps nous ont suivis à distance raisonnable pendant que nous nous dirigions vers le canyon de Velika Paklenica, non loin de là.

— Nous allons gravir l'Anika Kuk, a-t-il annoncé. C'est là que se trouvent les sites d'escalade les plus difficiles de toute la Croatie.

Il a dû voir la tête que je faisais parce qu'il a aussitôt éclaté de rire.

— Ne t'inquiète pas. Nous n'allons pas vraiment faire de l'escalade. Je sais que tu n'es pas une grimpeuse. Il y a des chemins de randonnée qui montent vers le sommet ; on va les suivre.

— Ça sera pour une autre fois, alors, a répliqué Tessa. On reviendra quand la guerre sera terminée, Mitja, et on pourra l'escalader ensemble.

— OK. Mais aujourd'hui, on va seulement profiter du paysage.

C'était le jour parfait. Dégagé et ensoleillé, mais frais aussi. Nous avons commencé par remonter le canyon, d'immenses falaises se dressant au-dessus de nous. Parfois, regarder les éperons rocheux donnait presque autant le vertige que de regarder en bas depuis les hauteurs. Nous avons marché d'un pas régulier vers le sommet, le chemin coupant le flanc abrupt de la montagne en une série de zigzags. Il y avait des ponts qui nous permettaient de traverser des flots tumultueux dégringolant entre les rochers. Les chemins étaient praticables malgré l'âpreté du paysage.

Du moins, c'est ce que je croyais jusqu'à ce qu'on atteigne la dernière partie, un chemin escarpé à travers des falaises abruptes et des promontoires. Quand nous avons finalement gagné le sommet, j'étais épuisée et mes cuisses tremblaient sous le coup de l'effort. Mitja et Tessa ont tous les deux éclaté de rire quand je me suis laissée tomber sur le dos en râlant, trop fatiguée pour apprécier le paysage spectaculaire qui s'étendait jusqu'à la côte. J'ai repris des forces grâce aux provisions qu'avait emportées Mitja dans son sac à dos : eau, salami, fromage, pain, olives et pommes. Jamais l'eau n'avait eu un goût aussi merveilleux.

Après avoir mangé, Tessa s'est mise en route la première. Mitja et moi étions assis sur un gros rocher et parlions de nos projets, serrés l'un contre l'autre. Projets qui n'allaient pas se réaliser aussi vite que nous l'espérions.

37

Karen remit son téléphone dans sa poche et regarda Maggie et le prêtre. La conversation semblait s'être envenimée depuis le coup de fil de Jason. Maggie était debout à présent et s'éloignait du père Begović. Karen s'avança vers eux, mais Maggie la retrouva à mi-chemin.

— On peut y aller, dit-elle. Ce n'est pas ici que nous trouverons le meurtrier de Mitja.

Karen était plutôt d'accord avec elle. La conversation avec le prêtre avait éclairé les choses d'un jour nouveau. Petrović, ange exterminateur et criminel de guerre, c'était une image très différente de celle du héros patriote et acteur de l'OTAN et de l'ONU pour le maintien de la paix qu'on lui avait servie jusqu'ici. Et il était clair que c'était autant une surprise pour Maggie que pour elle. Elle se demandait ce que ça faisait de découvrir que l'homme qu'on aimait, l'homme dont on chérissait le souvenir, était responsable de la mort d'innocentes victimes. Comment assimiler ces contradictions ?

— Il n'avait rien d'autre à ajouter ? demanda Karen. Des preuves de ce qu'il avançait ? Comment se fait-il qu'on n'ait pas entendu parler de ça pendant toutes ces années ?

Elle devait accélérer le pas pour suivre la cadence de Maggie.

Elles arrivèrent à la voiture avant qu'elle n'obtienne une réponse.

— On n'en a pas entendu parler, répondit Maggie après avoir attaché sa ceinture, parce que ça a été considéré comme un incident de nature privée. Dans le décompte tordu des morts qu'ils font ici, sont exclus des crimes de guerre ceux dont les causes sont d'ordre familial.

La perversité de la logique humaine ne cessait d'étonner Karen.

— C'est une blague ?

— Si seulement.

Elle plongea son visage dans ses mains. Karen attendit pour démarrer la voiture, consciente que ce n'était pas le meilleur moment. Elle ne pensait pas que Maggie était en train de pleurer et n'était donc heureusement pas obligée de se montrer compatissante, d'autant que ce qu'elle voulait vraiment c'était l'interroger.

Maggie finit par relever la tête et poussa un soupir.

— Apparemment la rumeur est apparue il y a environ huit ans. En provenance du côté serbe. Une enquêtrice a rappliqué ici pour poser des questions. Elle ne connaissait pas le nom de Mitja et évidemment personne ne l'a prononcé. Elle a pu se rendre compte par elle-même que ce village n'était pas un camp retranché de combattants hautement entraînés et lourdement armés, et elle est repartie en pensant qu'il y avait eu erreur.

Karen poussa un petit grognement.

— C'était pas une très bonne enquêtrice. Elle n'a pas remarqué le mémorial sur la route menant à la colline ?

— Le prêtre affirme qu'il a été construit il y a deux ans seulement.

— L'enquêtrice est venue il y a huit ans, c'est ça ? Elle était donc ici avant que Mitja se fasse tuer.

— Oui.

Karen avait le sentiment que les pièces du puzzle se mettaient en place dans sa tête.

— Quelqu'un a donc parlé.

Elle démarra la voiture et fit demi-tour. Des gens apparurent de nouveau comme par magie et les regardèrent partir avec ce même air impassible qu'ils avaient au moment de leur arrivée.

— Quelqu'un a dû prononcer les mots « massacre » et « Podruvec » dans la même phrase.

— Pour ce que ça a changé. À en croire le père Begović, un des enfants des victimes, devenu grand, aurait lancé une nouvelle vendetta.

Karen réfléchit un instant.

— Je ne pense pas, dit-elle.

Elles prirent le virage et se retrouvèrent de nouveau devant les tombes.

— Parce que…

— Arrêtez-vous ici, s'il vous plaît, demanda Maggie.

Karen s'arrêta sur l'accotement.

— Je veux voir les garçons, expliqua l'universitaire.

Elle sortit de la voiture et se dirigea vers le mémorial, tête baissée. Karen la suivit quelques mètres derrière.

Arrivée devant la plaque commémorative, Maggie observa les photos plus attentivement qu'elle ne l'avait fait auparavant. Elle repéra deux garçons qui se ressemblaient énormément. Yeux rieurs, sourires insolents, cheveux noirs en bataille. Il émanait d'eux une vivacité qui rappelait à Karen le neveu de Phil ; elle se dit qu'ils n'avaient pas dû être faciles à élever.

— Ils lui ressemblent, dit Maggie d'une voix tremblante. Il ne voulait pas d'enfants. Ce qui me convenait très bien, parce que moi non plus. Quelle idiote ! Je pensais que c'était pour les mêmes raisons. Je croyais qu'on se suffisait. Que nous avions suffisamment de projets ensemble. Je n'ai jamais imaginé qu'il ne voulait pas d'enfants parce qu'il avait peur de souffrir à nouveau.

Karen ne savait trop quoi répondre qui ne soit pas banal. Elle s'avança donc vers elle et lui passa son bras autour des épaules.

— Comment a-t-il pu supporter ça ? demanda doucement Maggie. Comment a-t-il réussi à porter ce poids tout seul ? Pire même, comment n'ai-je rien remarqué ? Quelle femme j'étais pour ne pas voir sa souffrance ?

— Il avait choisi de ne pas vous la montrer, Maggie. Et d'après ce que j'ai entendu à son sujet, c'était un homme qui savait ce qu'il voulait. Si vous n'aviez pas été là pour lui, il n'aurait sans doute pas supporté les choses aussi bien.

Ce n'était peut-être pas d'un grand réconfort, mais c'était mieux que rien, pensa Karen. Des années à apporter de mauvaises nouvelles aux familles l'avaient convaincue de l'importance de prononcer au moins un petit mot.

— Je n'arrive pas à comprendre, dit Maggie.

Elle tapota la main de Karen avant de jeter un dernier coup d'œil autour d'elle et de retourner vers la voiture.

Elles partirent sans échanger un mot. Quelques kilomètres plus bas sur la route, Maggie demanda :

— Qu'est-ce que vous alliez dire juste avant qu'on s'arrête ? Vous disiez que vous ne pensiez pas que Mitja avait été tué par un membre de la famille qu'il avait fait assassiner. Pourquoi ?

— D'abord, parce que Begović a affirmé que Mitja lui avait confié qu'il n'y aurait aucun survivant pour se venger. Et c'était un mariage. On emmène les enfants et les nouveau-nés à un mariage. Pour adhérer à sa théorie, il faudrait croire qu'un enfant aurait réussi à en réchapper et que celui ou

384

celle qui l'aurait élevé en savait suffisamment sur le massacre pour pousser cet enfant à se venger. Mais si c'était aussi important pour cette personne, pourquoi attendre tout ce temps ? Pourquoi ne pas avoir essayé de se venger plus tôt ?

— Parce que cette vengeance revenait à l'enfant. Ça compte, croyez-le ou non. Et parce que c'est une région qui a inventé cette idée que la vengeance est un plat qui se mange froid. Il y a une école de pensée qui affirme que toute la guerre de 1991 en Croatie a démarré parce que les Serbes y ont vu la possibilité de se venger de ce que les Croates leur avaient fait subir cinquante ans auparavant. Par ici, on continue de se quereller pour savoir si la vie était mieux sous l'Empire austro-hongrois ou sous celui des Ottomans. Croyez-moi, attendre seize ans pour se venger, ce n'est rien pour ces gens-là.

L'amertume de Maggie était palpable ; Karen ne pouvait s'empêcher de penser qu'elle prenait plaisir à s'exprimer librement, éloignée de toute contrainte d'ordre professionnel.

— OK. Je m'incline face à vos arguments. Mais il y a un autre élément qui suggère que le meurtre du général n'était pas une vengeance directe.

— Quoi donc ?

— J'ai reçu la visite au cours de la semaine de deux fonctionnaires du gouvernement. Le genre de personnages qui ne se sentent pas obligés d'expliquer exactement ce qu'ils font ou pour qui ils travaillent vraiment. Le genre de types qu'on aurait franchement tout le temps envie de gifler. Ils sont venus me voir parce qu'ils ont repéré dans leur système ma recherche sur le casier judiciaire de Dimitar Petrović.

Karen lança un rapide coup d'œil à Maggie pour voir comment elle réagissait à ce qu'elle lui disait.

— Ce n'est pas vraiment étonnant. Il travaillait pour l'OTAN et l'ONU dans les années quatre-vingt-dix. Il briefait des fonctionnaires du ministère des Affaires étrangères de temps à autre. Les services de sécurité gardaient un œil sur lui visiblement, dit-elle avec lassitude.

— Ce n'était pas pour ça qu'ils étaient là.

— Qu'est-ce que vous voulez dire ?

Karen fit une moue.

— Je ne sais pas comment vous dire ça sans vous mettre en colère. Mais je vais quand même le faire parce que j'ai besoin de toute l'aide possible pour retrouver la personne qui a tué votre mari.

— J'ai dépassé le stade de la colère, Karen. Je suis complètement vidée. Mon réservoir est à sec.

— OK. Ils voulaient savoir pourquoi je m'intéressais à Mitja parce que, selon eux, il aurait passé les huit dernières années à jouer les justiciers, traquant les criminels de guerre pour les assassiner.

Maggie poussa un étrange cri étranglé. Karen se retourna rapidement vers elle pour vérifier qu'elle allait bien et fut étonnée de voir que l'universitaire était en train de rire.

— Alors ça…, dit Maggie. Vous n'imaginez pas à quel point c'est drôle…

Elle se remit à rire de plus belle. Karen ne pouvait rien faire sinon attendre.

Au bout de quelques minutes, Maggie se calma.

— Je suis désolée, s'excusa-t-elle. Vous devez penser que je suis complètement folle. Ça m'a juste fait rire de vous entendre déclarer ça avec autant de sérieux. Vous ne pouviez pas le savoir, mais Tessa est convaincue de la même chose depuis des années.

— Tessa ? Votre avocate ?

— Oui. Elle travaille beaucoup à La Haye pour la Cour pénale internationale. Elle a travaillé sur le Rwanda, le Kosovo… et d'autres trucs dans le genre. Selon elle, après la disparition de Mitja, des gens ont commencé à raconter qu'il était peut-être derrière ces meurtres. Ce à quoi je n'ai jamais cru parce que je ne pensais pas que Mitja était capable d'assassiner quelqu'un de sang-froid. Mais Tessa disait que j'étais trop sentimentale. Quelle ironie…

Elle se remit à rire, mais cette fois c'était un rire amer.

— J'aurais préféré qu'elle ait raison. Au moins il serait encore vivant.

Karen poussa un soupir.

— Je suis désolée. Enfin bon, ils ont été très étonnés quand je leur ai annoncé pourquoi je cherchais des infos sur Mitja. Mais à la lumière de ce que nous avons appris aujourd'hui, il me paraît probable qu'il ait été la victime de cet assassin-justicier. Peut-être même la première victime.

— Cette journée ne fait qu'empirer, grogna Maggie. Ce tueur était probablement quelqu'un qu'il connaissait et en qui il avait confiance. Sinon, il ne serait jamais allé faire de l'escalade avec lui. Je me demande quelles ont été ses dernières pensées. Ce qu'il a ressenti face à cette ignoble trahison. Tout ce qu'il a fait, tout ce qu'il a été, réduit à ce terrible moment.

Karen se retint de mentionner les derniers instants de cette famille serbe assassinée lors d'un mariage. C'était difficile d'éprouver la moindre sympathie pour Mitja Petrović en sachant ce qu'il avait fait. À présent, il était tout sauf un héros à ses yeux. Mais ça ne signifiait pas pour autant que son meurtrier devait s'en sortir impunément. Le statut d'une victime n'était pas censé avoir d'impact sur la traque de leur meurtrier, malgré la propension des médias et de certains policiers à créer une hiérarchie parmi les victimes.

C'était une tendance que Karen désapprouvait complètement. Selon elle, les morts étaient égaux quand il s'agissait de rendre justice.

— Je vais la retrouver, dit-elle. La personne qui l'a tué. Et elle sera jugée.

— Mais vous ne devez pas confier cette affaire aux barbouzes ?

Karen secoua la tête.

— C'est moi qui fixe les règles. Il a été tué en Écosse. C'est mon affaire.

Elle repéra un restaurant un peu plus loin sur la route et s'arrêta sur le parking.

— Il faut qu'on mange. Et puis j'aimerais vous montrer quelque chose.

L'intérieur du restaurant était quelconque : des tables en bois, des tabourets, des bancs, un long comptoir en zinc avec deux tireuses à bière et une machine à café rectangulaire qui avait dû être à la pointe de la technologie dans les années soixante-dix. Il y avait une odeur de tabac à pipe qui provenait de deux hommes âgés qui jouaient au backgammon et fumaient intensément près de la cheminée éteinte. Ils levèrent à peine les yeux quand les deux étrangères entrèrent. Une petite femme avec les cheveux tirés en une queue-de-cheval apparut derrière le bar comme un diablotin à ressort. Elle prononça quelques mots que Karen ne comprit pas. Maggie répondit et, au bout de quelques phrases, elles se mirent à discuter comme deux vieilles amies. L'échange se termina par des sourires et des hochements de tête, et Maggie conduisit Karen vers une table dans un coin du restaurant.

— On va prendre une bouteille de riesling local, qui est plus sec et plus fruité que ce à quoi on pourrait s'attendre. Et un ragoût préparé à partir de gibier chassé par le propriétaire ce week-end. Probablement du lapin et un assortiment de gibier à plume. Avec des pommes de terre et du pain, dit Maggie. Il n'y avait pas beaucoup de choix.

— Ça me va.

— Alors, qu'est-ce que vous vouliez me montrer ?

Karen sortit son téléphone et ouvrit la liste de noms que Jason lui avait envoyée.

— Nous avons réussi à retrouver l'hôtel où Mitja était descendu à Édimbourg. On s'est dit que son compagnon d'escalade était peut-être resté au même endroit et on s'est donc procuré la liste des autres clients de l'hôtel. Aucun d'eux n'a un nom à consonance étrangère, dit-elle en poussant un soupir. Ce n'est jamais aussi simple. Nous pensons donc que soit son compagnon était quelqu'un qu'il connaissait de longue date mais qui n'était pas forcément d'origine yougoslave, soit il a utilisé un pseudo. Et s'il a utilisé un pseudo, il y a peu de chance que vous le reconnaissiez. Mais s'il s'agit de quelqu'un d'autre – un Britannique, un Américain ou un Canadien –, son nom vous dira peut-être quelque chose.

Maggie sembla sceptique.

— Ça paraît peu probable.

— Peut-être, mais ça vaut la peine d'essayer.

Elle tendit son téléphone à Maggie.

— Vous voulez jeter un œil ?

Maggie haussa les épaules.

— Après tout ce qui s'est passé aujourd'hui, je n'ai pas grand-chose à perdre…

Elle saisit le téléphone et commença à parcourir la liste de noms. Son visage resta impassible pendant qu'elle passait de l'un à l'autre en secouant la tête. Il y eut un moment où elle fronça les sourcils, mais elle continua à faire non de la tête. Quand elle arriva en bas de la liste, elle rendit le téléphone à Karen.

— Je suis désolée. Ces noms ne me disent rien.

Au cours de sa carrière, Karen avait déjà eu affaire à de bons menteurs. À ce moment précis, elle aurait pu ranger le professeur Blake dans le top trois.

38

Quatre jours à scruter dans les moindres détails les vidéos de surveillance avaient collé à Alan Macanespie un sérieux mal de tête et lui avaient laissé un goût amer dans la gorge après les innombrables cafés qu'il avait ingurgités. Ce qui le poussait à aller de l'avant, c'était sa détermination à montrer à Wilson Cagney qu'il n'était pas un bon à rien. Il ne savait pas trop pourquoi il cherchait à plaire à son patron, mais c'était devenu une obsession.

Sa motivation pour ce travail n'avait pas déteint sur Proctor, qui semblait vouloir reporter son ressentiment envers Cagney sur son collègue. Macanespie envoya une nouvelle série d'images au Gallois qui se mit aussitôt à râler.

— Je vais avoir besoin de nouvelles lunettes quand on aura terminé ce boulot, se plaignit Proctor. C'est quelle série ?

— La numéro 4. Ténériffe. C'est la dernière, je crois. À moins que tu en aies déniché d'autres grâce à ton travail de fou ?

— J'ai fait mon maximum. Il y a plusieurs pays où je ne pourrais plus aller en vacances de peur d'être arrêté à la douane.

Ce n'était pas une bonne blague ; mais c'était au moins une tentative d'humour caractéristique de leurs échanges d'autrefois. Proctor observa l'écran.

— C'est clairement une femme. On peut voir ses formes sous l'action du vent.

Il indiqua les minces épaules et les contours d'une poitrine et de hanches.

— Je suis d'accord. J'en étais pratiquement sûr après Madère, mais je pense qu'il n'y a plus aucun doute maintenant.

— Est-ce que tu as transmis ça à la femme qui s'occupe de la reconstruction numérique ?

Macanespie hocha la tête.

— Je lui ai dit que c'était sans doute les dernières données qu'on lui soumettrait et qu'elle pouvait donc se mettre au boulot pour établir un portrait-robot. En espérant que les vingt-trois photos que nous lui avons envoyées ne produiront pas trop d'incohérences.

— Oui, parce que si ces images sont celles d'une personne se contentant de suivre les victimes et non pas celles du tueur, elles pourraient ne pas toutes montrer le même individu.

— Quand tu seras mort et que tu iras au paradis, tu passeras tout ton temps à expliquer à saint Pierre comment il aurait pu rendre l'endroit plus accueillant. Ce que tu peux être négatif. Toujours des nuages noirs à l'horizon avec toi.

Macanespie secoua la tête d'un air dégoûté.

— Ce sera intéressant de voir ce qu'elle trouve. Je n'ai jamais vu un de ces portraits-robots prédictifs avant. Tu imagines si l'imprimante nous sort un visage ? On s'exclamera : « Ah, c'est donc elle ? »

Proctor poussa un petit grognement.

— Je sens qu'on va plutôt dire un truc du genre : « Ce visage ressemble à un Picasso » ou bien « Qui aurait cru que Hillary Clinton était une tueuse en série ? ».

L'arrivée d'un mail empêcha Macanespie de répliquer quoi que ce soit.

— Tiens, tiens, tiens, en voilà une surprise.

— Quoi ?

— Un e-mail de cette chère commandant Pirie. Je me demande ce qu'elle veut.

— Si tu l'ouvres, tu éviteras une mort prématurée à cause du suspense.

— Dis donc, tu es une incarnation ambulante de l'humour gallois toi, grommela Macanespie en ouvrant le mail.

Il arbora une expression de plus en plus perplexe, à mesure qu'il découvrait le message de Karen.

— Putain de merde ! s'exclama-t-il. Comment se fait-il qu'on n'était pas au courant de ça ?

— Quoi ?

— Écoute : « Cher monsieur Macanespie, je reviens d'un court voyage en Croatie où j'ai découvert un certain nombre d'informations dont vous n'avez peut-être pas connaissance. Au début de l'année 1992, un détachement serbe a effectué un raid à Podruvec, le village natal de Petrović. En guise de représailles contre les actions du général Petrović, ils ont massacré les enfants du village, dont les deux fils du général. Sa femme s'est pendue par la suite. Uroš Begović, le prêtre du village, pourra vous confirmer tout cela. Petrović a fini par identifier celui qui avait mené le raid. Le général et un petit groupe loyal de soldats ont pris leur revanche et ont assassiné le chef des Serbes ainsi que quarante-six membres de sa famille. » Quarante-six ? Eh ben, il n'a pas fait dans le détail. « Des bruits concernant ce massacre ont commencé

393

à circuler il y a environ huit ans. On pourrait qualifier Petrović à juste titre de criminel de guerre et il est possible qu'il ait été victime d'un justicier ; malgré les différences de méthode entre les assassinats, il pourrait être la première victime du tueur que vous recherchez. À ce propos, ne pensez-vous pas que le changement de mode opératoire pourrait s'expliquer simplement par le fait que le tueur n'a pas réussi à trouver des munitions pour son arme ? Je suis impatiente d'en savoir plus sur les résultats de votre enquête et suggère que nous nous rencontrions à nouveau pour discuter de la poursuite de notre collaboration. Je vous prie d'agréer, Monsieur, l'expression de mes sentiments très respectueux. » Mes sentiments très respectueux !? C'est vraiment quelque chose, cette bonne femme.

Proctor avait l'air perplexe.

— Petrović est à l'origine d'un massacre ?

— C'est ce qu'elle dit. Comment cette petite bonne femme a réussi à trouver en l'espace de quelques heures en Croatie un truc que le Tribunal pénal international n'a pas réussi à découvrir pendant toutes ces années ? Ça va chauffer pour notre matricule quand Cagney va être au courant de tout ça.

Macanespie plongea la tête dans ses mains.

— Ce n'est pas de notre responsabilité, rétorqua Proctor. On ne peut travailler que sur ce qui est porté à notre attention. Toi et moi, on n'a pas enquêté sur place.

Macanespie releva la tête, l'air las.

— C'est quand même terrible d'avoir loupé ça, surtout qu'on était censés avoir Petrović dans le viseur.

— Certes, mais ce n'était pas une enquête très poussée. Je veux dire, oui, des gens l'ont recherché quand il a disparu des radars il y a huit ans, mais plus personne ne pensait à lui depuis des années jusqu'à ce que Pirie se renseigne sur son casier judiciaire.

Macanespie soupira.

— Bon, mais est-ce que ça change la donne ? Est-ce qu'on le rajoute à la liste des victimes et on organise une réunion avec Pirie ?

— Je pense qu'on doit continuer notre propre enquête et l'ignorer.

Macanespie était trop fatigué pour répliquer quoi que ce soit. Mais il avait le pressentiment que Karen Pirie n'allait pas être si facile à ignorer.

J'arrête.

J'avais des tas d'idées sur la forme que ça prendrait. J'étais prête à écrire sur la Bosnie, sur le Kosovo, sur ma compréhension grandissante de l'histoire et de la politique de la région en me fondant sur ma propre expérience.

Je me rends compte que je n'ai vu les choses que par le petit bout de la lorgnette. Je n'ai rien à écrire de plus qui vaille la peine qu'on le lise, ni rien à dire qui vaille la peine qu'on l'écoute. Et c'est une position très inconfortable pour une universitaire.

C'est terminé.

39

Karen rentra épuisée de Croatie. Le voyage et le stress suscité par ce qu'elle avait découvert l'avaient vidée. En la voyant arriver, Phil lui avait prescrit un bain, un grand gin tonic et une bonne nuit de repos.

— Tu ne veux pas voir à quel point ces enquêtes te mettent sur les rotules, la réprimanda-t-il tandis qu'il versait de l'huile parfumée dans son bain chaud.

— En comparaison avec les familles et les amis des victimes, je n'ai pas à me plaindre, répondit-elle en mettant les vêtements qu'elle avait portés au cours de son voyage dans le panier à linge sale.

— OK, ce n'est pas grave par rapport à ce qu'ils ont vécu. Mais ce n'est pas une raison. Tu dois faire plus attention à toi. Tu n'es pas indestructible.

Il lui ébouriffa les cheveux quand elle entra dans le bain.

— Non ? Tu paries ?

Karen gémit de plaisir en sentant la chaleur détendre les muscles de son corps.

— Raconte-moi ta journée, fais-moi penser à autre chose qu'à ces enfants assassinés et à ces règlements de comptes.

Phil poussa un soupir.

— Pour être honnête, je ne crois pas que je vais te redonner le sourire en te racontant ma journée. Je vais plutôt aller chercher mon iPad et on va regarder le *MasterChef Célébrités* de la nuit dernière. C'est un autre genre de drame, mais je te garantis que tu vas rire.

Elle se sentait presque coupable d'essayer de ne plus penser à ce qu'elle avait découvert dans les Balkans. Mais elle se dit qu'en contrepartie elle aurait les idées plus claires le lendemain.

Quand elle retourna au bureau le lendemain matin, un grand mug de café à la main, Karen comprit qu'elle avait eu à moitié raison. Elle se sentait prête à travailler, sauf qu'elle ne savait pas sur quoi. Elle alluma son ordinateur et ouvrit la photo en gros plan de Mitja Petrović tout sourire que Tessa Minogue lui avait envoyée. Elle savait qu'elle projetait probablement sur ce portrait ce qu'elle avait appris sur le général, mais elle crut néanmoins déceler une certaine dureté dans son regard. On ne pouvait nier qu'il était séduisant, mais ce n'était pas non plus un mannequin. Il avait des yeux rieurs, une certaine désinvolture dans le sourire. Mais il y avait aussi quelque chose d'intransigeant derrière cette façade. Elle n'aurait pas aimé devoir s'attaquer à lui.

Karen but une gorgée de son café et regarda l'écran en réfléchissant à l'enquête et à ce qu'elle pouvait encore accomplir pour arriver jusqu'au meurtrier de Petrović. Elle était certaine que Maggie Blake avait eu une légère réaction en voyant un des seize noms sur la liste. Cependant, elle n'avait aucun moyen de savoir lequel. Karen regrettait de ne pas les avoir lus à voix haute, un par un. Mais elle n'avait pas pensé que Maggie aurait pu vouloir se taire en reconnaissant un nom sur cette liste.

Quelle pouvait en être la raison ? Qui comptait plus que son mari assassiné pour qu'elle décide de garder le silence ? Avait-elle un amant qui avait décidé de se débarrasser de son concurrent pour avoir la voie libre ? Tout ça n'avait-il rien à voir avec les Balkans, mais plutôt avec la jalousie ?

Karen se pencha en arrière sur sa chaise et croisa les mains derrière la tête. Qu'est-ce qui était le plus probable ? Il n'y avait aucune trace d'un amant dans la vie de Maggie. Elle n'en avait mentionné aucun. Karen pensait que s'il y avait eu quelqu'un d'autre dans sa vie, Maggie n'aurait pas parlé de Petrović comme elle le faisait. Elle n'aurait pas été si enthousiaste à l'idée qu'il puisse être encore vivant quelque part en Croatie ; elle aurait préféré l'ignorer et profiter de sa nouvelle vie.

Par ailleurs, personne n'avait parlé d'un autre homme. Ni Dorothea Simpson ni Tessa Minogue n'avaient laissé entendre qu'il y avait quelqu'un d'autre dans la vie de Maggie. Mais ça ne signifiait pas forcément que Karen était sur la mauvaise piste. Petrović avait peut-être été éliminé de la compétition par quelqu'un qui n'avait pas réussi ensuite à entrer dans le lit de Maggie. Mais si c'était le cas, pourquoi Maggie ne l'avait-elle pas reconnu ? Se sentait-elle coupable de sa décision ? Tellement coupable qu'elle aurait protégé l'homme des conséquences du meurtre ?

— Seulement si elle avait le sentiment de lui avoir donné de faux espoirs, dit-elle tout haut, en envoyant un coup de poing dans le vide.

Évidemment, c'est à ce moment-là que Jason entra dans le bureau. Légèrement embarrassée, Karen marmonna un salut.

— J'étais en train de réfléchir à un autre scénario possible, expliqua-t-elle en voyant sa tête.

— Lequel ?

— Et si les activités de Petrović dans les Balkans n'avaient rien à voir avec sa mort ? Et si c'était beaucoup plus banal que ça ?

Jason fronça les sourcils.

— Comment ça ?

Elle allait trop vite pour La Menthe, pensa Karen.

— Imagine qu'un autre gars était amoureux de Maggie Blake. Vraiment fou d'elle, au point de penser que s'il se débarrassait de ce fichu général Petrović, il aurait la voie libre pour demander Maggie en mariage.

Elle fit une pause.

Jason hocha la tête.

— Je comprends. Il n'aurait pas été au courant que le général Petrović était en fait son mari et, en entendant Maggie se plaindre de lui, ce type aurait pensé qu'elle avait envie d'entamer une relation avec quelqu'un d'autre.

Karen réussit à suivre son explication un brin compliquée jusqu'au bout.

— Exactement. Donc notre mystérieux bonhomme part faire de la grimpette avec le général et profite de cette occasion pour le tuer.

— Comment il a trouvé un pistolet ? intervint Jason.

— Je n'en sais rien. Comment font les gens pour trouver une arme à feu dans ce pays ? Il y en a partout, alors qu'elles sont censées être prohibées. Supposons juste de façon purement hypothétique qu'il a trouvé un pistolet et qu'il s'en est servi pour tuer le général. Il retourne ensuite à Oxford et, quand tout commence à laisser croire que Petrović a pris la poudre d'escampette, il drague à nouveau Maggie. Elle lui répond qu'elle n'est toujours pas intéressée par ses avances. Elle lui dit ça gentiment, sans vouloir lui faire de la peine. Elle pense toujours à son mari.

— Et il a donc tué quelqu'un pour rien. Quelle merde.

Jason prit une canette de Coca dans le tiroir de son bureau et l'ouvrit.

— Comme tu dis. Le temps passe et toujours pas de nouvelles du général. Un jour, Fraser Jardine trouve un corps sur le toit de la John Drummond et tout se met en branle. Maggie voit le nom de l'homme sur la liste des potentiels suspects et elle se sent extrêmement coupable : tout est de sa faute.

— Ouais, comme Adam et Ève et tout le bazar. C'est la femme qui l'a poussé à faire ça.

Qui aurait cru que La Menthe connaissait la Bible ? Et qu'il pouvait en tirer des comparaisons significatives ?

— Tu ne cesses de m'étonner aujourd'hui, Jason. Tu as raison. À ce moment précis, elle comprend qu'elle est responsable de la mort du général. Et qu'elle n'a pas le droit de dénoncer le tueur.

Karen arbora un petit sourire.

— Tout prend horriblement sens, tu ne trouves pas ? On ferait donc bien de passer en revue tous les noms jusqu'à ce qu'on trouve notre bonhomme.

— J'ai imprimé toute la liste pendant que vous étiez partie. Noms, adresses, etc. Certains clients possèdent aussi une carte grise, on peut donc vérifier ça également.

Il fouilla dans le tiroir de son bureau et en retira deux feuilles de papier.

Le téléphone de Karen sonna, au moment où elle tendait la main pour les prendre. Le nom du correspondant ne s'afficha pas, mais ce n'était pas inhabituel quand elle recevait des appels de collègues, elle décrocha donc.

— Commandant Pirie, répondit-elle sur un ton enjoué.

— Karen ? C'est Jimmy Hutton. Commandant Hutton.

Elle aurait dû reconnaître la voix du supérieur de Phil. Ils avaient passé quelques soirées avec Hutton et sa femme.

Mais il avait l'air stressé ; sa voix était plus aiguë que d'habitude. Son cœur s'emballa et elle sentit la panique monter en elle comme tous ceux qui vivent avec un policier. Mais elle essaya de rester calme.

— Salut, Jimmy. Qu'est-ce que je peux faire pour toi ? demanda-t-elle comme s'il s'agissait d'un simple appel de routine entre deux collègues du même grade.

— Karen, j'ai de mauvaises nouvelles.

Il n'y avait qu'un genre de mauvaises nouvelles.

— Jimmy ? Dis-moi qu'il est vivant.

Elle entendit La Menthe se lever et se rapprocher d'elle d'un pas hésitant. Sa bouche fut tout à coup très sèche et elle avait un goût métallique sur la langue.

— Il a été renversé. Il est en route vers l'hôpital.

— Le Vic ?

Karen, debout elle aussi maintenant, attrapa son manteau et son sac.

— J'arrive, Jimmy. Attends deux secondes…

Elle plaqua son téléphone contre sa poitrine et prit une profonde inspiration.

— Jason, j'ai besoin que tu me conduises à l'hôpital. Phil a eu un accident. Le Vic. On met les sirènes d'urgence.

Ils sortirent en courant du commissariat, Karen toujours avec Hutton au bout du fil.

— C'est grave ?

— Je ne suis pas médecin, Karen. Il était conscient quand on l'a mis dans l'ambulance, ce qui est plutôt rassurant.

— Le Vic, c'est bien ça ?

— Oui. Je suis en route là.

Un gyrophare bleu était fixé sur le toit de sa voiture. Jason s'engouffra dans la circulation comme un malade, fonça dans les rues encombrées de véhicules, grillant des feux, se faufilant entre les voitures et les lignes de bus.

— Qu'est-ce qui s'est passé ? demanda Karen.

La communication avec Hutton s'interrompit un instant avant que sa voix ne redevienne claire et audible.

— On attendait que le suspect rentre de l'aéroport pour pouvoir le choper.

— Le connard qui fait du blanchiment d'argent, c'est ça ?

— C'est ça. Il a remonté son allée avec son foutu SUV blanc BMW, vachement utile à Cramond. On s'est pointés et il a paniqué. Phil était devant la BM. Gilet pare-balles et tout le bazar avec le mot « police » écrit en gros dessus. Bras écartés, pour signifier on ne peut plus clairement : arrête-toi connard.

Hutton se tut tout à coup.

— Sauf qu'il ne s'est pas arrêté, c'est ça ?

— Oui. Il avait son pied sur l'accélérateur et a foncé sur Phil. Il s'est pas arrêté.

La voix de Hutton se brisa, comme s'il était sur le point de pleurer. Karen était sonnée. Elle avait l'impression d'avoir reçu un coup de poing dans la figure.

Ils roulèrent à toute vitesse de Queensferry Road jusqu'à la voie express et sur le pont enjambant la Forth. Son cœur aussi battait à toute vitesse, comme si elle venait de danser sur une chanson du groupe Runrig[1]. Pourquoi est-ce qu'elle pensait à Runrig maintenant ?

— Il va s'en sortir. Il est costaud, mon Phil.

— Viens vite à l'hôpital. Il a besoin de toi.

Et puis elle n'entendit plus rien à l'autre bout du fil. Elle pensa que Jimmy Hutton ne pouvait plus parler. Elle n'arrivait pas à comprendre pourquoi elle ne pleurait pas.

---

1. Célèbre groupe de rock écossais. (N.d.T.)

Tout ce qu'elle ressentait c'était un besoin urgent d'être aux côtés de Phil.

— Ça va, chef ? demanda Jason sans quitter la route des yeux.

Ce qui valait mieux vu qu'il roulait à plus de 160, sirène hurlante, faisant dégager à coups de klaxon les gens qui se dressaient en travers de leur route.

— Ce salopard l'a renversé. Il a foncé droit sur lui.

— Quoi ? Dans la rue, par accident ?

— Non, c'était volontaire. Ce type viole sa femme et la prête ensuite à ses copains. C'est sa spécialité. Mais ils voulaient le coincer pour blanchiment d'argent. Et il a foncé droit sur Phil.

— Merde.

Jason serra les lèvres. Elle comprit qu'il était sur le point de pleurer.

— Il va s'en sortir. Ça va aller, Jason.

Elle n'arrêta pas de se répéter ça tout le temps qu'ils roulèrent sur le pont, sur l'autoroute puis sur la voie express, et ce jusqu'à l'entrée du Victoria Hospital à Kirkcaldy. Karen bondit de la voiture presque avant son arrêt.

— On se retrouve à l'intérieur, lança-t-elle, avant de courir aussi vite que possible jusqu'aux urgences.

Quand des agents de police arrivent blessés à l'hôpital, on revoit les priorités pour se concentrer sur eux et tout est fait pour leur venir en aide. Les différents services des urgences se coordonnent en temps de crise et rien ne vient faire obstacle aux soins que doit recevoir un policier.

Aussitôt que Karen se présenta dans le service, on la conduisit sans tarder dans une petite salle d'attente où se trouvaient déjà Jimmy Hutton et deux autres hommes qui lui disaient vaguement quelque chose. Ils étaient tous les trois recroquevillés sur leur chaise, comme si se faire tout petit pouvait aider Phil d'une façon ou d'une autre.

Jimmy se leva avec effort, comme un vieil homme, et la prit dans ses bras malgré elle. Elle l'entendit marmonner entre ses dents des excuses et des mots inutiles.

— Qu'est-ce qu'ils disent ? demanda-t-elle aussitôt qu'elle put se libérer de lui.

Il ne pouvait pas la regarder dans les yeux.

— Ce n'est pas bon. Il est inconscient. Ils pensent qu'il a des blessures internes et des fractures. Les deux jambes, son pelvis, les côtes.

Son cœur se serra dans sa poitrine. Elle n'arrivait pas à inspirer suffisamment d'air pour éviter d'avoir le tournis.

— Où est-il ?

— On le prépare pour être opéré. La bonne nouvelle, Karen, il y a une bonne nouvelle… c'est qu'il n'a pas de blessures à la tête.

— Il faut que je le voie.

— Je vais aller chercher une infirmière, proposa un des autres gars.

Jason entra au moment où l'homme sortait. Jamais il n'était apparu à Karen aussi jeune et effrayé.

— Des nouvelles ? demanda-t-il.

— Ils vont l'opérer et voir ce qu'ils peuvent faire, dit Karen.

Une pensée lui traversa tout à coup l'esprit comme une décharge électrique.

— Vous l'avez arrêté, Jimmy ? Le salopard responsable de ça ? Il est en garde à vue ?

Hutton passa une main sur son crâne chauve.

— On a été pris par surprise, Karen. Il était déjà parti avant qu'on puisse réagir. Un avis de recherche à l'échelle nationale a été lancé pour le retrouver lui et son véhicule.

Il n'ira pas loin, pas avec le système de reconnaissance des plaques minéralogiques. Les caméras peuvent chercher les données en temps réel. On va l'attraper.

Elle ne savait pas quoi faire d'elle-même. Littéralement. S'asseoir, se lever, marcher, se taper la tête contre les murs. Tout était possible et ridicule. Si Phil avait été là, il lui aurait dit de se calmer.

Son souci immédiat fut résolu par l'arrivée d'une femme indo-pakistanaise entre deux âges en blouse bleue.

— Je suis Aryana Patel. Je vais diriger l'intervention chirurgicale de M. Parhatka.

— Je suis sa compagne, répondit Karen.

Mme Patel hocha la tête.

— Il se trouve dans un état grave, mais si l'intervention marche comme il faut, nous avons relativement confiance en la possibilité qu'il puisse s'en sortir.

— « Relativement confiance »… qu'est-ce que ça veut dire ? demanda Jason que la peur rendait agressif.

— Ça signifie qu'ils ne peuvent rien promettre, expliqua Karen en posant une main sur son bras.

Elle se tourna vers Mme Patel.

— Est-ce que je peux le voir avant qu'on l'opère ?

— Il est inconscient. Il ne saura pas que vous êtes là. Et…

Elle fit une moue.

— Il n'est pas encore nettoyé.

— Je suis de la police. J'ai vu plus de corps humains malmenés que vous, docteur. Il n'aura peut-être pas conscience que je suis à côté de lui, mais j'aimerais pouvoir lui dire plus tard : « J'étais là. Je te tenais la main. Je t'ai embrassé. »

La médecin hocha la tête.

— Je comprends. Venez avec moi.

Rien de ce que Karen avait vu auparavant ne l'avait préparée au choc et au chagrin qu'elle ressentit en voyant Phil. Son corps avait été débarrassé de ses vêtements mais ils reposaient sous lui et à côté de lui comme la mue d'un lézard. Ses jambes étaient tordues. Des os perçaient sa peau à au moins trois endroits différents. Elle n'avait jamais vu son visage aussi pâle ; bizarrement, il avait l'air d'avoir perdu du poids depuis qu'elle l'avait laissé ce matin en train de manger un bol d'ananas et de pamplemousse. Elle avait envie de se jeter sur lui, de protéger sa chair meurtrie de davantage de dégâts. Mais elle ne devait pas se laisser aller, elle était en service. Elle fit un pas vers lui et prit sa main flasque dans la sienne. Elle embrassa ses doigts et remarqua qu'ils étaient écorchés.

— Je t'aime, dit-elle. Tu es mon héros, Phil. Tu as donné un sens à ma vie. Alors accroche-toi et ne me laisse pas tomber. Tu m'entends ? Je t'aime.

Elle embrassa de nouveau sa main avant de sortir de la pièce. Elle se mit alors à pleurer à chaudes larmes en silence, la tête contre le mur, les épaules affaissées. Personne ne la dérangea. Personne n'essaya de la réconforter inutilement. L'équipe soignante continua de vaquer à ses occupations et la laissa tranquille.

Et puis elle se ressaisit.

40

Il était clair que Jimmy Hutton et son équipe avaient l'intention de rester auprès de Phil jusqu'à ce qu'il sorte du bloc opératoire. L'idée de se retrouver coincée dans cette petite pièce remplie de gros bonhommes qui ne savaient pas quoi dire était suffisamment angoissante pour pousser Karen à vouloir s'enfermer dans le local du matériel d'entretien. À sa grande surprise, elle comprit que La Menthe était la seule personne dont elle pouvait tolérer la présence.

— Je vais aller prendre l'air, annonça-t-elle. Jason, tu viens avec moi.

Surpris, il bondit sur ses pieds et regarda les autres policiers autour de lui comme un cheval paniqué.

— OK, chef.

Une fois la porte refermée derrière eux, Jason dit :

— On ne sort pas vraiment pour prendre l'air, hein ? Vous détestez prendre l'air.

Selon elle, c'était une réplique qu'il avait dû entendre dans la bouche de Phil.

— Il y a un Costa dans le nouveau bâtiment à côté de l'hôpital, dit-elle. C'est là que nous allons établir notre camp de base. J'ai demandé à Mme Patel de me prévenir aussitôt que Phil sera sorti du bloc.

Armés de lattés et de muffins de la taille d'une tête de nouveau-né, ils s'installèrent à une table le plus loin possible de l'entrée.

— Ça va, chef ?

Jason prit les petits sachets de sucre qu'il avait récupérés en chemin et en versa quatre dans sa tasse.

— Pour citer notre Makar[1] national quand il a perdu sa femme : « Très mal, mais c'est gentil d'avoir posé la question. » J'ai peur, je suis inquiète et je ne sais pas quoi faire sinon ce que je sais faire de mieux.

Le voyant froncer les sourcils, elle ajouta :

— Autrement dit, faire mon travail de policier, Jason. Et c'est ce dont Phil est le plus fier. Il ne serait vraiment pas content de savoir que je néglige mon travail pendant qu'il est en train de subir une opération.

— Ça veut dire qu'on va travailler ? demanda-t-il, incrédule.

— Oui. Nous allons boire nos cafés, manger nos muffins et nous creuser la tête sur cette affaire et sur la façon de la faire avancer. Et si nous n'arrivons pas à trouver de nouvelles idées, nous irons chez moi pour passer autant de temps au téléphone et sur Internet que nécessaire, jusqu'à ce qu'on retrouve tous les clients de l'hôtel et qu'on les élimine un par un de la liste. Ça te va ? Ou est-ce que tu veux retourner à l'hôpital et attendre avec les autres ? Je ne t'en voudrais pas si tu le fais. Chacun réagit différemment dans des circonstances pareilles.

Jason secoua la tête.

— Je vais rester avec vous, chef. On forme une équipe, non ? Et Phil, il fait toujours un peu partie de notre équipe. Alors, je reste avec vous.

---

1. Poète désigné pour représenter et promouvoir la poésie en Écosse. (N.d.T.)

Karen acquiesça. Elle n'était pas sûre qu'elle arriverait à se concentrer mais elle devait essayer. Elle sentait monter en elle par moments des vagues de rage et de peur ; elle se demandait si c'est ce qu'avait ressenti Maggie Blake quand son général avait disparu sans un mot. Elle prit son temps pour boire son café et manger son muffin, laissant la caféine et le sucre faire leur effet. Pendant qu'elle réfléchissait au meurtre de Petrović, elle ne pensait pas à Phil en train de se faire charcuter par Aryana Patel. Mais elle n'eut pas de nouvelles idées.

Ils allèrent donc dans leur maison à Phil et elle, là où ils avaient construit leur vie. Avoir Jason à ses côtés était une bénédiction : ça aurait été insupportable de se retrouver toute seule ici. Ils s'installèrent dans le bureau et enquêtèrent sur les noms de la liste ; Karen se servit du téléphone fixe et de l'ordinateur, Jason utilisa son portable et l'iPad de Phil. En fin de journée, cinq heures après avoir quitté l'hôpital, ils estimèrent qu'ils ne pouvaient rien faire de plus. Ils avaient éliminé neuf personnes sur les seize pour des raisons évidentes, comme cet homme qui portait une jambe artificielle et qui n'avait posé le pied qu'une seule fois de sa vie en dehors de l'île d'Eigg à l'occasion de ce voyage. Sur les sept individus restants, trois avaient donné une adresse qui n'existait pas. Peut-être à cause d'une histoire d'adultère ou parce qu'ils ne voulaient pas recevoir de spams sur leur boîte mail ; mais peut-être aussi parce que l'un d'entre eux était le tueur. Quoi qu'il en soit, ils ne pouvaient rien faire de plus.

Karen était partie dans la cuisine pour se verser une autre tasse de café quand elle eut tout à coup une idée. Si Maggie avait reconnu un des noms, il y avait une chance que Dorothea Simpson ou Tessa Minogue le connaisse aussi. Ils devaient revoir ces noms avec les deux femmes. Mais cette fois, elle ne ferait pas la même erreur. Elle leur parlerait en face à face et lirait les noms un par un.

Enthousiasmée par cette idée, elle retourna rapidement au bureau pour en parler à Jason. Mais à mi-chemin dans le couloir, le téléphone sonna. Aryana Patel semblait aussi fatiguée que Karen.

— Il est sorti du bloc opératoire, dit-elle. Ça n'a pas été facile pour lui. Nous avons dû lui retirer la rate et une partie du foie. Nous avons dû sectionner une partie de son gros intestin et ça n'a pas été une mince affaire de remettre en place les os de ses jambes et du pelvis. Mais il tient le coup.

— Quand est-ce que je pourrais le voir ?

— Quand vous voulez. Il est en soins intensifs et nous l'avons plongé dans un coma artificiel pour donner une chance à son corps de se remettre du traumatisme. Au cours des trois prochains jours, il sera donc complètement inconscient. Certaines personnes aiment rester au chevet de leur proche et leur lire des choses, leur parler ou leur passer de la musique. D'autres préfèrent ne pas venir parce qu'ils ne supportent pas de voir leurs proches dans cet état. Ce n'est pas comme quelqu'un qui se retrouve dans le coma à la suite d'un accident et qu'on essaie de stimuler pour le réveiller. Le but du coma artificiel, c'est de permettre au patient de rester dans un état stable et de ne pas souffrir. C'est comme vous voulez, Karen.

Elle réfléchit quelques secondes. Le meilleur cadeau de bon rétablissement qu'elle pouvait offrir à Phil, c'était sans doute de résoudre le problème de ce mystérieux squelette découvert sur un toit. Elle et Jason pouvaient retourner à Oxford, creuser cette nouvelle piste, et être de retour avant que Phil ne se réveille.

— Je crois que je vais me plonger dans le travail, dit lentement Karen. Mais uniquement si vous me promettez de m'appeler dès qu'il y a du nouveau.

— Je vais en parler aux infirmières. Ses parents sont déjà là. Je suis sûre qu'ils vous tiendront au courant si vous en avez besoin.

Raison de plus pour aller à Oxford. Karen raccrocha et marcha jusqu'au bureau.

— Phil est sorti de la salle d'opération et il va bien. Mais ils le gardent sous coma artificiel pour qu'il puisse mieux récupérer. Il sortira du coma dans trois jours. Nous avons donc un peu de temps pour trouver un moyen de l'épater quand il se réveillera. C'est le moment de faire fonctionner nos neurones, Jason. Allons-y.

— On va où, chef ?

— À Oxford, Jason. Où veux-tu qu'on aille ?

41

Le problème quand on découvre quelque chose de terrible, c'est que le monde ne s'arrête pas de tourner pour autant. Assise à son bureau, le regard tourné vers les toits et les clochers lointains, Maggie avait du mal à croire que le paysage était toujours le même. Ses certitudes concernant sa vie venaient d'être complètement chamboulées, mais personne ne le savait. À part la flic écossaise ; et encore, elle ne savait pas tout. Maggie était de retour à Oxford et tout lui semblait irréel et sans importance.

Sa façon d'envisager sa place dans le monde n'était plus la même. Elle n'était plus une femme qu'on avait rejetée. Elle savait qu'elle avait suscité la pitié et le ridicule quand Mitja avait disparu. Les deux réactions avaient été aussi insultantes l'une que l'autre. Maintenant, elle allait pouvoir reprendre l'avantage sur ceux qui avaient pris plaisir à son humiliation et à l'idée de la traiter comme une femme abandonnée par son conjoint, mais son deuil allait susciter un tout autre genre de pitié. C'était déjà assez difficile comme ça et les réactions des autres ne feraient qu'empirer les choses. Rien que d'y penser lui donnait envie de retourner dans son lit et de s'enfouir sous les couvertures.

Elle se demanda combien de temps il faudrait avant que l'identification formelle de Mitja ne soit rendue publique. Elle avait jeté un œil sur Internet et vu que la découverte du mystérieux squelette avait fait la une des médias écossais mais qu'on n'en avait pas parlé dans les autres journaux du pays. Quand les médias allaient apprendre à qui appartenaient ces restes humains, ce serait une autre histoire. Le meurtre spectaculaire d'un général croate sur le sol britannique ferait couler beaucoup d'encre. Des journalistes curieux pourraient même s'intéresser au passé de Mitja et révéler au grand jour les lourds secrets que Maggie et Karen avaient découverts. Ça la rendait malade rien que d'y penser. Non pas parce qu'elle avait un intérêt personnel à taire son passé, mais parce qu'elle savait qu'on ne pouvait pas le réduire à ce seul événement horrible.

Admettre qu'il avait pu agir de la sorte était suffisamment difficile. Comme la plupart des gens, elle méprisait les hommes politiques et les généraux du monde entier qui avaient eu recours au génocide et au nettoyage ethnique pour assouvir leurs ambitions. Elle les considérait comme des criminels de guerre et elle avait applaudi des deux mains à la création de la Cour pénale internationale. Elle avait pris part à des débats et critiqué les États-Unis pour avoir refusé de participer à La Haye. Quelqu'un de civilisé ne pouvait qu'adhérer à cette institution. Mais à cause de ce que Mitja avait fait, elle devait reconnaître que le monde était parfois plus complexe que ce qu'elle était prête à admettre.

Certaines personnes auraient balayé ces considérations d'un revers de main et continué à vivre leur vie comme si de rien n'était. Mais ce n'était pas dans les habitudes de Maggie. Quand les faits entraient en contradiction avec sa vision du monde, elle devait ajuster cette vision du monde en fonction de ce nouveau savoir. Comment allait-elle pouvoir continuer avec ce qu'elle savait maintenant, c'était la grande question. Savoir était synonyme de responsabilité.

Elle se secoua et se leva. Il était temps de s'activer et de faire quelque chose de cette journée. Elle avait une étudiante qui, dans sa thèse, se penchait sur la géographie des territoires dans les romans policiers se déroulant à Oxford, et Maggie lui avait promis de voir si elle pouvait organiser une visite sur le toit de la Radcliffe Camera, où Lord Peter Wimsey et Harriet Vane avaient eu une conversation décisive à la fin du *Cœur et la raison*. D'après son étudiante, la description par Dorothy L. Sayers de la vue d'Oxford depuis le sommet de cette bibliothèque circulaire datant du dix-huitième siècle était un élément fondamental pour sa thèse. Maggie pensait qu'elle y tenait juste pour le pèlerinage et que ça lui donnait aussi une bonne excuse pour voir un des plus fameux édifices d'Oxford sous un autre angle.

La Camera faisait partie de la Bodleian Library, cette immense bibliothèque au cœur de l'université. Cheryl Stevenson, son administratrice technique, était une ancienne élève de St Scholastica's souvent invitée à la table des professeurs. Elle et Maggie étaient devenues amies grâce à leur appartenance au même club de lecture. Maggie avait été invitée dans les coulisses de la bibliothèque à l'occasion de moments historiques comme l'arrêt des demandes d'ouvrages par tube pneumatique Lamson, remplacé par un système informatisé en 2009.

Elle écrivit un texto à Cheryl pour lui proposer d'aller boire un verre après le travail. Cheryl répondit au bout de quelques minutes et suggéra qu'elles se retrouvent au King's Arms qui, même s'il était toujours bondé, servait de la Young's goût chocolat, sa bière préférée. Après avoir accepté, Maggie retourna à son bureau et se força à jeter un œil aux articles auxquels elle devait contribuer pour la prochaine édition du *Dictionnaire de la géographie humaine.*

Maggie arriva en avance, déterminée à avoir une table. Comme c'était le pub le plus ancien de la ville et qu'il se situait en plein cœur de la zone touristique, celui-ci était toujours plein. Maggie réussit néanmoins à s'accaparer une table qu'elle avait repérée, occupée par des touristes américains qui ne donnaient pas l'impression de vouloir s'attarder. Quand Cheryl arriva l'air énervé et avec sept minutes de retard, elle fut ravie de découvrir qu'un tabouret libre et une bouteille de bière l'attendaient.

— C'était la folie aujourd'hui, dit-elle en remontant ses lunettes et en se débarrassant de son manteau. Avec tous ces travaux, j'ai l'impression de passer mes journées à me disputer avec les architectes et les ouvriers, des idiots franchement, pour le moindre truc.

Cheryl était de Glasgow et avait un accent qui donnait l'impression qu'elle menaçait les gens quand elle leur faisait un compliment. C'était une femme qui ne devait pas être du genre à se laisser marcher sur les pieds, pensa Maggie.

C'était bizarre d'avoir une discussion avec une amie avec laquelle elle ne pouvait pas s'exprimer librement. Maggie parla de choses et d'autres qui n'avaient plus beaucoup d'importance, et essaya de se souvenir comment elle faisait pour s'intéresser aux problèmes des autres. Maggie finit par lui dire pourquoi elle lui avait proposé ce rendez-vous.

— J'ai une doctorante qui voudrait monter sur le toit de la Camera. Tu crois que ce serait possible d'emprunter une clé et de l'y emmener ? Elle pense que ça sera bénéfique pour sa thèse de contempler la vue qui impressionnait tellement Dorothy L. Sayers. Parce que *Le Cœur et la raison* est aussi une formidable déclaration d'amour à Oxford. Et elle s'intéresse dans sa thèse à la façon dont les auteurs de romans policiers utilisent le paysage urbain dans leur travail.

— Je n'ai pas d'objections. Tant que ce n'est pas pour organiser une fiesta là-haut. Mais j'ai confiance en toi. Je pourrai vous y conduire, si tu préfères ?

— Je ne veux pas te faire perdre ton temps. Et je ne sais pas trop quand elle est libre.

Cheryl termina son verre.

— Comme nous ne sommes pas loin, on peut aller chercher les clés ensemble.

Une demi-heure plus tard, Maggie était de retour chez elle. Un trousseau de clés portant la mention « toit de la Camera » était posé sur son bureau. Son sésame pour accéder à ce lieu d'où elle pourrait admirer la ville qui avait changé sa vie. Un endroit où elle pourrait décider de son avenir. « Ne nous soumets pas à la tentation », marmonna-t-elle ironiquement.

Si elle voulait redresser la barre, elle devait essayer de reprendre sa vie en main. Qu'est-ce qu'elle ferait si on lui offrait la possibilité d'avoir un accès privilégié à une des vues les plus spectaculaires de la ville ? Elle en ferait profiter. C'est ce qu'elle avait toujours fait.

Elle prit son téléphone et écrivit un texto à sa meilleure amie, celle vers qui elle se tournait toujours depuis qu'elles s'étaient liées d'amitié à Dubrovnik.

> Tess, j'ai les clés pour accéder au toit de la Radcliffe Camera ! Ça te dirait de venir profiter de la vue avec moi ? Bises.

La réponse lui parvint quelques minutes plus tard. Maggie continuait de fixer les clés, le visage grave.

J'adorerais. Quand ?

Demain matin ? On se retrouve
devant les marches à dix heures ?

OK. À demain alors. Ça va ?

Oui. Je te raconterai tout
quand on se verra. Bises.

Étonnée d'avoir réussi à garder son sang-froid, Maggie rangea brusquement les clés dans un tiroir. Demain, elle contacterait son étudiante.

Ou pas ; tout dépendrait de ce qu'elle allait décider.

42

Quand Karen et La Menthe arrivèrent à Oxford, il était trop tard pour aller frapper aux portes de vieilles dames. Ils prirent des chambres dans un hôtel bon marché en périphérie de la ville ; Jason semblait ne plus pouvoir tenir debout quand il lui souhaita une bonne nuit. Karen aurait aimé se sentir aussi fatiguée que lui mais son cerveau ne voulait pas se mettre en veille.

Elle téléphona au service des soins intensifs de l'hôpital dès qu'elle se trouva dans sa chambre ; l'infirmière de garde connaissait sa voix à présent : Karen avait appelé toutes les heures depuis qu'ils avaient quitté Kirkcaldy.

— Pas de changement, dit-elle gentiment. Il est très calme. Ses signes vitaux ne donnent aucun signe d'inquiétude. Mme Patel m'a demandé de vous dire qu'elle sera ici demain matin à la première heure et qu'elle pourra vous parler à ce moment-là.

— Merci, répondit Karen.

Elle avait été tellement soulagée de savoir Phil vivant qu'elle n'avait pas demandé un pronostic à long terme à Aryana Patel. Combien de temps resterait-il à l'hôpital ? Quelles seraient les conséquences de ses blessures ? Remarcherait-il normalement ? Reprendrait-il le travail après sa convalescence ? Elle avait besoin d'avoir des réponses à ces questions. Sa vie ne serait plus la même à coup sûr. Et Karen, qui n'aimait pas tellement les surprises, voulait se préparer le mieux possible à ce qui l'attendait.

Elle resterait avec Phil. Ça allait sans dire. Quoi que son corps ait subi, son cœur et sa tête seraient toujours ceux de Phil. Elle savait que ce genre de tournant dans l'existence détruisait parfois une vie de couple, mais ça n'allait pas leur arriver. Elle ferait le maximum pour que cela n'arrive pas, tout simplement.

Karen enleva ses vêtements qu'elle posa sur une chaise. Le monde avait changé depuis qu'elle les avait enfilés ce matin. Après ce qui était arrivé à Phil, sa vie n'allait plus être la même. À présent il y aurait un « avant que Phil se fasse renverser » et un « après qu'il s'est fait renverser ».

Karen enfila un T-shirt, se mit au lit et tira les couvertures jusqu'à son menton comme un enfant bien sage. Elle ferma les yeux mais ça ne servit à rien. Sa tête tournait à plein régime. Son cœur continuait d'enrager. Elle sentait encore la colère monter en elle. Son téléphone vibra tout à coup sur la table de nuit. Elle sauta dessus pour le prendre et le posa contre son oreille sans vérifier qui l'appelait.

— Karen ? C'est River. Je viens d'apprendre pour Phil.

Jusqu'à ce qu'elle entende sa voix, Karen n'avait pas vraiment ressenti le besoin de parler à une amie.

— J'aurais dû t'appeler, dit-elle.

— T'inquiète pas. Comment ça va ?

— Mal.

— Tu veux que je passe ?

— Dis pas n'importe quoi. Il est vingt-trois heures passées. Et puis de toute façon, je ne suis pas à la maison.

— T'es où ?

— On l'a plongé dans un coma artificiel. J'aurais fini par péter un câble assise à côté de lui à ne rien faire d'autre que lui passer ses CD préférés. C'est pourquoi je suis à Oxford.

— Pour l'affaire du général ?

— Oui. On patinait et puis j'ai eu une idée.

— Et bien sûr, ça ne pouvait pas attendre, dit River sur un ton amical.

Il n'y avait aucune once de reproche dans sa voix par rapport à cette décision que certaines personnes auraient eu du mal à comprendre.

— Quand il sortira du coma, il aura besoin de savoir que la vie continue. Ça le revigorera d'apprendre que j'ai résolu une bonne vieille énigme comme le meurtre de Dimitar Petrović.

— Tu as probablement raison. La Menthe est avec toi ?

— Ouais. Il est triste pour Phil. Je me suis dit qu'il serait mieux avec moi qu'à pleurnicher dans la salle d'attente devant les collègues de Phil.

River émit un petit gloussement.

— C'est pas drôle... Je suis contente en tout cas que tu ne sois pas toute seule. Écoute, je ne peux pas faire grand-chose pour arranger la situation, mais si tu as besoin de parler, tu peux compter sur moi, à n'importe quelle heure de la journée. OK ?

— OK. Merci.

Elle n'aurait pas su dire pourquoi, mais après le coup de fil de River, elle se sentit plus détendue. Elle s'enfouit sous les couvertures et se pelotonna contre un des oreillers comme s'il s'était agi d'une peluche géante. Malgré la certitude qu'elle ne parviendrait jamais à dormir après tout ce qu'elle avait vécu au cours de cette journée, elle sombra rapidement dans le sommeil. À sa grande surprise, il était huit heures passées quand elle se réveilla le lendemain matin.

Mal lunée, elle commença par téléphoner à l'hôpital pour prendre des nouvelles de Phil (« pas de changement ») ; elle prit ensuite sa douche (fichu pommeau !) et manqua de se brûler le cuir chevelu avec le sèche-cheveux. Elle enfila ses vêtements puis descendit pour aller prendre son petit déjeuner. La Menthe était déjà là, en train de manger des Coco Pops et de boire du jus d'orange. À voir les canettes vides autour de lui, ce n'était pas son premier.

Karen se servit une tasse de café et prit deux paquets de Fruit & Fibre, en se persuadant que c'était un petit déjeuner sain.

— Des nouvelles ? lui demanda La Menthe.

— Pas de changement.

Elle versa les céréales dans un bol trop petit.

— C'est plutôt une bonne chose, alors. C'est mieux que si son état avait empiré.

— Tu es toujours aussi enjoué le matin ?

Karen versa du lait dans son bol avant de prendre une cuiller de céréales. La Menthe eut l'air blessé mais au moins il cessa de parler pendant qu'elle prenait sa dose de caféine et de sucre. Une fois qu'elle eut terminé d'avaler ses céréales avec la détermination de quelqu'un qui ne veut penser à rien d'autre, elle prit une profonde inspiration et dit :

— Désolée.

Elle sortit son carnet et chercha le numéro du portable de Dorothea Simpson.

— Appelle-la et dis-lui que tu aimerais parler avec elle.

— Pourquoi moi ? demanda-t-il l'air paniqué.

— Parce que je suis la chef et que je ne veux pas qu'elle pense que cette conversation est importante. Tu es juste un subalterne pour elle et elle sera donc moins sur ses gardes.

— OK.

Il composa le numéro. Avec un visage aussi expressif que le sien, il n'y avait pas besoin de haut-parleur. Karen réussit à voir quand on décrocha à l'autre bout du fil puis quand la voix de Dorothea Simpson se fit entendre.

— Oui, bonjour Dr Simpson, ici l'inspecteur Murray de la police d'Édimbourg. Nous nous sommes parlé chez vous l'autre jour... Eh bien, j'aimerais pouvoir m'entretenir de nouveau avec vous, juste pour vérifier un ou deux points... Euh, je suis à Oxford et donc si vous êtes... Ah, vous n'êtes pas...

Son désarroi donna à Karen l'envie de pleurer.

— Eh bien, on pourrait passer venir vous... Oui ? Parfait. Où est-ce qu'on peut vous retrouver ?... Très bien. À tout à l'heure.

Il raccrocha, fier d'avoir mené à bien sa mission.

— Ça a l'air d'avoir fonctionné, le félicita Karen.

— Elle n'est pas chez elle. Mais je lui ai dit qu'on pouvait la retrouver où elle voulait. Elle est à St Scholastica's. Elle y prend son petit déjeuner plusieurs fois par semaine. Elle sera dans la SDP... Je sais pas trop ce que ça veut dire.

Karen afficha un grand sourire. Elle allait peut-être réussir à faire de lui un bon flic, finalement.

— Bravo. Qu'est-ce qu'on attend pour y aller ?

En route vers l'université, Jason demanda :

— Qu'est-ce que c'est une SDP ?

— C'est un genre de salle des profs, comme au lycée.

Il secoua la tête.

— On dirait des sortes de codes secrets, tous ces noms bizarres. Comme si on voulait tenir les gens comme nous à l'écart.

— Ce n'est pas faux, Jason.

Cerise sur le gâteau, Jimmy Hutton l'appela pour lui dire qu'ils avaient réussi à attraper le conducteur de la grosse BMW blanche.

— Ce con essayait d'embarquer dans le ferry de Newcastle pour Rotterdam, expliqua Hutton. Il croyait qu'on ne ferait pas attention à lui parce qu'il était en Angleterre.

Karen sentit que cette journée allait être meilleure que la précédente.

Ils trouvèrent Dorothea Simpson seule dans un grand salon donnant sur la rivière. Il était meublé à la façon d'une maison de campagne anglaise, avec des canapés qui avaient l'air très confortables et des fauteuils éparpillés autour de tables basses. Des bancs matelassés se trouvaient sous deux bow-windows et divers journaux et magazines étaient posés sur une grande table en bois. Dorothea les conduisit jusqu'à la table où elle était visiblement en train de lire un numéro de la *London Review of Books*.

— Je n'ai pas les moyens de m'offrir toutes les revues, dit-elle. Alors je viens prendre mon petit déjeuner ici deux ou trois fois par semaine et je vais donner mon cours ensuite.

Elle s'assit dans un fauteuil capitonné et poussa un soupir :

— Je ne m'attendais pas à vous voir, commandant.

— Qui n'a pas envie de venir à Oxford ? répliqua Karen.

— Qui, en effet, répliqua Dorothea sans une trace d'ironie.

Karen sortit de son sac la liste de noms froissée.

— Nous aimerions localiser rapidement la personne avec qui le général Petrović est venu à Édimbourg. Nous pensons que c'était un de ses compagnons d'escalade, mais jusqu'ici nous avons fait chou blanc. Toutefois, nous avons une liste de noms venant du registre de l'hôtel où il a séjourné pour aller pratiquer la grimpe urbaine. Vous savez, ces gens qui escaladent des édifices. Enfin bref, j'ai pensé que ça serait peut-être utile de demander aux gens que Petrović connaissait si un des noms sur la liste leur disait quelque chose.

Karen aurait juré voir Dorothea froncer brièvement les sourcils.

— Vous pensez que ça pourrait être son assassin ?

Karen lâcha un petit rire.

— Je n'ai aucune raison de soupçonner cette personne. Aucun des noms sur la liste n'a une consonance étrangère. Non, mais peut-être se rappellerait-elle avoir entendu le général parler de quelqu'un avec qui il avait l'habitude de faire de l'escalade en Croatie.

— Vous avez montré cette liste à Maggie ?

— Elle n'était pas disponible ce matin, répondit Karen.

Ce n'était pas une réponse à la question de Dorothea mais Karen espérait qu'elle ne le remarquerait pas.

— Je sais, elle est partie à la Radcliffe Camera, dit Dorothea. Elle a emprunté les clés pour accéder au toit. C'est une faveur pour une de ses doctorantes.

Soulagée que Dorothea ne pose pas d'autres questions au sujet de la liste, Karen déplia les feuillets.

— Je vais vous lire les noms. Peut-être que l'un d'eux vous dira quelque chose.

Dorothea hocha la tête d'un air dubitatif.

— Je vais faire de mon mieux. Mais ma mémoire n'est plus ce qu'elle était.

— Ce n'est pas grave. Le premier nom sur la liste est Christopher Greenfield.

Elle fit une pause pendant que Dorothea répétait le nom, en secouant la tête. Neuf noms défilèrent ainsi sans susciter la moindre réaction chez la vieille femme jusqu'à ce que Karen dise :

— Ellen Ripley.

Dorothea se redressa.

— Vous avez dit, Ellen Ripley ?

— Oui. Vous la connaissez ?

Dorothea gloussa.

— Vous ne savez pas qui c'est ?

Karen secoua la tête.

— Je devrais ?

— Enfin, commandant ! « Dans l'espace, personne ne vous entend crier. » Vous n'êtes pas jeune au point de ne pas savoir qui est Ripley ?

Karen se sentit idiote. Maintenant qu'on lui faisait remarquer, elle se rappelait très bien de Sigourney Weaver incarnant l'héroïque Ripley. Chose intéressante : c'était un des trois noms dont ils n'avaient pas réussi à retrouver la trace.

— Je n'avais jamais pensé qu'elle pouvait avoir un prénom.

— Pour être sincère, moi non plus si Mitja n'avait pas eu l'habitude de taquiner Tessa en la surnommant Ellen Ripley parce qu'elle combattait des monstres comme Milošević et Mladić.

— Le général appelait Tessa Minogue Ellen Ripley ? dit Karen en essayant de ne pas trop montrer son intérêt. Et est-ce qu'ils faisaient de la grimpe urbaine ensemble ?

— Honnêtement, je n'en sais rien. Je crois qu'elle est déjà allée marcher dans les Highlands et à Snowdonia avec Maggie, Mitja et leurs amis. Mais vous devriez lui poser directement la question. Maggie lui fait visiter le toit de la Radcliffe Camera ce matin. La vue est censée être extraordinaire.

Dorothea jeta un coup d'œil sur l'horloge de parquet posée contre le mur.

— Elles se retrouvaient à dix heures. Elles doivent être en chemin maintenant.

43

Leurs pas résonnaient dans l'escalier en fer qui menait jusqu'au sommet de la majestueuse Radcliffe Camera. Maggie regarda en bas et admira les détails baroques de l'architecture intérieure en se demandant exactement à quelle hauteur s'élevait l'édifice. Derrière elle, Tessa commençait à être essoufflée.

— La vache, Maggie, se plaignit-elle. J'en reviens pas que tu sois en meilleure forme que moi maintenant.

— Tu passes trop de temps à travailler et pas assez à faire de l'escalade, dit Maggie. Ce n'est pas très montagneux à La Haye.

— C'est incroyable ! s'exclama Tessa. Ça paraît complètement différent vu de cette hauteur. Dire que quasiment personne ne verra jamais ce somptueux décor. S'être donné autant de mal pour créer tous ces détails et qu'aussi peu de gens puissent les admirer… C'est vraiment ce qu'on appelle travailler pour l'amour de l'art.

— C'est triste de penser que plus personne n'a le talent de faire des choses aussi belles aujourd'hui. Je songeais à ça l'autre jour en regardant par la fenêtre du train. Il y a tellement de trucs inutilement moches dans ce que nous avons construit. Pourquoi l'aspect fonctionnel a-t-il été dissocié de l'aspect esthétique ? Pourquoi un entrepôt devrait-il être obligatoirement moche ?

— J'imagine que ça coûte plus cher ? répondit Tessa entre deux respirations.

— Je ne pense pas que l'argent soit vraiment le problème. Ça ne peut pas être aussi simple. J'ai plutôt le sentiment qu'on s'en fiche.

— La laideur a toujours été là, Maggie. Mais généralement elle ne dure pas. On la détruit et on la remplace par autre chose d'aussi peu attrayant. Ou par quelque chose de beau, si on a de la chance. Tiens, qu'est-ce qu'il y avait ici avant la Camera ? Je parie que c'était un truc sans intérêt.

Elles atteignirent la porte au sommet des marches. Maggie l'ouvrit et recula pour laisser passer Tessa.

— Des maisons. Voilà ce qu'il y avait ici avant. Des maisons ordinaires qui appartenaient aux différents collèges. Probablement similaires dans leur style à celles qui se trouvent sur Longwall. Cependant, tu as raison : la laideur a toujours été là, mais elle ne dure pas.

Maggie ferma la porte à clé derrière elles.

— Mieux vaut s'assurer qu'aucun étudiant ne passera par ici pendant que nous avons le dos tourné. Cheryl m'en voudrait à mort.

Tessa contemplait déjà le panorama, les mains posées sur la balustrade en pierre.

— Ouah ! Ça, c'est ce qu'on appelle une belle vue, Maggie. Merci de m'avoir proposé de venir ici.

— Toi et tes petits camarades de grimpe urbaine n'avez jamais essayé de l'escalader ? demanda Maggie aussi calmement qu'elle le pouvait.

— C'est pas trop mon truc, la grimpe urbaine, répondit Tessa tranquillement. Et puis personne ne peut grimper jusqu'ici, c'est un endroit trop fréquenté. Et éclairé la nuit.

— Dorothy L. Sayers a fait une description saisissante de cette vue. J'aurais dû la prendre avec moi. Elle compare les tours jumelles de All Souls College à un château de cartes et le jardin ovale de la cour intérieure qu'elles surplombent à une émeraude sur un anneau. À propos de New College, elle parle d'ailes noires s'enroulant autour du clocher, et compare Magdalen University à un grand lys élancé.

Maggie fit un geste pour désigner le panorama et longea le parapet pour admirer toute la vue.

— Des écoles, des universités, Merton, l'église St Mary the Virgin, la cathédrale de Christ Church, la Tom Tower et la Carfax Tower. Tout Oxford est là.

— Tu crois que c'est ce que Jésus a ressenti quand le Diable l'a emmené en haut de la montagne pour le tenter en lui montrant toutes les richesses du monde ? dit Tessa en riant. Tu vois le résultat de mon éducation catholique. Les paroles des religieuses m'ont marquée à vie.

Maggie tourna le dos aux murs de la Bodleian Library pour faire face à Tessa.

— C'est de là que tu tires ton sens de la justice ? Des religieuses ?

Tessa regarda Maggie comme si elle avait décelé quelque chose dans le ton de sa voix qui ne cadrait pas vraiment avec leur petite sortie.

— J'imagine, répondit-elle.

— Il y a un petit côté Ancien Testament, tu ne trouves pas ? On est plus dans la punition que dans le pardon.

— Ma conception de la justice ? Je n'ai jamais pensé à ça dans ces termes. Je pense que les gens ne devraient pas échapper aux conséquences de leurs actes, c'est tout.

Elle lâcha un petit rire.

— C'est quoi ces questions, Mags ? Je pensais qu'on allait profiter d'un bon petit moment ensemble après tout ce qui s'est passé la semaine dernière.

Maggie était contente que Tessa soit la première à aborder le sujet.

— Je pense qu'il faudrait un peu plus qu'une jolie vue pour me faire oublier ce que j'ai découvert. Tu ne m'as pas demandé comment ça s'était passé en Croatie.

Tessa haussa les épaules et s'adossa contre la balustrade.

— J'attendais que tu m'en parles. Je ne voulais pas te presser. Je sais que c'est difficile pour toi.

— Je vois. Je me demandais si c'était parce que tu savais déjà ce que j'avais découvert, dit-elle d'un air de défi.

Tessa fronça les sourcils.

— Je ne suis pas sûre de bien comprendre.

— Vraiment ? Alors pourquoi est-ce que tu l'as tué, si ce n'était pas à cause du massacre perpétré lors de ce mariage ?

La perplexité de Tessa était tellement convaincante que Maggie eut momentanément un doute. Et puis elle se rappela la liste que Karen Pirie lui avait montrée. Ellen Ripley. Le surnom que Mitja avait donné à Tessa pour la taquiner. Le fait que Tessa était partie quand Mitja avait disparu. La certitude qu'avait Tessa que Mitja était le tueur des criminels de guerre des Balkans ; une accusation improbable pour tous ceux qui connaissaient la profonde humanité de Mitja, que celui-ci avait bafouée par un acte de vengeance.

— Je ne comprends vraiment pas de quoi tu parles. Quel massacre ? Quel mariage ? Qui je suis censée avoir tué ? Tu parles de Mitja ? Enfin, pourquoi aurais-je voulu le tuer ?

Elle avait l'air scandalisée, déconcertée, insultée.

— Je me souviens de soirées passées tous les trois – parfois avec d'autres personnes – à pester contre l'impuissance du système judiciaire de la Cour pénale internationale. On trouvait scandaleux que Milošević profite de tout le confort en prison à La Haye pendant que des gens souffraient encore au quotidien des crimes monstrueux perpétrés par son régime. C'était insupportable de voir autant de criminels de guerre responsables de massacres, de viols et d'actes inqualifiables sur des populations civiles être libres comme l'air.

— Tu trouvais ça révoltant tout comme nous, si je me souviens bien ? répliqua Tessa d'un air perplexe et d'une voix calme, comme quand on s'adresse à un ivrogne qui peut se montrer violent à tout moment.

— Je me souviens particulièrement du jour où tu as appris ce qui était arrivé à Dagmar.

À présent, la communication allait être difficile. Dagmar et Tessa étaient sorties ensemble par intermittence pendant environ neuf mois après la guerre de Croatie. Et puis il y avait eu le siège de Sarajevo et Dagmar s'était retrouvée piégée comme beaucoup d'autres dans ce genre de cauchemar auquel personne ne s'attendait en cette fin de vingtième siècle, alors que l'Europe était censée avoir tiré les leçons de la guerre. Dagmar et sa copine de l'époque avaient atterri du mauvais côté de la ligne de front. Elles avaient été identifiées comme lesbiennes et violées systématiquement en réunion par plus de soldats qu'elles ne pouvaient en compter. Elles ont ensuite été jetées dans la rue au beau milieu de la nuit d'un mois de janvier glacial. Dagmar est morte de saignements internes deux jours plus tard. Sa petite amie s'est suicidée une semaine après. Quand Tessa avait appris la nouvelle par l'intermédiaire d'un contact de la Croix-Rouge, elle avait été envahie par un mélange de chagrin et de rage. Si l'un de ces soldats avait été dans les parages, Tessa l'aurait taillé en pièces, avait pensé Maggie à ce moment-là. Mais ils n'ont jamais été identifiés et encore moins jugés. Et Tessa n'avait plus jamais reparlé de tout ça.

Tessa détourna le regard.

— Je suis désolée, Maggie. Je ne comprends pas ce qui se passe. Je ne comprends pas ce que vient faire Dagmar dans cette conversation. Je n'ai pas besoin qu'on me rappelle ce qui lui est arrivé pour comprendre à quel point le meurtre de Mitja te fait souffrir.

— Ce n'est pas là où je veux en venir. Ce que je veux dire, c'est que nous parlions tous d'une seule voix. Ce n'est pas très longtemps après avoir appris ce qui était arrivé à Dagmar que tu as commencé à travailler avec les enquêteurs du Tribunal pénal pour l'ex-Yougoslavie, pas vrai ?

— Tu le sais très bien. Nous en avons parlé à l'époque. Je ne voulais pas avoir le sentiment qu'elle soit morte pour rien.

— Je sais. Je t'ai soutenue.

Tessa toucha le bras de Maggie qui ne put s'empêcher de tressaillir.

— C'est vrai. Je t'en suis reconnaissante.

— Ça t'a conduite à retourner dans les Balkans pour enquêter sur des crimes de guerre. Et tu as rapidement entendu des rumeurs sur un massacre survenu au cours d'un mariage.

Tessa écarta les bras en un geste d'étonnement.

— Je n'ai jamais entendu parler de ce massacre. Je te l'ai déjà dit. Je ne sais pas de quoi tu parles.

Maggie secoua la tête.

— Te fous pas de moi, Tessa, répliqua-t-elle sur un ton sec. Ce n'était pas banal d'entendre parler de Serbes massacrés par des Croates. Ce n'est pas quelque chose que tu aurais laissé passer. Tu t'y serais intéressée rien que par curiosité. Quand tu as commencé à poser des questions autour de toi, tout ce que tu as réussi à obtenir, c'est le nom d'un village croate qui ne te disait rien, non loin de la frontière. L'ironie, c'est qu'il ne m'aurait rien dit à moi non plus à l'époque.

— C'est une histoire complètement farfelue.

Tessa essaya de s'éloigner mais Maggie l'attrapa par le poignet.

— Ne t'en va pas si vite, Ripley. Ce n'est pas tout. Toi et ton acolyte scandinave vous vous êtes pointés dans ce village d'où venaient apparemment ceux qui avaient perpétré le massacre. Podruvec, au cas où tu aurais oublié le nom du village. Mais ça ressemblait à tout sauf à un bastion militaire. Mais tu es obstinée. Tu as toujours été obstinée, Tessa. Rigoureuse, dévouée, tenace, ajouta Maggie comme s'il s'agissait d'insultes.

— Je ne comprends pas de quoi tu parles, Maggie. Qui t'a mis cette histoire dans la tête ? Est-ce que c'est cette flic ? Est-ce qu'elle a essayé de te flanquer la trouille ? Tu vas bien ?

L'air préoccupé de Tessa ne fit qu'attiser la colère de Maggie. Elle n'allait pas se laisser manipuler aussi facilement.

— Tu as commencé à poser des questions autour de toi. Quelqu'un s'est finalement décidé à parler et tu as appris qu'un massacre avait eu lieu à Podruvec. Et puis tu as fini par remettre les pièces du puzzle en place. L'homme qui était responsable du massacre survenu au cours d'un mariage n'était autre que ton meilleur ami. L'héroïque général Petrović.

La voix de Maggie trembla un instant.

— C'est n'importe quoi. Je ne sais pas pourquoi tu t'en prends à moi comme ça, Maggie. On s'aime, on a fait l'amour ensemble, tu te souviens ?

— Si je me souviens ? Comment je pourrais oublier ? Tu tires une balle dans la tête de mon mari et tu m'emmènes ensuite dans ton lit pour me réconforter ? Tu ne trouves pas ça tordu ?

Tessa recula comme si Maggie l'avait giflée.

— Tu crois que j'ai tué Mitja ? C'est ça ? Parce que j'étais jalouse de lui ? Parce que je te désirais ? C'est complètement dingue, Maggie.

Maggie secoua la tête.

— Pas à cause de moi. Je ne pense pas que le monde tourne autour de moi. Non. Je pense que tu l'as tué parce que quelqu'un devait payer pour ce qui était arrivé à Dagmar. Tu crevais d'envie de te venger et de te faire justice toi-même. Tu pleurais quelqu'un que tu avais aimé et ça te mettait hors de toi de voir que la justice officielle ne faisait pas assez vite son travail. Et puis tu as découvert ce qu'avait fait Mitja et quelque chose s'est brisé en toi. Un de tes plus proches amis n'était pas seulement un hypocrite. C'était un criminel de guerre qui avait échappé à la justice. Tu as fait un amalgame rapide et tordu entre ces monstres qui avaient violé Dagmar et un homme qui avait réagi de façon excessive à l'assassinat de ses enfants.

Tessa écarquilla les yeux et un petit rictus apparut au coin de ses lèvres. Maggie avait finalement appuyé là où ça faisait mal.

— C'est comme ça que tu le vois ? Comme un pauvre animal blessé qui aurait réagi « de façon excessive » ? Il a tué près de cinquante personnes, nom d'un chien ! La grande majorité d'entre eux n'avait jamais pris part à quoi que ce soit qui ressemble de près ou de loin à un crime de guerre. C'était un monstre comme ces salopards qu'il dénonçait devant nous.

Pendant un instant, on n'entendit plus que le bruit de la circulation, les voix des passants, une lointaine sirène. Et puis Maggie reprit la parole.

— Et c'est pourquoi tu l'as tué.

Tessa se redressa.

— Il avait une belle vie. Tu lui as offert ça. Il était aimé. Il avait un toit au-dessus de sa tête et il y avait de la nourriture sur la table. Il pérorait devant un public conquis qui croyait que c'était un héros. Tu trouves ça normal ? Toi qui as vécu tout ça aux premières loges ? Les Balkans n'étaient pas qu'une page dans les journaux pour toi. Tu as vu ça de près. Tu as perdu des amis à Sarajevo. Durant l'offensive de l'été 92. C'était normal qu'il soit parmi nous en faisant comme s'il était quelqu'un de bien ? Tu trouves ça juste, Maggie ?

— Et qui t'a désignée juge, partie et bourreau ? Parce que ça ne s'est pas arrêté à Mitja, pas vrai ? Tu es montée sur tes grands chevaux parce qu'il avait commis une terrible erreur, et tu as pris plaisir à regarder le monde de haut. Tu as compris que tu pouvais corriger les erreurs. Punir les coupables. Et avec Mitja sur la liste des gens disparus, tu pouvais t'en servir comme d'un bouc émissaire pour rendre ta propre justice.

— Désolée de lui avoir collé ça sur le dos. Mais tu peux ricaner autant que tu veux, ça ne change rien au fait que la justice devait être rendue rapidement pour qu'elle soit vraiment juste. Et pas être retardée à cause de pinaillages juridiques et de procédures interminables. Ce que j'ai accompli était juste.

— Et tu trouves ça juste de m'avoir laissée croire que l'homme que j'aimais était toujours vivant ? C'était juste de me faire l'amour sachant que tu avais du sang sur les mains ? Tu as transformé ma vie en une sorte de tragédie jacobéenne sur la vengeance et tout ça sans que j'en sache rien. Comment as-tu pu faire ça, Tess ? Comment est-ce que tu peux encore te regarder dans une glace ?

Un court instant, elle entrevit la Tessa Minogue qu'elle pensait connaître. Une lueur vacillante de tendresse et de compassion dans les yeux.

— La pire insulte qu'il pouvait nous faire, c'était être l'homme qu'il était vraiment. Toute sa vie était un mensonge. Tout ce que j'ai essayé de faire, c'est t'aider à guérir, Maggie.

— M'aider à guérir ? Mais c'est toi qui m'as blessée en premier lieu. J'étais heureuse de mon ignorance. Et même maintenant que je sais, je le prendrais quand même dans mes bras. Parce qu'on ne peut pas le réduire à ce seul acte terrible qu'il a commis. Mais ce que tu as fait, Tess... c'était des meurtres de sang-froid. Aucune de tes victimes ne t'avait fait quoi que ce soit. Tu n'avais aucun intérêt à les tuer, sauf assouvir ta vengeance. Tu penses sans doute avoir agi pour Dagmar. Mais c'est une insulte à sa mémoire. Tu as fait ça parce que tu y as pris plaisir.

Tessa secoua la tête et parla lentement, comme si elle s'adressait à une enfant.

— Ce n'est pas vrai. Je l'ai fait parce que personne d'autre ne pouvait rendre justice à ces gens des Balkans. Tu crois qu'ils ont pleuré la mort de Miroslav Šimunović ou des autres ? Ils se sont réjouis au contraire. Je ne regrette pas ce que j'ai fait, Maggie. Je suis désolée pour la peine que tu ressens, mais c'est tout. Bon, maintenant partons d'ici et passons à autre chose.

— Tu crois que je vais en rester là ?

Maggie n'en revenait pas de l'insouciance de Tessa qui lui répondit avec un petit sourire compatissant.

— Qu'est-ce que tu veux de plus ? Il n'y a aucune preuve. Un nom sur un registre d'hôtel ? Tous ceux qui connaissaient mon surnom auraient pu l'utiliser. Une balle d'un pistolet qui a rouillé au fond d'une rivière quelque part ? Crois-moi, Maggie, j'ai pris mes précautions. Et tu ne peux pas dire que je n'ai rien fait pour rendre ce monde plus juste.

Elle essaya de se diriger vers la porte.

Mais elle ne fut pas assez rapide.

44

Aussitôt qu'elle comprit la portée des paroles de Dorothea, Karen se leva et se précipita vers la porte.

— Jason ! cria-t-elle par-dessus son épaule.

La Menthe se mit debout d'un bond et courut après sa chef jusqu'à la voiture.

— Conduis, lui lança-t-elle.

Il obéit. Quand ils franchirent à toute allure le portail de l'université, Karen fixa le gyrophare sur le toit de la voiture et batailla pour sortir son téléphone de sa poche. Au bout de la troisième tentative, elle réussit à taper les mots « Radcliffe Camera » sur le GPS.

— À gauche, cria-t-elle quand ils arrivèrent à l'extrémité de la rue. Et continue tout droit jusqu'à ce que je te dise de faire autrement.

— Qu'est-ce qui se passe ?

— On va essayer d'éviter un drame. La Radcliffe Camera est un grand édifice, Jason. Je pense que Maggie Blake a reconnu le même nom que Dorothea Simpson sur la liste des clients de l'hôtel et la personne avec qui elle se trouve sur le toit du monument est Tessa Minogue. Tu tourneras ensuite à gauche. Légèrement à gauche.

Jason klaxonnait à l'intention de tous les véhicules qui tentaient le moindre mouvement. Ils arrivèrent devant un feu de circulation qui leur interdisait de continuer tout droit jusqu'à la New Bodleian et le Sheldonian Theatre.

— Continue, cria Karen. On est la police, on peut aller où on veut, Jason !

— Est-ce qu'elle va tenter de la pousser ?

— À ton avis ?

Aussitôt qu'ils grillèrent le deuxième feu, provoquant le chaos dans leur sillage, Karen éteignit le gyrophare.

— Arrête-toi maintenant, dit-elle.

La voiture s'était à peine arrêtée que Karen courait déjà le long de Catte Street, la Bodleian Library d'un côté et Hertford College de l'autre. Elle se précipita sur Radcliffe Square, levant la tête en direction du parapet qui entourait le dôme, et faillit se tordre la cheville sur les pavés arrondis.

Elle espérait voir deux silhouettes penchées sur la balustrade, admirant la vue. Mais ce qu'elle vit au moment où elle leva les yeux, ce fut une femme tombant tête la première le long des trois étages de l'édifice, fendant l'air en poussant un cri strident qui lui donna la chair de poule. Le corps s'écrasa par terre. Karen se figea, horrifiée.

Jason courut en direction de ce qui n'était plus qu'une masse informe. Karen saisit son téléphone et appela les urgences tout en se remettant à marcher. Mais elle ne rejoignit pas Jason accroupi à côté du corps, qui essayait de tenir les badauds à distance.

Karen s'était faite depuis longtemps à l'idée qu'elle était celle qui devait courir au-devant des risques. Elle se dirigea donc à grands pas vers l'escalier qui était l'unique accès vers la bibliothèque. Quelle que soit la personne qui descendrait du toit, Karen l'intercepterait en chemin.

45

L'enthousiasme d'Alan Macanespie commençait légèrement à vaciller. C'était difficile de continuer sur une bonne lancée quand on ne pouvait pas se raccrocher à grand-chose. Après l'excitation d'avoir découvert quelque chose de significatif, lui et Proctor se retrouvaient dans l'expectative en attendant que les pros de l'informatique exercent leur talent sur ce qu'ils leur avaient envoyé.

Tout ce qu'il leur restait à faire, c'était se replonger dans les rapports établis par les policiers sur des meurtres qui pouvaient appartenir à leur série. Une bonne partie de ces comptes rendus étaient écrits dans une autre langue que l'anglais ; ils avaient dû avoir recours à des programmes de traduction en ligne et annoter tout ce qui pouvait sembler intéressant afin que cela soit réexaminé de plus près par des policiers maîtrisant les langues en question. C'était un travail abrutissant qui avait laissé à Macanespie l'impression désagréable que certaines informations s'étaient perdues avec la traduction. Mais en attendant que Wilson Cagney monte au créneau pour qu'ils puissent obtenir le personnel qualifié qu'ils méritaient, ils devaient faire avec les moyens du bord.

Il avait développé une certaine sympathie pour son patron toujours bien sapé au cours des derniers jours.

C'était une bonne chose de tout mettre en œuvre pour boucler un dossier qui avait de grandes chances d'être réglé de façon satisfaisante. Quand on était en passe de résoudre une affaire initialement vouée à l'échec – une taupe dans le système, un assassin disposant d'informations venant de chez eux –, il y avait toutes les raisons de vouloir rester discret. Et il n'y avait pas plus discret que ces deux losers de Macanespie et Proctor.

La matinée se terminait et Macanespie en était à sa quatrième tasse de café. Dans des moments comme ça, il aurait bien aimé fumer. Il avait arrêté quand la cigarette avait été bannie du bureau ; et surtout parce qu'il avait eu la flemme de devoir aller dehors pour se retrouver en compagnie d'autres cons comme lui une douzaine de fois par jour. Cependant, il avait parfois très envie d'avoir une bonne excuse pour sortir du bureau et aller respirer un peu l'air frais. Tout plutôt que de voir la tronche de Proctor.

Pour la douzième fois de la matinée, il vérifia son compte Twitter. Rien de nouveau à part un lien vers un bon pour obtenir un cappuccino gratuit dans son café préféré. À quoi ça servait d'avoir une carte de fidélité que vous deviez présenter à chaque fois si ça n'enregistrait pas que vous ne buviez que des cafés allongés avec du lait ? Comme il n'avait rien de mieux à faire, il se dit qu'il allait jeter un nouveau un coup d'œil à ses e-mails.

Cette fois, il y avait un message dans sa boîte de réception. Un message envoyé par quelqu'un qu'il ne connaissait pas mais dont il reconnaissait le nom de domaine. Il l'ouvrit : « Salut Alan. C'est moi qui ai accepté d'utiliser mon programme pour étudier cette femme de plus près. Intéressant, merci de m'avoir confié ce boulot. Alors, premièrement, il s'agit bien d'une femme. Deuxièmement, c'est toujours la même. Troisièmement, les possibilités proposées par le programme étaient étonnamment peu nombreuses, ce qui laisse penser que nous devrions avoir un portrait assez ressemblant. J'ai attaché en pièce jointe les cinq propositions. Tenez-moi au courant des résultats. On essaie toujours d'avoir de bons arguments pour justifier nos demandes de financement... »

Macanespie déglutit. Il avait presque envie de ne pas ouvrir la pièce jointe. C'était un moment d'incertitude à la Schrödinger : tant qu'il n'ouvrait pas, la solution du mystère était peut-être là ou bien demeurait une énigme. Chaque résultat avait ses inconvénients. Mais il ne pouvait pas rester assis indéfiniment devant l'écran. Il devait se lancer.

Il ouvrit la pièce jointe. D'abord, il crut qu'il y avait une erreur ; que de vraies photos avaient été mélangées avec le portrait-robot. Trois visages sur cinq ressemblaient beaucoup à celui de la personne qui se trouvait sur les deux autres, mais pas au point de les confondre.

En ce qui concernait les deux autres portraits, il n'y avait aucun doute pour Macanespie. Il connaissait ce visage. Depuis des années. Elle n'avait pas été considérée comme une taupe potentielle pour deux raisons : premièrement, elle ne faisait pas partie de l'équipe – elle travaillait seulement ponctuellement ; deuxièmement, elle collaborait aussi à d'autres projets.

Il s'humecta les lèvres, devenues subitement sèches, et se tourna vers Proctor.

— C'est Tessa Minogue.

Proctor fronça les sourcils.

— Quoi ? Tessa t'a envoyé un e-mail ? Pourquoi ? Qu'est-ce qu'elle veut ?

— Non, t'as pas compris. Je n'ai pas reçu un e-mail d'elle. J'ai reçu l'analyse des photos des caméras de surveillance.

Viens voir par toi-même. C'est Tessa Minogue. Aucun doute là-dessus.

La chaise de Proctor fut éjectée derrière lui quand il s'élança vers le bureau de son collègue. Il resta bouche bée en voyant l'image sur l'écran.

— Alors ça ! s'exclama-t-il avant de poser une main sur sa bouche. Tessa Minogue. Prise la main dans le sac.

Il se tourna ensuite vers Macanespie en arborant un grand sourire.

— C'est qui les meilleurs ?

46

Karen monta les marches vers l'entrée et eut un moment d'hésitation à cause du contraste entre la lumière extérieure et la pénombre à l'intérieur de l'édifice. Elle regarda rapidement autour d'elle et repéra un escalier courbe qui montait à l'étage. Elle grimpa les marches quatre à quatre, en esquivant de temps à autre un étudiant qui se mettait en travers de son chemin. Quand elle arriva au niveau de la spectaculaire salle de lecture, elle ne s'arrêta pas pour l'admirer. Tous ses sens étaient en alerte pour repérer si Maggie Blake ou Tessa Minogue tentait de prendre la fuite.

Elle courut le long de la galerie, vérifiant chaque rangée de tables qui formaient comme les rayons d'une roue avec l'accueil au centre d'où le personnel de la bibliothèque l'observait avec effarement. Avant que quelqu'un ne vienne à sa rencontre, Karen s'élança vers l'autre volée de marches et Maggie Blake apparut tout à coup fonçant dans sa direction. Surprise, elle eut un brusque mouvement de recul en voyant Karen.

— Il y a eu un terrible accident, lança-t-elle. Tessa…

Karen tendit une main vers elle.

— Je sais. Il faut qu'on parle.

Elle jeta un œil en bas de l'escalier, où un des bibliothécaires montait d'un pas déterminé vers eux. Elle sortit sa carte professionnelle et lança :

— Police, monsieur. Vous pouvez vous assurer que personne ne monte sur le toit ?

Elle saisit ensuite Maggie fermement par le bras et la conduisit vers la sortie.

— Je ne comprends pas. Qu'est-ce que vous faites ici ? Pourquoi êtes-vous à Oxford ?

— Chaque chose en son temps.

Elles descendirent l'escalier et débouchèrent sur Radcliffe Square sous un soleil radieux. Tenant toujours Maggie par le bras, Karen la conduisit dans la direction opposée de l'endroit où se trouvait le corps. Une voiture de police était déjà sur place. Il faudrait bientôt remettre Maggie Blake aux autorités locales qui allaient enquêter sur la mort de Tessa. Mais Karen voulait tenter sa chance en premier.

— Je n'arrive pas à le croire, n'arrêtait pas de répéter Maggie. On était tranquillement en train d'admirer la vue, et la seconde d'après...

Karen repéra des tables et des chaises devant une grande église à l'autre bout de la rue et elle emmena Maggie dans cette direction. Elle attendit que Maggie soit assise avant d'envoyer un bref texto à Jason. *Près de l'église avec le prof. Blake.* Karen s'assit ensuite en face d'elle et posa son téléphone sur la table. La panique l'envahit au moment où elle allait se mettre à parler. Elle savait exactement quels mots prononcer quand elle était sur le point d'informer un suspect sur ses droits en Écosse, mais quelle était la formule en Angleterre ? Elle allait devoir compter sur ses souvenirs de séries télé, ce qui était presque risible. Elle s'éclaircit la gorge et enclencha l'enregistrement sur son téléphone.

— Je vais enregistrer cette conversation, dit-elle. Avant de vous interroger, je vais vous signifier vos droits.

Elle croisa mentalement les doigts et se lança :

— Vous avez le droit de garder le silence. Mais cela peut nuire à votre défense si vous ne répondez pas à ce qui pourra vous être redemandé plus tard au tribunal. Tout ce que vous direz pourra être retenu contre vous. Est-ce que vous avez bien compris ?

Maggie fronça les sourcils.

— Oui, j'ai bien compris les mots. Mais je ne comprends pas pourquoi vous me les avez dits. Je viens juste de voir ma meilleure amie avoir un terrible accident et vous vous adressez à moi comme si j'étais une criminelle. Je ne sais même pas dans quel état elle se trouve !

— Vous exprimez enfin votre inquiétude, professeur Blake. Nous avons marché de la bibliothèque jusqu'à la terrasse de ce café et c'est seulement maintenant que vous vous inquiétez de son état, dit Karen sur un ton sec et cassant.

— Je suis en état de choc, bon sang ! Comme je vous l'ai dit, je viens d'assister à un horrible accident. Ma meilleure amie est peut-être morte et je ne peux même pas aller la voir.

Elle avait dit ça de manière très convaincante. Ça fonctionnerait sans doute bien face à des jurés, si les choses devaient toutefois aller jusque-là.

— Qu'est-ce que vous faisiez là-haut avec Mme Minogue ?

— Comment saviez-vous où nous étions ? Pourquoi êtes-vous ici ?

— Je sais que ça sonne comme un cliché, mais pour l'instant c'est moi qui pose les questions. Pourquoi étiez-vous sur le toit de la Camera ?

Maggie poussa un soupir et fit un geste impatient de la main.

— J'ai une étudiante qui voulait admirer la vue dans le cadre de ses recherches pour sa thèse. J'ai réussi à emprunter une clé et j'ai pensé que je pouvais offrir l'opportunité à Tess d'accéder à un des plus beaux panoramas, mais aussi un des moins accessibles, de la ville. Nous voulions contempler le paysage, Karen. Pour quelle autre raison serions-nous montées là-haut ?

— Parce que l'édifice est élevé et que son parapet est relativement bas. L'endroit parfait pour qu'un meurtre ait l'air d'un accident. Surtout quand il s'agit de se venger d'un meurtre qui s'est déroulé au sommet d'un autre édifice avec un parapet relativement bas.

Maggie lâcha un « oh » de surprise. Karen pensa qu'elle en rajoutait ; elle paraissait surtout vouloir dissimuler ses émotions.

— C'est ignoble de dire ça.

— C'est ignoble de faire une chose pareille, répliqua calmement Karen.

Elle remarqua derrière l'épaule de Maggie qu'une ambulance venait d'arriver accompagnée de deux autres véhicules de police. Elle espérait que Jason s'en sortait.

— Vous m'avez demandé comment je savais que vous étiez ici. J'ai parlé au Dr Simpson. Elle avait des tas de choses intéressantes à raconter.

— Dorothea ? Pourquoi êtes-vous retournée lui parler ? Qu'est-ce qu'elle a à voir là-dedans ?

— Vous vous souvenez quand je vous ai montré une liste de noms en Croatie il y a quelques jours ? Des gens ayant séjourné dans le même hôtel que votre mari à Édimbourg la nuit où nous pensons qu'il a été assassiné. Vous vous souvenez ?

— Bien sûr.

Maggie avait adopté une attitude prudente, comme si elle savait qu'il était temps d'arrêter de se cacher derrière le chagrin et la surprise.

— Je vous ai répondu que je n'avais reconnu aucun nom sur cette liste.

— Et je ne vous ai pas crue. J'ai décelé une légère réaction chez vous, sauf que je ne savais pas quel nom l'avait provoquée. Je me suis donc dit que j'allais soumettre la liste à quelqu'un qui vous connaissait bien, vous et le général. Quelqu'un chez qui vous logiez. Le Dr Simpson était sans aucun doute bien placée pour savoir qui étaient vos amis et qui venait chez vous. Ce genre de chose. Nous avons donc parcouru la liste ensemble. Vous savez ce qu'elle m'a dit ?

Cette fois le choc était bien réel.

— Je n'en ai aucune idée, dit Maggie, clairement sur la défensive à présent.

— Elle m'a affirmé que le surnom que donnait votre mari à Tessa Minogue était Ripley, d'après Ellen Ripley, le personnage interprété par Sigourney Weaver dans la série de films *Alien*. Apparemment, il l'appelait Ripley parce qu'elle était implacable dans son combat contre les criminels de guerre. La Ellen Ripley de notre liste avait en outre donné une fausse adresse. Nostromo Court. Le *Nostromo* est le nom du vaisseau dans *Alien*, si je me souviens bien.

Maggie secoua la tête.

— Je ne l'ai jamais entendu l'appeler comme ça. Dorothea s'est trompée. Elle est âgée. Elle mélange certaines choses. On ne peut pas avoir confiance dans ce qu'elle dit.

— Vraiment ? Moi je l'ai trouvée très vive d'esprit. Et j'ai apprécié notre discussion parce qu'elle m'a permis d'éclairer certains points qui restaient obscurs. Cette étrange femme qui a débarqué à Podruvec parce qu'on lui avait parlé d'un massacre. Le fait que la personne qui a tué ces criminels de guerre – et donc probablement aussi le général – avait accès à des informations provenant du tribunal de La Haye. L'aspect escalade : j'avais déjà entendu que vous alliez randonner tous les trois ensemble en montagne. Et elle était très proche de vous. Tellement proche que vous ne l'auriez jamais soupçonnée avant de voir le nom d'Ellen Ripley. Vous saviez que personne ne pourrait jamais prouver ce qu'elle avait fait. Alors vous l'avez imitée. Vous l'avez emmenée en haut de ce grand édifice et vous l'avez poussée.

Maggie secoua de nouveau la tête.

— C'est de l'invention pure. Vous n'avez pas la moindre preuve de ce que vous venez d'avancer. Et vous voulez que je vous dise pourquoi ? Parce que rien de tout cela n'est jamais arrivé. Parce que les gens comme moi ne règlent pas leurs problèmes en jetant leurs amis du haut d'un immeuble.

— Vous n'êtes pas différente des autres, Maggie. Vous êtes comme tout le monde quand on réagit à l'émotion. Et trouver des preuves, ce n'est pas un problème. Regardez autour de vous, Maggie. Cet endroit est bondé de touristes. Chacun d'eux a au moins un appareil photo sur son téléphone. Quelles sont les chances à votre avis de ne pas avoir été prise en photo par quelqu'un ?

Maggie lui lança un regard méprisant.

— Je suis une femme intelligente, Karen. Vous pensez que j'aurais fait quelque chose d'aussi ignoble que ce que vous affirmez sans m'être assuré qu'il n'y avait aucun appareil photo pointé dans ma direction ? C'est ridicule. Vous n'arrivez pas à résoudre cette affaire et vous inventez tout ça juste pour pouvoir refermer le dossier. Très bien. Refermez-le. Accusez mon amie Tessa d'avoir tué mon mari si vous voulez continuer à avoir de bons états de service. Faites comme vous voulez. Mais n'essayez pas de m'embarquer là-dedans. Je ne serai pas votre bouc émissaire.

— Vous l'avez tuée, Maggie. Ça n'en restera pas là.

Maggie poussa un soupir et éloigna une mèche de cheveux de son visage.

— Même si tout cela était vrai, comme justifieriez-vous, moralement parlant, de me faire poursuivre en justice ? Il n'y a pas d'équivalence morale dans toute cette histoire désolante. Une histoire qui semble avoir été écrite dans les larmes et le sang. Je suis désolée si ça paraît un peu mélodramatique, mais c'est comme ça que je le ressens. Le genre de conte moral que nous inventons pour essayer de persuader les gens de mieux se comporter. Mais nous ne changeons pas.

Karen observa la scène de crime derrière Maggie. Une scène de crime qui ne serait pas considérée comme telle. Maggie se montrerait convaincante. Rien ne viendrait contredire ses explications, sauf peut-être le témoignage d'une vieille femme au sujet du surnom porté par l'avocate décédée. Ce n'était pas le genre de preuves qui pouvaient conduire à des poursuites judiciaires. Maggie s'en sortirait. Et comme elle l'avait souligné : qui viendrait s'en plaindre ? Karen se leva, soudainement lasse, et fit un mouvement de la tête en direction des secours qui s'agitaient en tous sens.

— Ce n'est pas à moi d'en décider de toute façon. Vous devez me suivre et aller donner à la police locale votre version des faits.

Elle prit son téléphone et arrêta ostensiblement l'enregistrement.

Tandis qu'elle quittait la terrasse du café avec Maggie, elle se pencha vers elle et lui dit calmement :

— Ce meurtre va vous hanter. Vous allez comprendre ce qu'a vécu Mitja au quotidien. Bienvenue en enfer, professeur.

Maggie la regarda d'un air étonné.

— Vous dites ça comme si j'avais eu le choix, répliqua-t-elle sur un ton amer.

Elles traversèrent la place sous un soleil radieux incongru ; deux femmes intelligentes qui auraient pu être amies dans d'autres circonstances. Karen vit Jason se détacher du groupe de personnes qui s'affairaient autour de la scène du crime. Il la cherchait visiblement. Elle leva la main pour attirer son attention. Il avait le téléphone collé à l'oreille et se tenait bizarrement. Et puis il chancela, comme s'il avait perdu l'équilibre en marchant sur les pavés arrondis. Pas étonnant, se dit-elle. Ça lui était arrivé à elle aussi un peu plus tôt.

Ils n'étaient plus très loin l'un de l'autre à présent, et Jason la regardait d'un air implorant. Il avait le visage défait. Et puis il se mit à pleurer comme un enfant. Une partie d'elle essayait de comprendre ce qui se passait. L'autre avait déjà compris. Elle s'arrêta à quelques pas de lui sans prêter attention à l'agitation autour d'elle.

— Il est mort, dit-elle avec certitude.

Jason déglutit.

— Il a... il a eu une crise cardiaque, expliqua-t-il en pleurant.

Ses mots lui parvinrent de loin, de l'autre côté d'un précipice qu'elle ne pouvait pas franchir. Elle tourna les talons, prise d'un vertige au milieu de ce kaléidoscope de bruits et de couleurs. À cet instant terrible, elle comprit tout. Mitja, Tessa, Maggie. Les choses que l'on fait par amour. Les choses que l'on perd en chemin. La bêtise de penser qu'on peut se protéger du malheur.

Les yeux fixés sur le ciel bleu et les murs de pierre couleur sable, Karen Pirie tourna le dos à tout ça et s'éloigna.

REMERCIEMENTS

Ce livre a vu le jour grâce au travail de deux femmes à l'esprit iconoclaste, très différentes l'une de l'autre mais tout aussi remarquables ; je veux parler ici de la regrettée Dr Kathy Wilkes, professeur de philosophie à St Hilda's College, Oxford, et du professeur Sue Black, directrice du centre d'anatomie et d'identification humaine à l'université de Dundee.

Kathy a enseigné avec passion la philosophie de l'autre côté du rideau de fer au cours des dernières années du régime soviétique. Elle a vécu le siège de Dubrovnik et elle a été honorée pour son travail acharné en faveur de cette ville et ses habitants par les autorités locales et par l'État croate. Il y a une place qui porte maintenant son nom à Dubrovnik. Ce que j'ai écrit sur le siège de Dubrovnik m'a été inspiré pour une grande part par les propres écrits de Kathy et les conversations que nous avons pu avoir suite aux répercussions de la guerre de Croatie dans les années 1991-1992. C'était une femme extraordinaire, une enseignante passionnante, une amie généreuse et intellectuellement stimulante.

Sue était le médecin légiste anthropologue qui dirigeait l'équipe médico-légale britannique envoyée au Kosovo par le ministère des Affaires étrangères pour le compte des Nations unies afin d'éclaircir les atrocités commises au cours du conflit dans les années quatre-vingt-dix. Ses qualités humaines et son intégrité sont remarquables, et je me suis beaucoup inspirée de ses comptes rendus virulents sur son expérience au Kosovo. Je suis aussi très fière de l'amitié qu'elle me porte.

Leurs histoires ont été les points de départ de la mienne – qui est entièrement fictive –, mais j'ai aussi puisé à d'autres sources. Je voudrais remercier Linda McDowell, professeur de géographie à Oxford University, pour sa générosité ; j'aimerais aussi remercier le Dr Janet Howarth, le Dr Anita Avramides, Maria Croghan et Bronwyn Travers de St Hilda's College à Oxford ; ainsi que le Dr Olivia Stevenson de l'Université de Glasgow ; Angus Marshall, consultant en recherche numérique ; Mary Mille de Women's Aid à Dundee ; et Jo Sharp, professeur de géographie à Glasgow, qui m'a appris des tas de choses intéressantes, m'a cuisiné des plats délicieux, s'est décarcassée pour me faire goûter du bon café, m'a fait rire et qui, avec l'infatigable Leslie Hills, m'a changé les idées. Merci également à mon équipe pour son soutien indéfectible et pour ses encouragements : David Shelley et tout le monde chez Little, Brown ; merci à Anne O'Brien, Jedi de la relecture et de la correction ; à Jane Gregory et à ses filles (et à Terry !) ; à Liz Sich et Rachael Young, pour s'être assuré que le train arrive bien à l'heure ; et surtout au Kid et à ma moitié.

Composition et mise en pages
Nord Compo à Villeneuve-d'Ascq

CET OUVRAGE
A ÉTÉ ACHEVÉ D'IMPRIMER
SUR ROTO-PAGE
PAR L'IMPRIMERIE FLOCH
À MAYENNE EN FÉVRIER 2018

N° d'édition : L.01ELHN000422.N001. N° d'impression : 92319
Dépôt légal : mars 2018
Imprimé en France